GUZMÁN CARRIQUIRY

UNA APUESTA POR AMÉRICA LATINA

Memoria y destino históricos de un continente

EDITORIAL SUDAMERICANA
BUENOS AIRES

Carriquiry, Guzmán
Una apuesta por América Latina - 1ª ed. - Buenos Aires : Sudamericana, 2005.
336 p. ; 23x16 cm. (Ensayo)

ISBN 950-07-2656-4

1. Ensayo Uruguayo I. Título
CDD U864.

IMPRESO EN LA ARGENTINA

Queda hecho el depósito
que previene la ley 11.723.

Humberto I 531, Buenos Aires.

www.edsudamericana.com.ar

ISBN 950-07-2656-4

Prólogo

Resulta muy estimulante presentar este libro del Dr. Guzmán Carriquiry, *Una apuesta por América Latina,* que la Editorial Sudamericana tiene el mérito de publicar y proponer para la lectura y el estudio.

Considero el libro del Dr. Carriquiry **la primera gran obra de conjunto**, recapituladora, sintética y proyectual, sobre la realidad latinoamericana en la nueva fase histórica que se ha abierto hacia finales del siglo XX y que se está desplegando en la actualidad. En efecto, la vasta producción bibliográfica sobre América Latina (desde la "sociología comprometida" a la teoría de la dependencia, desde la teología de la liberación a cristianos para el socialismo, desde los tintes fuertes de literaturas de denuncia a los debates sobre estrategias revolucionarias) fue agotándose ya desde los años ochenta. Ofreció ciertamente dispares y significativos aportes, pero finalmente terminaron pesando más sus fuertes impregnaciones ideológicas, reductoras de la realidad. Sobre todo con el derrumbe del imperio totalitario del "socialismo real", esas corrientes quedaron sumidas en el desconcierto, incapaces de un replanteamiento radical y de una nueva creatividad, sobrevivientes por inercias, aunque haya todavía hoy quienes las propongan anacrónicamente. Poco tiempo después el resurgido recetario neoliberal del capitalismo vencedor, alimentado por la utopía del mercado autorregulador, demostraba también todas sus contradicciones y limitaciones. La obra del Dr. Carriquiry intenta dar una renovada visión de conjunto, más allá de visiones ideológicas inadecuadas, incapaces de abrazar toda la realidad de nuestros pueblos y de responder a sus deseos, necesidades y esperanzas. El libro lleva bien, pues, el subtítulo de *Memoria y destino históricos de un continente.*

Ésta es una hora para educadores y constructores. No podemos seguir empantanados en el lamento, las letanías de denuncias, los círculos viciosos de resentimientos y crispaciones y la confrontación permanente. Este libro, de amplio respiro, vibra de pasión por la vida y el destino de los pueblos latinoamericanos, una pasión que alimenta la inteligencia serena para afrontar las cuestiones cruciales del presente, en camino hacia su próximo futuro. En las próximas dos décadas América Latina se jugará el protagonismo en las grandes batallas que se perfilan en el siglo XXI y su lugar en el nuevo orden mundial en ciernes. Carezco de la competencia política y técnica para entrar en la consideración de muchos problemas —no es ésa la tarea de un Pastor de la Iglesia—, pero en el libro se condensan con clarividencia, sabiduría y determinación los desafíos ineludibles para la educación y la construcción de un camino de esperanza.

Ante todo, se trata de recorrer las vías de la integración hacia la configuración de la Unión Sudamericana y la Patria Grande Latinoamericana. Solos, separados, contamos muy poco y no iremos a ninguna parte. Sería callejón sin salida que nos condenaría como segmentos marginales, empobrecidos y dependientes de los grandes poderes mundiales. "Es grave responsabilidad —afirmaba el Papa Juan Pablo II en el discurso de inauguración de la IV Conferencia General del Episcopado Latinoamericano, en Santo Domingo (12-X-1992)— favorecer el ya iniciado proceso de integración de unos pueblos a quienes la misma geografía, la fe cristiana, la lengua y la cultura han unido definitivamente en el camino de la historia." Sobre esta vía maestra, y además por ser "extremo Occidente", por católica, por región emergente y por constituir como una "clase media" entre las naciones en el orden mundial, América Latina puede y tiene que confrontarse, desde sus propios intereses e ideales, con las exigencias y retos de la globalización y los nuevos escenarios de la dramática convivencia mundial.

A la vez, América Latina necesita explorar, con buena dosis de realismo pragmático —impuesto también por la propia vulnerabilidad y escasos márgenes de maniobra— nuevos paradigmas de desarrollo que sean capaces de suscitar una gama programática de acciones: un crecimiento económico autosostenido, significativo y persistente; un combate contra la pobreza y por mayor equidad en una región que cuenta con el lamentable primado de las mayores desigualdades sociales en todo el planeta; una reforma del Estado y la política para que estén efectivamente al servicio del bien común. Todo ello está bien expuesto y desarrollado en el texto como hilos conductores. Sin embargo, Carriquiry advierte con lucidez los cuellos de botella en que se trancan las perspectivas meramente economicistas o las pujas y proyectos políticos autorreferenciales. Nada de sólido y duradero podrá obtenerse si no viene forjado a través de una vasta tarea de educación, movilización y participación constructiva de los pueblos —o sea, de las personas y de las familias, de las más diversas comunidades y asociaciones, de una comunidad organizada— que ponga en movimiento los mejores recursos de humanidad que vienen de nuestra tradición y que sumen las grandes convergencias populares y nacionales en torno a contenidos ideales y metas estratégicas para el bien común. Ello conlleva ampliar las perspectivas analíticas y proyectuales para abrazar todos los factores en juego en la realidad de esa "originalidad histórico-cultural, que llamamos América Latina". Así lo escribían y proponían los obispos reunidos en la III Conferencia General del Episcopado Latinoamericano, en Puebla de los Ángeles (1979) esbozando ya, en forma entrelazada, una autoconciencia católica y latinoamericana, de la que el autor se nutre y a la que alimenta con aportes fundamentales de nuestra actualidad.

En el libro del Dr. Carriquiry veo el intento lúcido y "adelantado" de una inteligencia católica del desarrollo latinoamericano, reasumiendo, reformulando y relanzando la tradición de sus pueblos como hipótesis de construcción de su futuro. Sin embargo, el lector no se encontrará para nada con un libro "eclesiástico". El texto sorprende por su capacidad sintética de abundantes lecturas e informaciones, está lleno de datos, desarrolla densos análisis económicos, políticos, culturales y religiosos; perspectivas históricas lo recorren desde el principio hasta el fin. Está destinado al más amplio interés y abierto al debate público, más allá de confines estrechos y de etiquetas prejuiciadas. El Dr. Carriquiry sabe dar razón —¡y buenas razones!— de sus dichos. A la vez, ilustra una confianza en la potencia de la fe católica de nuestros pueblos tanto en clave de inteligencia y transformación de la realidad, como en respuesta a los anhelos de verdad, justicia y felicidad que laten en el corazón de los latinoamericanos y en la auténtica cultura de sus pueblos desde las huellas impresas por la evangelización. Aquí se da un germen de nueva creación en un mundo desgarrado.

Leyendo el libro con atención, no cabe duda de que el autor percibe en qué medida el destino de los pueblos latinoamericanos y el destino de la catolicidad estén íntimamente vinculados, al menos para este siglo XXI. La singularidad católica latinoamericana arraiga en su evangelización constituyente, se manifiesta aún en los muy altos porcentajes de bautizados, es tradición viva de sus pueblos, alimenta su sabiduría ante la vida, permea toda la realidad, y llega a constituir —al comienzo del tercer milenio— casi el 50% de los católicos de todo el mundo. Evidentes son sus muchas deficiencias y, por otro lado, es un patrimonio sujeto a fuerte agresión y erosión. Dilapidar este patrimonio constituiría una gravísima responsabilidad. Hay que "recomenzar desde Cristo", como indica S.S. Juan Pablo II en la Carta Apostólica *Novo Millennio Ineunte*. Estamos llamados a una "nueva evangelización" para que Cristo se haga más carne en la vida de las personas, de las familias y de los pueblos. Se desatará así su potencia de unidad, de caridad que alimenta toda auténtica solidaridad, de crecimiento en humanidad, de liberación y esperanza.

Los ingentes problemas y desafíos de la realidad latinoamericana no se pueden afrontar ni resolver reproponiendo viejas actitudes ideológicas tan anacrónicas como dañinas o propagando decadentes subproductos culturales del ultraliberalismo individualista y del hedonismo consumista de la sociedad del espectáculo. Llama la atención constatar cómo la solidez de la cultura de los pueblos americanos está amenazada y debilitada fundamentalmente por dos corrientes del pensamiento débil. Una, que podríamos llamar la concepción imperial de la globalización: se la concibe como una esfera perfecta, pulida. Todos los pueblos se fusionan en una uniformidad que anula la tensión entre las particularidades. Benson previó esto en su famosa novela *El Señor del mundo*. Esta globalización constituye el totalitarismo más peligroso de la posmodernidad. La verdadera globalización hay que concebirla no como una esfera sino como un poliedro: las facetas (la idiosincrasia de los pueblos) conservan su identidad y particularidad, pero se unen tensionadas armoniosamente buscando el bien común. La otra corriente amenazante es la que, en jerga cotidiana, podríamos llamar el

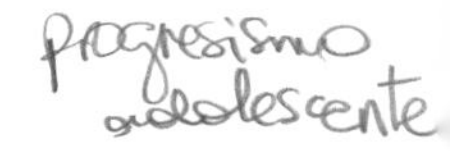

"progresismo adolescente": una suerte de entusiasmo por el progreso que se agota en las mediaciones, abortando la posibilidad de un progreso sensato y fundante relacionado con las raíces de los pueblos. Este "progresismo adolescente" configura el colonialismo cultural de los imperios y tiene relación con una concepción de la laicidad del Estado que más bien es laicismo militante. Estas dos posturas constituyen insidias antipopulares, antinacionales, antilatinoamericanas, aunque se disfracen a veces con máscaras "progresistas". Si menguan las energías evangelizadoras, quienes pierden son nuestros pueblos. Y si nuestros pueblos quedan sumidos en ciclos periódicos de mera modernización, resabio de anacronismo ideológico y violencia, devienen cada vez más marginales porque pierden su identidad y, por ende, la catolicidad.

Quizá tenía que ser alguien como el autor, que aúna su condición y pasión de rioplatense y mercosureño, de sudamericano y latinoamericano, junto con su vasta experiencia desde el centro de la catolicidad, en el Vaticano, quien pudiera ofrecer actualmente una visión a la vez realista, razonable y llena de esperanza, que invita a una renovada "apuesta por América Latina". Me permito, pues, recomendar al más vasto público posible la lectura de esta obra original y valiosa, auténtico evento editorial.

Buenos Aires, 4 de abril de 2005.
Solemnidad de la Anunciación.

Cardenal Jorge Mario Bergoglio S.J.
Arzobispo de Buenos Aires

PERSPECTIVA Y ACTUALIDAD HISTÓRICA

Terra incognita

Mientras Cristóbal Colón aún se aferraba a la idea de haber llegado a las "Indias Occidentales", el *mundus novus* irrumpía en la lectura maravillada de los europeos a través de las cartas del navegante Amerigo Vespucci, auténticos *best sellers* para tiempos y sensibilidades renacentistas. Martín Waldseemüller se inspiraba en el florentino para publicar en 1507, en Lorena, una cartografía apenas esbozada del Nuevo Mundo descubierto, y propuso llamarlo "América", pero estampó en sus mapas la dicción: *terra incognita*. Los europeos carecían de las categorías apropiadas para conocer realmente una tal impresionante novedad geográfica, de pueblos y civilizaciones, los cuales habían vivido un desarrollo separado en la "isla continental" durante muchos milenios, entre los dos grandes fosos oceánicos, desde que los habitantes del Paleolítico procedentes de Eurasia atravesaron el canal helado de Bering por el norte, y melanesios y polinesios lo hicieron en primitivas embarcaciones por el sur.

Más de quinientos años después, cuando se habla de "América" los más se refieren a los Estados Unidos, convertido hoy en la primera y única potencia global. América Latina queda a la sombra en los albores del tercer milenio, cuando se está produciendo un impresionante cambio de época y vuelve a resultar para muchos *terra incognita*.

En efecto, por una parte se sigue considerando actualmente la realidad latinoamericana con lecturas ideológicas anacrónicas. La conclusión de la Guerra Fría y del mundo bipolar de Yalta dejaron obsoletos muchos marcos mentales. "Sociologías de la modernización", "teoría de la dependencia", "teólogías de la liberación" y estrategias revolucionarias no están más a la orden del día y parecen claramente inadecuadas. También se resquebrajan los paradigmas neoliberales ortodoxos del "consenso de Washington" difundidos desde comienzos de la década de 1990. Por otra parte, quedan sólo noticias fragmentarias, anécdotas dispersas, rapsodias sin sinfonía, a lo sumo acumulación de estudios monográficos especializados, como el agitarse de un follaje que impide visualizar el bosque.

Un tal cambio de época no puede no dejar de provocar y difundir por doquier perplejidades y desconciertos, entre la inercia de aquellos anacronismos y una sucesión de datos e imágenes fragmentarias, fugaces, que idiotizan. Pero no es cuestión sólo de conocimiento de las cosas, sino de postura humana. ¡Cuántos derrumbes intelectuales... y humanos! Queda tanta generosidad dispersa, pero también refugios escépticos en lo "micro", el aferrarse a intereses particulares, y una generalizada lucha cotidiana por la supervivencia. Queda tanta resaca ideológica, siempre dispuesta a ser propuesta nuevamente para recalentar impotencias crispadas e inconducentes. Nada se obtiene con una repetitiva letanía de denuncias. Limitarse a una visión sufrida y condenatoria por "las venas abiertas de América Latina" —como las destaca el libro de Eduardo Galeano[1]— no hace más que alimentar derrotismos, victimismos y desahogos entre retóricos y viscerales.

América Latina comienza el siglo XXI pasando a través de una coyuntura muy crítica que toca fondo entre 2001 y 2002. Su expresión más dramática fue el derrumbe de Argentina, que arrastró también al Uruguay y puso en jaque al Mercosur. A ello se suma la persistencia y radicalización de la violencia en Colombia, la extrema polarización y el riesgo de una deriva autoritaria en Venezuela, la crisis dramática de la convivencia y gobernabilidad nacionales en Bolivia y Ecuador, y la tragedia sin fin de Haití. En una fase mundial de desaceleración económica, el panorama latinoamericano aparecía muy oscuro, caracterizado por índices decrecientes de flujos de capital y de inversiones, por una disminución brusca del crecimiento económico, por una fuerte vulnerabilidad financiera, inestabilidad política y aumento de la pobreza. Hay quien ha hablado del "mal oscuro de Sudamérica", pronosticando un ciclo de depresión y marginación, con situaciones sociales tumultuosas, políticamente confuso, con la amenaza de nuevos brotes y estallidos de violencia. Si el año 2003 fue aún duro, ya se pudo entrever algún resplandor de esperanza, que arroja más luz en 2004. América Latina puede salir templada de la crisis, alentada por signos de recuperación económica sostenida por una fase de crecimiento a nivel mundial, pero sobre todo más consciente y unida ante las grandes tareas que tiene que enfrentar. Si no lograra emprender con lucidez y determinación un camino virtuoso, el panorama podría volver a oscurecerse. Lo que sucederá en el Brasil de Lula será decisivo no sólo para el futuro del pueblo brasileño sino para toda Sudamérica.

Es ciertamente difícil avizorar caminos. Lo que importa, pues, es percibir una dirección viable, realista y entusiasmante a la vez, que conmueva la inteligencia, temple los ánimos y suscite las mayores convergencias posibles. No es la invención de nuevas utopías, que terminan en charlatanería o tragedia, sino una renovada apuesta por América Latina, por la construcción de una "patria grande", inclusiva y no exclusiva y excluyente; apuesta por el mayor bien de sus pueblos, el desarrollo de su propia cultura y también por su activa participación y digna integración en los dinamismos configurantes de una civilización universal.

¿Una apuesta por América Latina precisamente en estos tiempos en que resulta bastante marginal en los escenarios mundiales, con modelos agotados y horizontes inciertos? Pues por eso mismo: nada es igual después del 11 de setiembre de 2001; se inaugura efectivamente el tercer milenio y se recomienza en América Latina —como afirma un amigo— "a foja cero". Es hora de recapitular, repensar y relanzar, con razonabilidad, realismo y esperanza.

Es cierto que en tiempos incipientes, quien tenga muchas certezas sobre los rumbos generales de la historia, se arriesga a andar más perdido que nadie. Hay que ir, eso sí, auscultando los "signos de los tiempos" y evitando sistematizaciones apresuradas. No por casualidad se destacan muchas obras de envergadura, sobre todo en los ambientes de los *think tanks* del *establishment* de la primera potencia mundial, en orden a reformular su teoría estratégica en el camino emergente de un nuevo orden mundial y, también, hemisférico. En las áreas dependientes, en cambio, se tiende a seguir imitativamente los paradigmas ideológicos de las potencias dominantes, de ayer y de hoy, lo que implica una mentalidad neocolonial. Por eso, es difícil toparse con "pensamientos fuertes", análisis que arriesguen perspectivas de conjunto, contenidos ideales y estratégicos, lanzados a la reflexión y al debate colectivos. No faltan, eso sí, los "adelantados" al nuevo tiempo latinoamericano, y americano, que son buenos maestros. Con ellos queda en deuda este libro.

El lector encontrará las huellas de una recapitulación histórica apta para comprender nuestro presente y proyectarse hacia los futuros posibles. Hay un acervo de estudios sobre América Latina, sobre todo en el orden económico, de instituciones beneméritas como la Comisión Económica para América Latina y el Caribe (CEPAL) —organismo regional de las Naciones Unidas—, del Sistema Económico Latinoamericano (SELA), del Banco Interamericano de Desarrollo (BID) y de su Instituto para la Integración de América Latina y el Caribe (INTAL), así como de revistas especializadas. Por él hay que transitar necesaria y provechosamente. Son mucho menos frecuentes los análisis culturales sobre la realidad de los pueblos americanos y latinoamericanos en particular. La dimensión cultural está por lo general ignorada, descuidada o excesivamente limitada en las indagaciones y reflexiones sociológicas sobre América Latina. En el actual contexto hemisférico y mundial resulta más importante que nunca. Lo peor es renegar de nuestras "raíces torcidas", como se titula y propone el libro de Carlos A. Montaner[2] —o sea, de nuestra génesis, de nuestra formación cultural, de nuestra identidad—, para simplemente adecuarse al "prodigioso proceso de cambio y creación de un orden espontáneo" (¿!). En otro orden, difícilmente se arriesgan hoy juicios y perpectivas políticas para el conjunto de América Latina y del continente. La incertidumbre, indeterminación y fluidez de los escenarios mundiales y las urgencias, a veces turbulentas y dramáticas, de las crisis en los diversos países llevan a privilegiar una navegación de cabotaje, en los límites estrechos y, por lo general, engañosos, del corto plazo.

Existe, en fin, la dimensión religiosa de la vida de los pueblos, que en la historia y cultura del continente americano, desde sus orígenes, se expresa por el influjo de la tradición cristiana. En América Latina es tradición católica. No obstante fuertes tendencias de descristianización y las propias deficiencias en la evangelización, esa tradición cuenta aún con profundos y variados influjos en las diversas dimensiones de la vida de las personas, de los pueblos y naciones. Es sorprendente que, por lo general, los estudios económicos y sociológicos, algo menos los políticos y culturales, todavía tiendan a ignorar esa tradición católica, o a considerarla a modo de sector separado como asunto de instituciones especiales: las "iglesias". Sin embargo, si Dios existe y es el Logos, ¿cómo no considerar lo religioso como la dimensión más radical, global y decisiva de la existencia de las personas y de la convivencia de las naciones? Si Dios se ha revelado en Jesucristo, ¿cómo no considerar al acontecimiento de la encarnación de Dios como el hecho más capital de la historia humana, la clave de inteligencia de toda la realidad? Nuestra certeza es que Cristo constituye el centro efectivo de la realidad histórica y, por ende, la Iglesia católica. Quienes no lo crean, pueden admitir racionalmente este punto de partida, al menos como "hipótesis de trabajo". Rechazar esta posibilidad en cuanto tal sería prejuicio. Las grandes configuraciones de sistemas sociológicos e históricos, por otra parte, se desarrollan bajo supuestos teológicos y filosóficos, por lo general no explicitados.

Pues bien, este libro no es un tratado de historia, ni de economía, ni de fenomenología cultural, ni de politicología, ni de teología, referido a América Latina. No tiene ninguna de estas pretensiones, pero no ignora muchos estudios que se han hecho en esos diversos campos del saber, trata de servirse de ellos con enfoque interdisciplinar y se arriesga a convocar razonablemente, en una visión y juicio de conjunto, a "una apuesta por América Latina". Cuento con la indulgencia benevolente de los especialistas, y arriesgo apostar por el todo.

El objetivo de este libro es, pues, el de proponer algunas claves de comprensión, juicio y prospección acerca de América Latina, considerada en su actual realidad "global". Importa percibir las tendencias emergentes de desarrollo a partir del viraje histórico de los años 1989-1992 y las inflexiones decisivas por la repercusión del atentado terrorista del 11 de setiembre, sus intereses e ideales históricos, su fragilidad y potencialidad, las alternativas respecto de sus márgenes de posible protagonismo en el marco de la globalización, del nuevo orden mundial, de la catolicidad, de las grandes batallas de las primeras décadas del siglo XXI, las que apenas se están perfilando. Y dado que ello se entrelaza, hoy más que nunca, con los Estados Unidos como "imperio global" y hegemónico, también en la isla continental se avizora el destino del continente, sin descuidar la Unión Europea y otros "mundos" que en todo ello están cada vez más involucrados.

Actualmente está procesándose un tiempo crucial, decisivo, para la vida de las personas, pueblos y naciones en todo el continente. Para los latinoamericanos, en especial, está en juego la posibilidad de emprender caminos de esperanza, de protagonismo realista, inserción original en el cuadro mundial, desarrollo autosostenido, de mayor justicia para sus grandes mayorías, de crecimiento en humanidad para sus gentes, o de quedar relegados al margen de la historia, asimilados y conformados en una realidad de satélites, sumida en ciclos periódicos de empobrecimiento, depresión y violencia.

Es bueno poner desde el principio, con toda claridad, cuál es el intento, cuáles las posibilidades y limitaciones de este trabajo, y lo que cabe esperar de él. Por eso, también me presento: soy uruguayo, rioplatense, "mercosureño", sudamericano, latinoamericano, que, por las sendas desmesuradas e imprevisibles de la Providencia, trabaja desde hace treinta años en la Santa Sede, en el centro de la catolicidad. Católico se traduce, por lo general, como universal. Pero es más preciso cuando este término se descifra etimológicamente: lo que abraza todo lo humano, todo y todos. No es, por un lado, cosmopolitismo abstracto ni globalismo tecnocrático, ambos tendencialmente apátridas. Por el otro, salva de encierros estrechos, tiende a lo universal. Lo católico abraza nuestras particularidades, nuestras raíces y tradiciones, nuestros amores. Es catolicidad que abraza, recrea, fortalece y da mucho más amplio horizonte de "sentido" a la pasión por el destino de nuestros pueblos.

Tiempos cruciales

En la existencia de las personas, como en la de las naciones, hay tiempos cruciales y decisivos que son vividos con especial intensidad. Es cierto, sin duda, cuanto afirmaba, contra todo progresismo vulgar, el historiador alemán Leopold von Ranke: "Cada época es inmediata a Dios, cada generación es equidistante de la eternidad". Cada instante de vida, en efecto, es milagro cotidiano, está preñado de eternidad, pero también es cierto que el tiempo de las naciones, de las sociedades, como el de los hombres, es irregular, no homogéneo, tiene un fluir de densidad desigual; no todos sus momentos se equiparan en su valor cualitativo y decisorio de rumbos. Una cosa es *cronos*; otra es *kairós*.

Toda la historia es un despliegue dramático de la libertad, inscrita en la consistencia y el devenir de toda la realidad. Es "crisis", juicio. Pero hay tiempos en que ese carácter crítico parece remansarse y reposar en costumbres e instituciones acatadas y vividas como normalidad ordinaria, repetitiva, por la mayor parte de la sociedad. Prevalece entonces lo tradicional convertido en hábito y rutina, que es, por lo general, a ritmo de cierta inercia, el "programa" más incorporado al fluir de los días y las fatigas. El tiempo histórico parece pasar tan lentamente que pocas veces sus cambios resultan perceptibles para quienes lo viven. Pero de golpe el trabajo subterráneo del tiempo irrumpe con repentina intensidad y desencadena una serie de circunstancias que a la vista de todos se suceden con impresionante rapidez. Esta aceleración de la historia es concatenación y concentración de fuerzas silenciosamente operantes durante años y años.

Los tiempos cruciales son los que viven de la repercusión de la novedad, imprevista y sorprendente, de acontecimientos que conmueven la vida, que movilizan la libertad, la inteligencia y los afectos. Las aguas mansas entran en ebullición. Emergen con mayor vigor los deseos de felicidad, justicia y significado, que son connaturales al "corazón" de la persona, que están en la razón de ser de las naciones y que animan toda cultura auténticamente humana. En ellos se visualizan más nítidamente las oposiciones y alternativas de un camino abierto y tenso de esperanza. Entonces el hábito, la rutina y la distracción se desfondan ante el afrontamiento urgente, dramático, de la vocación y "sentido" de la propia existencia personal y colectiva. Es cuando el tiempo vital —que hoy día se ha vuelto cada vez más fugaz y efímero en la sucesión ininterrumpida e incontrolable de imágenes y noticias— se transforma en historia. Comienza a ser historia en cuanto vuelta a las fuentes, en rememoración fiel, crítica y fecunda de un pasado, reapropiación creativa de una tradición; y, por eso, conciencia más cabal y apremiante del propio presente en todos los factores que lo constituyen, y esperanza tendida para construir un futuro más humano.

En efecto, es raro que las fechas del calendario coincidan con las de la historia real. ¿Acaso el siglo de Pericles no duró apenas una quincena de años? El siglo XV concluye con el descubrimiento de América en 1492 y el siglo XIX se abre en 1789 con la Revolución Francesa. Bien se ha dicho que el siglo XX comienza en 1914 cuando se agota el capitalismo de la *belle époque* y su utopía del mercado global autorregulador, cuyas contradicciones abren hacia prácticas políticas, económicas e ideológicas de un estatismo dominante. Es curioso que cuando se celebraban los 200 años de la Revolución Francesa, en 1989 se clausuraba el ciclo de la Revolución Rusa que se arrogaba ser la prolongación, radicalización y madura realización de aquélla, anticipándose la conclusión del siglo XX. Dos imágenes muy diversas están en la inauguración del tercer milenio: por una parte, la multitud de peregrinos que, en el año del gran Jubileo, ingresan por la "puerta santa", que es Cristo, signo de esperanza, y, por otra, los atentados brutales del 11 de setiembre, signo de violencia y destrucción.

Hoy día, América Latina, dentro de un nuevo viraje histórico mundial y de un nuevo despliegue de conjunto de todo el continente americano, ha entrado en una fase crucial en la que está en juego su propio destino para las primeras décadas del actual siglo XXI.

Tres grandes encrucijadas históricas

La historia de América Latina se puede esquematizar en tres fases cruciales, que coinciden con tres grandes oleadas de la mundialización y globalización .[3]

Un primer tiempo crucial fue caracterizado por su acontecimiento fundacional. La Carta del Papa León XIII, al concluir el IV Centenario de la gesta colombina, en 1892, se refiere "al hecho de por sí más grande y maravilloso entre los hechos humanos",[4] después de aquel de la Encarnación del Hijo de Dios. Friedrich Hölderlin amaba repetir: "Los nacimientos deciden...". Y el historiador francés Pierre Chaunu lo confirma y complementa: "Las elecciones decisivas son las que se sitúan al principio de la nación, en el punto de partida de un sistema de civilización".[5] Hay como una singular densidad objetiva en el tiempo de la infancia.

Ahora bien, el Nuevo Mundo americano es hijo, como resultado y como efecto desencadenante, de una gigantesca novedad histórica: las muy distintas historias de los pueblos, las islas de las grandes civilizaciones en los océanos de la dispersión neolítica, hasta entonces tenuemente comunicadas, van a desembocar en la historia universal. El desembarco de Cristóbal Colón en Guanahaní y el de Vasco da Gama a Calicut, y más tarde la primera vuelta al mundo de Magallanes y Elcano, culminan la expansión mundial de los Estados nacionales de Hispania, comenzada a partir del siglo XV por el infante portugués Enrique el Navegante. Salen también de su incomunicación los imperios de los incas y de los aztecas, así como la "babel" de etnias y tribus indígenas mucho más exiguas, atrasadas y dispersas en las enormes y accidentadas geografías del Nuevo Mundo. Se dio entonces la primera gran oleada de mundialización y globalización: con la expansión de la cristiandad europea, que llevaba en sus entrañas ese ímpetu de universalidad, la ecúmene entera apareció por primera vez a la mirada del hombre. Es el alba de la modernidad. Comenzaba la historia universal de Europa, que hoy es en buena medida historia universal a secas.

En apenas cuatro decenios (de 1520 a 1560 aproximadamente) se llevó a cabo la conquista de los grandes imperios indígenas, se fundó la red de ciudades y villas que articuló la geografía de la colonización, el catolicismo misionero se volcó *ad gentes*, el territorio americano fue explorado por todas sus latitudes en tiempos acelerados. Son los tiempos cruciales de la gestación dramática del Nuevo Mundo, en un impresionante encuentro y choque étnico y cultural entre los más diversos pueblos y niveles de desarrollo. Se desató también por entonces la "primera gran batalla por la justicia en América".[6] Su primer clamor fue la predicación de un fraile dominico, fray Antonio de Montesinos (en La Española, en la Navidad de 1511), interpelando proféticamente a los primeros colonos españoles sobre el tratamiento a los indios: "(...) Todos estáis en pecado mortal y en él vivís y morís, por la crueldad y tiranía que usáis con estas inocentes gentes (...). Éstos, ¿no son hombres?, ¿no tienen ánimas racionales? ¿No sois obligados a amarlos como vosotros mismos? (...)".[7] Luego será una legión de misioneros que defenderá apasionadamente la causa de la dignidad y libertad de los indígenas. Se dieron vehementes debates de juristas y teólogos de la Corona sobre "los justos títulos" de la conquista. Descolló entonces la "escuela de Salamanca" y, en especial, Francisco de Vitoria, cuyas *Reelecciones* están en los orígenes del derecho internacional. La Bula del Papa Pablo III, *Sublimis Deus* (1537), fue una dura condena de toda forma de esclavitud de los indígenas; y las "leyes nuevas" de la Corona, la primera gran legislación social moderna que suscitó la rebelión de los conquistadores ("se acata pero no se cumple").

La violencia de la conquista, el derrumbe de los imperios indígenas y la explotación de los indios en las minas y encomiendas fueron los tremendos dolores de parto de un mestizaje desigual y desgarrado en que se generaron nuevos pueblos, nuevos hombres, con una conciencia de dignidad, de comunidad de origen y destino, de pasión por la justicia y de esperanza que sólo fue posible por la semilla del Evangelio plantada en la tierra americana como germen de nueva creación. "Donde abundó el pecado, sobreabundó la gracia..." En los dos siglos y medio siguientes, estos decisivos tiempos fundacionales irán asentándose, sedimentándose en el barroco americano, en la mal llamada "siesta colonial" de la "nueva cristiandad de Indias".

La segunda fase crucial que se vivió en la historia americana fue desencadenada por la decadencia y crisis de los Imperios de España y Portugal y concluye con la constitución de las nuevas repúblicas en el marco del segundo gran imperio mundial de los tiempos modernos, el de Gran Bretaña. Su primera eclosión se verifica entre 1808 y 1830, años en que se suceden las guerras civiles de emancipación (en el caso de Brasil la separación fue menos tumultuosa), precedidas en algunas décadas por la independencia de Inglaterra de las colonias americanas en el Norte.

La ruptura con el poder aglutinante de las metrópolis tiende a una diáspora de intereses de oligarquías locales, que llevan al fracaso del proyecto "bonapartista" y unificante de Simón Bolívar (que se manifestó en el fracaso del Congreso de Panamá, en 1826). No prevalece la visión americana de otros grandes próceres (San Martín, O'Higgins, Artigas...). El Libertador muere con la triste percepción de haber "arado en el mar".[8] No en vano se asistía a la fragmentación y disociación de veinte nuevas repúblicas "parroquiales" —según el decir de Arnold Toynbee— sumidas en la anarquía. Sólo Brasil lograba quedar unificado, controlando fuertes tendencias centrífugas, pero muy incomunicado con el mundo hispanoamericano tanto por la cuenca amazónica, que descoyuntaba la América del Sur, como por la contraposición en las fronteras siempre álgidas de la cuenca del Río de la Plata.

Estados Unidos crecía, por el contrario, como un gran país confederado, incorporando enormes tierras y riquezas por la guerra contra México y la conquista del Oeste, unificado luego de la Guerra de Secesión y tendiendo ya a integrarse en los dinamismos de la Revolución Industrial.[9] La retirada del Imperio español favoreció esa expansión desde los tempranos tiempos de la venta de Florida y con la ocupación muy posterior del actual suroeste de los Estados Unidos y de California, culminada con la intervención de los Estados Unidos en la Guerra de Cuba (1898).

La anarquía de las nuevas repúblicas deja paso al surgimiento (a partir de la segunda mitad del siglo XIX) y luego a la madurez (dos últimas décadas del siglo XIX y comienzos del XX) de su incorporación en el nuevo "orden neocolonial".[10] Son tiempos de la segunda gran oleada de globalización que se desarrolla precisamente por la propagación de la revolución industrial, primero en Inglaterra, luego en países de la Europa continental, después, en las últimas décadas del siglo XIX en los Estados Unidos y Japón, y más tarde en la Unión Soviética. Basta para ello tener presente el *Manifiesto Comunista* de 1848 en el que Carlos Marx hace un gran elogio histórico a la burguesía, por ser protagonista del desarrollo de las fuerzas productivas que convierte en cosmopolitas a la producción y el consumo de todos los países, a despecho de los "reaccionarios" encerrados en los marcos estrechos del localismo, las artesanías y las corporaciones.

El desarrollo de los transportes interoceánicos (nave de vapor), de los ferrocarriles y telégrafos, en el pujante desarrollo del capitalismo industrial, con más de 60 millones de europeos que emigran (dos tercios a los Estados Unidos y más de 4 millones al Cono Sur americano), entrelazan un auténtico mercado mundial.[11] En los últimos decenios del siglo XIX, los países latinoamericanos se reestructuran y consolidan como "polis oligár-

quicas", en cuanto exportadores de materias primas y productos agropecuarios y minerales, con "desarrollo hacia fuera", en el marco de una división internacional del trabajo que los ve importadores de productos industriales y bienes de capital de las metrópolis. Viven, pues, una modernización refleja y dual, dependiente primero del Imperio inglés y después de la expansión mundial de los Estados Unidos.

La tercera fase crucial para América Latina, para el entero continente americano, está en juego hoy mismo. Somos sus contemporáneos. A ella nos dedicaremos.

Un cambio de época

En el largo camino de las sociedades, hay misteriosas masas críticas de transformación, afirma Chaunu, que van acumulándose y que, de golpe, se descargan y generan una auténtica revolución, no prevista, produciendo una vasta recomposición social, económica, política, cultural y religiosa. Es lo que ocurrió entre 1989 y 1992.

Hoy es retórico, lugar común pero no menos verdadero, hablar de un cambio de época en el que estamos todos inmersos. Ante el gran viraje histórico de 1945, entonces lleno de novedad y por el que Europa occidental abandonaba su papel hegemónico de protagonista mundial y se instauraba la bipolaridad dominante EE.UU.-URSS, Alfred Weber exclamaba: "Adiós a la historia universal que se ha escrito hasta hoy". En la actualidad, con mucha mayor razón, podemos exclamar lo mismo frente a la transformación más radical y global que se está verificando.

Su eclosión desencadenante se da con el desmoronamiento del Imperio soviético, socavado por un error antropológico —no se puede abolir ni comprimir la libertad, constitutiva y expresiva de lo humano—, por un error "ideológico" de interpretación histórica —no se pueden reducir las dimensiones religiosas, culturales y nacionales al nivel de meras "superestructuras"— y por las deficiencias intrínsecas del colectivismo burocrático con el rezago tecnológico y lo obsoleto de su estructura productiva.

Se cerró el ciclo de la diarquía de Yalta, del mundo bipolar, de la dialéctica capitalismo-comunismo, de la confrontación Este-

Oeste, lo que fue el fin también del Tercer Mundo, de los no alineados, y se ha entrado en la búsqueda, aún muy fluida e indeterminada, de un nuevo orden internacional, de una nueva reestructuración y arquitecturación de poderes. Más aún: se ha clausurado el "siglo corto", inaugurado entre 1914 y 1918, con la emergencia del fenómeno histórico original de los totalitarismos, que tan profundamente describió Hannah Arendt. Con ellos parece agotarse la parábola histórico-cultural de los ateísmos mesiánicos, de raíces e ímpetus iluministas, que pretendieron retomar, reformular, sustituir y cancelar la tradición y la esperanza cristianas. Los paraísos prometidos terminaron en infiernos: tal es "el drama del humanismo ateo", título de la obra clásica de Henri de Lubac, que sintetiza la paradoja de un siglo en el que las más entusiastas y exaltantes proclamas humanistas desembocaron en modalidades de opresión, destrucción y abolición de lo humano.

Se desfonda así el mito gnóstico de la "Revolución", en cuanto realización del sentido de la historia y utopía de humanidad nueva generada desde el poder, que fue modelo de fascismos y comunismos. Entra en una crisis radical de credibilidad el marxismo-leninismo, su epicentro y vértice recapitulador. Concluye la ilusión "iluminada" de la realización de la utopía en la historia mediante el desarrollo de la economía y de la sociedad según "leyes científicas" que le serían propias y necesarias, sea en virtud de la dialéctica materialista, la lucha de clases, la revolución del proletariado y el comunismo final, sea en virtud del orden espontáneo y la prosperidad general garantizadas por la "mano invisible del mercado". Obviamente esto no excluye que pasado mañana vuelvan a emerger con nuevas formas y condiciones, pero será entonces otra historia.

No es casualidad, pues, que ello esté implicado en la crisis de las vigencias iluministas dominantes en la modernidad. Se resquebraja la fe en el progreso puesta ya en jaque por guerras mundiales, campos de exterminio y *gulags*, amenazas nucleares y ecológicas. Auschwitz e Hiroshima, si bien muy diversos entre sí, mostraron que los medios más racionales de que dispone el hombre, los medios tecnológicos, pueden ponerse al servicio de la destrucción en gran escala, lo que difícilmente podría justificar su racionalidad. El impresionante desarrollo actual de las tecnologías se manifiesta capaz de innovaciones sorprendentes en el campo de los medios, pero librado a sus meros criterios de factibilidad es huérfano de "sentido", de finalidad, y, por eso, de un auténtico gobierno humano. El racionalismo a ultranza se revela más que nunca como concepto reductivo de la razón y de la realidad. Produce el máximo de irracionalismo. Desemboca, por una parte, en los *pensieri deboli* y en formas agudas de relativismo político y moral, por otra, en la manipulación genética y, por último, en el extremo del fanatismo terrorista. Tendríamos que decir adiós, ¡nada menos!, que a vigencias y paradigmas ideológicos con los que se ha concebido y orientado el proceso de la modernidad. Ése es el significado más preciso de posmodernidad.[12]

Escenarios de globalización

Más nítido aparece lo que concluye que lo que recomienza, aún bastante indeterminado. Está claro que la nueva fase histórica reconoce entre sus factores propulsores y desencadenantes los enormes saltos cualitativos, acelerados y acumuladores que se dan en el desarrollo científico, en las innovaciones tecnológicas y en sus aplicaciones muy prontas y variadas. La tecnología se ha convertido en el factor más importante de la producción y del trabajo. La multidimensionalidad de sus repercusiones hace que hoy abunden las referencias a la civilización tecnológica, en la apertura de una era del conocimiento y de la información. El desarrollo de la robótica y la cibernética, la revolución de las comunicaciones, la recapitulación de la tradición oral y el lenguaje escrito dentro de una civilización audiovisual, el acoplamiento del ordenador con la biología en la revolución biogenética, son algunas de sus manifestaciones más sorprendentes y desafiantes. Estas mismas innovaciones están directamente interrelacionadas con el fenómeno de la globalización contemporánea.

Como ya fue señalado, la globalización no es cosa de nuestro tiempo. Estamos en su tercera oleada. Pero por cierto se da un salto de cualidad, intensidad y extensión, que cancela barreras de tiempo y espacio. La revolución de las comunicaciones ha hecho posible la globalización y los fuertes ímpetus de liberalización en todos los niveles, gracias, entre otras cosas, a la anulación de la convertibilidad del dólar en oro, a la libre fluctuación de los cambios y a los sucesivos *rounds* mundiales de liberalización financiera y comercial, han dado alas a las tesis clásicas del *"laissez faire, laissez passer"*. No sólo contactos, sonidos, signos e imágenes se comunican de un extremo a otro de la Tierra en tiempo real, instantánea e ininterrumpidamente. Con ellos, un flujo de capitales, tecnologías, órdenes bursátiles y transacciones en general, de poblaciones, armas y drogas, de publicidad, informaciones, programas de entretenimiento y modas no se detiene ante ninguna frontera. Desde el acontecimiento brutal del 11 de setiembre de 2001 hasta nuestros días, queda bien claro cómo el mismo terrorismo se ha globalizado.

En general, la globalización hace referencia sobre todo a los procesos económicos: una acelerada internacionalización de los sistemas productivos y de los mercados, mediante una onda de desreglamentaciones, deslocalizaciones y privatizaciones, de fusiones y reestructuraciones de empresas, de expansión de compañías multinacionales, de liberalización e intensificación de intercambios comerciales y, especialmente, de una cuantiosa y vertiginosa circulación financiera, cada vez más disociada de los sistemas productivos "materiales", especulativa, según modalidades que Alvin Toffler llama "economía inmaterial, supersimbólica".[13] En efecto, la globalización puede definirse como la interconexión de los mercados productivos, financieros y de consumo y la transnacionalización empresarial, sostenida por el avance de las comunicaciones. El *big bang* de su eclosión ha dependido básicamente de los dos sistemas nerviosos de las sociedades contemporáneas: las redes de comunicación e información y los mercados financieros.

En el proceso de globalización en curso se advierten actualmente signos extraordinarios y reales posibilidades de progreso pero, de manera simultánea, se suceden nuevos desequilibrios y desigualdades, miedos y resistencias, exclusiones y marginaciones. El impacto del progreso tecnológico en la productividad y en el crecimiento económico, la ampliación de las fronteras de libertad, la extensión de la democracia y de sus posibilidades, las experiencias exitosas de nuevas naciones en el acceso al desarrollo, una dinámica y perspectiva de intercomunicación de toda la familia humana, se conjugan, a su vez, con un gran foso. Es un foso cada vez más profundo entre los que engrosan una economía y cultura globalizadas y los que incrementan los ámbitos cada vez más extendidos de la economía informal, el mundo de los excluidos, las vastas áreas humanas y pueblos enteros encadenados a la miseria y violencia. Mientras tanto, sectores crecientes de capas sociales y generacionales quedan sumidos en la confusión, precariedad y crispación.

La caída del Muro de Berlín en la confrontación Este-Oeste no ha suscitado aún una voluntad política real y eficaz para afrontar la tarea de la superación del persistente e inicuo muro que separa cada vez más las sociedades hiperdesarrolladas y opulentas, en las que una minoría mundial controla las riendas del poder, la riqueza y el saber, y las vastas áreas de multitudes, naciones y regiones marginales, empobrecidas y dependientes. "Hay que hacer todo lo posible —afirmó recientemente el Papa Juan Pablo II— para que la globalización no tenga lugar en detrimento de los más desfavorecidos, de los más débiles, ampliando la brecha entre ricos y pobres, entre naciones pobres y naciones ricas."[14] Es cierto que los "índices de desarrollo humano" han progresado notablemente a nivel mundial en los últimos treinta años, en cuanto a promedio de vida, escolarización, salud, disminución de la pobreza absoluta.[15] El hecho de que la cuota de los países emergentes en la producción mundial, del 25% en el decenio de 1960 se proyecte al 48% para este año, y que su cuota en la exportación mundial de manufacturas haya crecido del 5% en 1973 a casi el 25% en los años noventa, indica que no están necesariamente condenados al atraso y a la marginalidad. Centenares de millones de hombres están saliendo de la pobreza, sobre todo en China y en otros países del Extremo Oriente y del Sudeste asiático. Durante la década de 1990 los países pobres y emergentes de la periferia mundial han crecido a un ritmo que casi duplica el del "club de los ricos", si bien con enormes desigualdades entre ellos. Tienden a disminuir las diferencias entre los países más desarrollados y los países emergentes que crecen por una positiva vinculación con el sistema económico global. El mundo es hoy más rico: en los últimos 50 años el producto bruto interno global se ha multiplicado por nueve y la renta per cápita se ha triplicado en promedio. Pero las desigualdades han crecido de manera escandalosa: el 20% más pobre de la población mundial percibe, hoy como en 1960, el 2% de la renta mundial, mientras el 20% más rico ha duplicado la propia cuota del 30% al 60% del total. Absorbe, además, el 86% de los consumos privados contra el 1,3% de la quinta parte más pobre de la población mundial. Es importante tener en cuenta que las mayores desigualdades sociales a nivel mundial se dan en América Latina.

El asunto más grave es que la brecha educativa y tecnológica se ahonda todavía más. En 1990 los países del "G-7" contaban con el 90,5% de las manufacturas de alta tecnología en el mundo y con el 80,4% del poder global en materia de computación; en 1997, el 97% de las patentes de invenciones existentes a nivel mundial estaban en manos de los países industrializados. La diferencia en recursos humanos es crítica: "Mientras que el promedio mundial de mano de obra científica y técnica en 1985 era de 23.442 por cada millón de habitantes, éste era de 8.263 por cada millón en los países en vías de desarrollo, de 70.452 en los países desarrollados y de 126.200 en los Estados Unidos, o sea, quince veces más que el nivel de los países en vías de desarrollo".[16] Mientras abundan las referencias a la revolución de las comunicaciones, no se tiene suficientemente en cuenta que el 60% de la población mundial no ha hecho nunca ni siquiera una llamada telefónica y un tercio no tiene acceso a la electricidad.

En fin, ¿cómo no tener en cuenta lo que enseña Amartya Sen, Premio Nobel de Economía 1998, cuando afirma que no es suficiente medir la pobreza sino que hay que considerar la profundidad de la pobreza? Ésta no se calcula sólo en relación con la renta pues hay desventajas a nivel de la salud, la legalidad, la discriminación sobre la base del sexo y, sobre todo, a nivel de la educación, que limitan aún más la libertad de la persona para la consecución de sus fines. Hoy se ha incorporado la referencia a la "pobreza crítica" o "extrema".

La globalización es ciertamente un dato real, estructural, que se impone y con el que hay que contar necesariamente. No es producto de quién sabe qué conspiración. Por eso, son impotentes y perniciosas la ignorancia suicida, la rabiosa exorcización, la antiglobalidad que desemboca en violencia. Una especie de neoludismo es antihistórica. Es fenómeno inevitable, y no va demonizado. Pero ese mismo proceso ha incubado también paradigmas ideológicos y políticos que los grandes poderes proponen, difunden e imponen como vectores necesarios para su desarrollo. La perspectiva del mercado global en la fase de euforia del liberalismo vencedor relanzó la utopía de una sociedad de competencia perfecta, de autorregulación de la entera dinámica social gracias al libre juego de las fuerzas del mercado, en la ilusión de que la mano invisible, ahora operante a escala mundial y sin mayores obstáculos, consiga una generalizada prosperidad y elevación de los niveles de vida. Ya lo advertía proféticamente Juan Pablo II, en 1991, cuando reconocía y alentaba "la positividad del mercado y de la empresa", al mismo tiempo que denunciaba el "fideísmo" de confiar la solución de los problemas que se plantean en la nueva fase "al libre desarrollo de las fuerzas del mercado", señalando que "la libertad, en el ámbito económico", tiene que estar "encuadrada en un sólido contexto político-jurídico que la ponga al servicio de la libertad humana integral". Es necesario —escribía en la encíclica *Centesimus Annus*— que el mercado "sea controlado oportunamente por las fuerzas sociales y por el Estado, de manera que se garantice la satisfacción de las exigencias fundamentales de toda la sociedad", haciendo valer "el principio del destino común de los bienes de la Tierra".[17]

La globalización, como dato y tendencia de la realidad, es una cosa; ideología "globalista", desde el paradigma de neoliberalismo extremo, es otra. No hay actualmente alternativas serias, viables y deseables a la economía de mercado (el derrumbe del "socialismo real" y el empantanamiento político y cultural de la socialdemocracia no han dado lugar a revisiones, replanteamientos y nuevas propuestas de la tradición socialista), pero la utopía del mercado autorregulador se demuestra falaz y perniciosa. Así como hay diversas especificaciones en las formaciones capitalistas —predomina la variante anglosajona pero existen también la japonesa, la coreana, la renana, la holandesa, la italiana, así como las inflexiones capitalistas en China—, hay también diversos modos de incorporarse al mercado global. La globalización seguirá desplegándose en la realidad del mundo de hoy y de mañana, pero esa ideología única de globalismo neoliberal está entrando en crisis.

Después del 11 de setiembre

La victoria del capitalismo sobre el comunismo produjo como línea de tendencia, desde finales de la década de 1980 (pero ya estaba en alza en la década anterior ante la decrepitud del sistema soviético en todos los órdenes), un resurgimiento, exaltación, legitimación y universalización de las economías de mercado y de las democracias liberales, con diversas inflexiones y acepciones. Sin que se advirtieran entonces verdaderas y practicables alternativas al sistema, Francis Fukuyama escribió sobre un cierto "fin de la historia". Son tiempos de la proclama del "nuevo orden internacional". Tras la estrategia del *containment* de George Kennan para tiempos de guerra fría, en la nueva fase se propuso la estrategia del *enlargement*, de Anthony Lake, como extensión global y conjunta, en círculos concéntricos, de la democracia y economía liberales, aislando a los que llama Estados "parias" o "canallas".

Los terribles atentados terroristas del 11 de setiembre de 2001 dieron indirectamente un golpe de gracia a la ilusión acariciada por muchos años (desde 1989) de una extensión armónica y universal de la economía del mercado y la democracia liberal, y de una incorporación progresiva, lineal y fructífera de las naciones en la economía y cultura globales, que conllevarían consigo prosperidad, libertad y paz para todos. Se cierra una fase de transición abierta desde 1989-1992 y van mezclándose de nuevo las cartas en el mazo.

Los nuevos escenarios políticos mundiales sacudidos también por las guerras balcánicas, en Chechenia y Afganistán, por las espirales dramáticas de violencia en el conflicto entre Israel y los palestinos y por la ocupación militar de Irak, demuestran que la búsqueda afanosa de un nuevo orden mundial está sujeta a gran indeterminación y fluidez y llena de dramaticidad. Además, los atentados del 11 de setiembre coincidieron con una fase de desaceleración económica que algunos no dudaron en llamar "recesión". Después del 11 de setiembre se hace evidente que el libre mercado tiene que ajustar cuentas, no sólo con esta desaceleración, sino también con el mayor costo del transporte de personas, mercancías y servicios, con las dificultades en el sistema de navegación aérea y de los seguros, con la reacción contra la excesiva *deregulation*, con mayores exigencias de seguridad interna e internacional, con ciertos controles en los flujos bancarios del dinero.

Se entra en una nueva fase de "keynesianismo" moderado, con una mayor intervención del Estado en la economía en tiempos de recesión y de guerra para aumentar la demanda, consumo e inversiones. El modelo ortodoxo de neoliberalismo globalista, propulsado desde comienzos de 1990, ya comienza a incorporar correctivos e inflexiones muy consistentes. Esto impone un sano realismo respecto de la economía, que ha de ser considerada —como insiste durante estos años Paul Krugman— más como método de razonamiento que como conjunto de recetas, teorías y dogmas aplicables universal y abstractamente.[18] Todos, aun los más proclamados liberales en los Estados Unidos, "somos keynesianos", escribe Krugman, porque sabemos que la desaceleración económica se combate promoviendo el gasto público y de los consumidores. Paul Samuelson insiste sobre la bondad de las economías mixtas en las que el Estado actúa como contrapeso equilibrante de "las volatilidades perniciosas del mercado". Está muy claro que ante las perspectivas de depresión, en los Estados Unidos se apliquen políticas fiscales expansivas. Después del 11 de setiembre empezaron a aplicarse inmediatamente políticas de reactivación económica. Lo que es absurdo —afirma Krugman— es que "nosotros —y aquí me refiero a los políticos de Washington y a los banqueros de Nueva York— generalmente prescribimos para otros países medidas económicas estructurales que jamás toleraríamos para los Estados Unidos".[19] Tales son los límites de políticas monetarias y fiscales de contracción que el Fondo Monetario Internacional continúa "recomendando" a los países latinoamericanos (pero de tales recomendaciones depende mucha ayuda externa y la atracción de inversores); son políticas de excesiva austeridad que en diversas situaciones provocan efectos depresivos y arriesgan agudizar las crisis, precisamente en países donde las redes de seguridad social son más inadecuadas para proteger a quienes serán arrojados al desempleo y la pobreza. Es obvio que se ha de poner orden en las cuentas fiscales y de gasto público, que se deben considerar seriamente los datos fundamentales de la economía, y que no se puede convertir al FMI en chivo emisario de deficiencias e irresponsabilidades propias de la gestión económica en los países. Pero reducir la receta a repetidos cortes drásticos de gastos termina por ser medicina que agrava la enfermedad del paciente. La insistencia en el "déficit cero" en lo más álgido de la reciente crisis de la Argentina es signo elocuente. ¿Reactivación económica para el Norte y ajustes depresivos para el Sur? ¿Hasta cuándo?

Ahora es fundamental que América Latina sepa incorporarse, desde los propios intereses, en la actual fase de reactivación de la economía mundial, que está emergiendo desde finales de 2003, para aprovechar las nuevas posibilidades y enfrentar los desafíos y tareas planteados. Los dos polos propulsivos de la economía mundial son actualmente los Estados Unidos y China, con vínculos crecientes entre ellos. Por una parte, los Estados Unidos están recuperando un impulso de crecimiento económico sustentado por el alto aumento de la productividad y provocado por la progresiva fusión de la economía de la información con la industrial y la de los servicios, y en gran parte financiado por el espectacular crecimiento de las inversiones de los fondos de previdencia. Se trata de una recuperación con algunos frenos, como los altos costos en todos los sentidos de la guerra en Irak y la dificultad de aumentar sensiblemente los empleos. Existe aún una cierta desconfianza entre inversores y consumidores a causa de los numerosos escándalos financieros. Pesa también la amenaza del superdéficit americano en las cuentas públicas (que llegó a más de 520 mil millones de dólares) y de su enorme déficit comercial. Por otra parte, China continúa creciendo a ritmos acelerados, gracias a los fuertes incrementos de inversiones extranjeras directas y a un notable aumento de su comercio exterior, favoreciendo la recuperación del Japón, el fuerte crecimiento de todos los países de la región asiática y un influjo cada vez mayor a nivel de la economía mundial. Al contrario, Europa parece pesada y envejecida.

Esta nueva coyuntura puede significar para América Latina el ingreso en un nuevo ciclo económico de expansión. Sus primeras señales fueron percibidas en el año 2003, si bien con una tasa todavía reducida de crecimiento —sólo un 1,5%—, pero sensiblemente mejor que la reducción de su Producto Bruto Interno de 0,4% en 2002. El crecimiento latinoamericano en 2004 alcanzó el 5%. Crecieron las exportaciones regionales y mundiales. Retornaron los flujos de capital y de inversiones, mejoró la demanda mundial y los precios de *commodities* (productos agroalimentarios y minerales de los cuales América Latina es gran proveedora). El año 2003 dejó un récord de superávit comercial (41 mil millones de dólares), gracias al incremento del 8% en las exportaciones y la disminución de las importaciones. El comercio intrarregional ascendió más del 20% en la primera mitad del año 2004. Por primera vez desde hace casi medio siglo, América Latina tuvo excedentes de 6 mil millones de dólares en las cuentas corrientes. América Latina ha tenido en 2004 el mejor año desde 1997, con disminución de la tasa de desempleo, mejora de las cuentas fiscales y baja inflación. Estos pronósticos optimistas incluyen a todos los países.[20] Sin embargo, la actual recuperación económica resulta todavía insuficiente para dejar atrás los efectos del estancamiento y de la crisis de comienzos del siglo. Además, ha dependido mucho de los altos precios de las materias primas y de las muy bajas tasas de interés, quedando, pues, sujeta a muchas incertidumbres que provienen del cuadro político y comercial a nivel mundial y de eventuales vaivenes de coyunturas. Para 2005 se prevé otro año positivo (si bien no tanto como 2004), con un 4,5% de crecimiento. Entre los problemas que frenan aún una mayor expansión se destacan el bajo ahorro interno, la escasa apertura de los megamercados, deficiencia en las infraestructuras, la fragilidad de los marcos institucionales y lentitudes burocráticas.

En otro orden de cosas, el economicismo avasallante de la globalización deja ahora notoriamente lugar a la irrupción de la política, de la cultura, de la religión y de las armas. En efecto, la expansión e intensificación del terrorismo y la guerra total que le ha sido declarada alzan los niveles de seguridad y confrontación militar y manifiestan las dificultades para una pacificación mundial. En tiempos de guerra, de amenazas de terrorismo islámico, de desaceleración económica y de arduas negociaciones multilaterales y regionales, el Estado se refuerza y la política retoma su lugar. Se impone hoy por doquier mucho mayor atención a las alianzas geopolíticas, a las áreas culturales y a las tradiciones, movimientos y cuestiones religiosas que están implicadas. Resurgen incluso radicales interrogativos respecto a la condición humana, a su convivencia, a su destino.[21]

"No hay mal que por bien no venga", dice un refrán popular. Y el tremendo mal de los atentados terroristas puede llevar a un mayor bien, no sólo aislando y destruyendo las redes terroristas, sino también advirtiendo, con conciencia más cabal y apremiante, y enfrentando, con voluntad política decidida, los gravísimos desequilibrios y situaciones explosivas a nivel internacional así como las nuevas condiciones de una auténtica y eficaz cooperación internacional. No parece que la intervención en Irak desemboque en esa dirección. La "alianza mundial" que se ha pretendido articular después del 11 de setiembre no puede limitarse a ser sólo necesario alineamiento político y colaboración militar en la lucha antiterrorista, sino también ocasión importante e ineludible para un profundo replanteamiento cultural, político, económico y ético, con amplias convergencias, hacia un nuevo contrato de solidaridad entre las naciones, apto para desatar dinamismos de pacificación, de algo más de justicia y equidad en la gobernabilidad siempre precaria del concierto mundial. Hay que dar lugar a una "nueva era de cooperación internacional" en la que la "revolución de la libertad sea acompañada por la revolución de las oportunidades (para) todos los miembros de la familia humana de modo que puedan gozar de una existencia digna y compartir los beneficios de un auténtico desarrollo global".[22] Los grandes avances en la libertad, democracia, progreso científico-tecnológico, crecimiento económico y colaboración internacional vividos en la última década del siglo XX, que merecen ser ciertamente custodiados, están requiriendo nuevos fundamentos, una nueva conciencia, renovadas modalidades expresivas, nuevos caminos por recorrer.

No afrontar con seriedad y profundidad estas cuestiones, que se imponen por la fuerza de las cosas, sería acto de grave irresponsabilidad. La emoción "global" causada por la impresionante catástrofe provocada por el terrremoto y tsunami en el Sudeste asiático es oportunidad e interpelación, que no se puede pasar por alto, para movilizar voluntades convergentes y solidarias ante los grandes desafíos de nuestro tiempo, sintéticamente concentrados, según una alocución pronunciada el 10 de enero de 2005 por Juan Pablo II, en cuatro realidades fundamentales: vida, pan, paz y libertad.

Globalización y continentalización

Con el derrumbe del totalitarismo soviético y la clausura de la era de los totalitarismos del siglo XX, entró también en crisis el "estatismo" que dominó, con diversas variantes, casi todo el siglo XX. Más aún: se asiste a la crisis del Estado nacional en cuanto totalidad soberana en el control y gestión del poder. Es cierto que nunca hubo tan gran número de naciones representadas en las Naciones Unidas. También es verdad que algunas nacionalidades aparentemente difuntas han reemergido con la tumultuosa desintegración de los Estados multinacionales compulsivos, como la Unión Soviética y Yugoslavia, y que los Estados nacionales siguen siendo el sujeto fundamental de la vida internacional. Pero ahora, como lo dijo anticipadamente Daniel Bell, dichos Estados se revelan demasiado pequeños para tiempos de globalización y demasiado grandes, distantes y abstractos respecto de las necesidades e identificaciones de la gente y de las tradiciones locales y regionales.

Entre la globalización del mercado y los Estados nacionales se entretejen y despliegan nuevos procesos y proyectos panregionales, con modalidades diversas de zonas de libre comercio, unión aduanera y mercado común, de integración económica y de comunidad de naciones, de megamercados en competencia, de grandes áreas con respectivas afinidades culturales. El tema de la "regionalización" ha dado lugar a numerosos estudios y a diversas hipótesis.[23] La globalización y la regionalización o continentalización no se revelan opuestas sino complementarias y entrelazadas. Al contrario, la continentalización aparece como modalidad compensatoria y de inserción en los dinamismos de la globalización. En efecto, si se consideran los últimos treinta y cinco años, la economía mundial ha visto consolidarse un doble proceso: un lento crecimiento en el comercio extrarregional (+3,2%) y un aumento mucho más importante en el comercio intrarregional (+10%), especialmente en la Comunidad Europea, en Asia y más recientemente en el área norteamericana y en el Mercosur. La apertura de las economías nacionales al mercado mundial, sin más, sobre todo para países de menor desarrollo, es un paso demasiado grande y abstracto. Esa tendencia a la regionalización económica está acompañada por una mayor sensibilidad de los confines geopolíticos y culturales.

En realidad, advierte Henry Kissinger, se ha entrado en la fase histórica de los "Estados continentales", inaugurada por el gigante Estados Unidos, proseguida por la Unión Soviética, hoy en marcha en la Unión Europea. Lo son también India y China.[24] Esta fase se está esbozando ya, como proceso de integración asiática, por las recientes conversaciones que Japón, China y Corea del Sur han tenido con las naciones del Sudeste asiático, en lo que podría ser el mayor bloque mundial, aunque todavía sin consistencia política. Los Estados nacionales dispersos pierden, pues, un auténtico protagonismo histórico y van quedando cada vez más a los márgenes de la historia. "Ahora avanzamos en el continentalismo", había afirmado Juan Domingo Perón en un mensaje enviado a la Cumbre de los No Alineados en Argelia (1973).[25] Es también lo que, con mayor o menor conciencia, levanta la necesidad de la "Patria Grande" en América Latina y da nueva perspectiva y urgencia al desarrollo de sus actuales formas de integración.[26]

En esa tendencia de configuración mundial, Estados Unidos, que ha llegado a ser en la actualidad "la primera y única potencia global"[27] hegemónica a comienzos del siglo XXI, comenzó a interesarse más directa y concretamente por el subcontinente latinoamericano a partir de fines de la década de 1980. Muchó se habló entonces de su "vuelta al hemisferio". "Para la escuela de la hegemonía declinante —escribía Andrew Hurrell—, América Latina se convierte en el refugio de un mundo cada vez más hostil. Para la escuela del resurgimiento de la hegemonía, América Latina es una prueba de la capacidad de Estados Unidos para materializar en forma concreta su visión todavía difusa de un nuevo orden mundial (...)."[28] Por su parte, América Latina menos aún puede ignorar a la que el presidente Bill Clinton llamó "la nación indispensable", al afrontar la cuestión mayor de su inserción en el mundo global. El vigoroso surgimiento del Mercado Común del Sur (Mercosur), su alianza con la Comunidad Andina y su proyección como Estado continental sudamericano, el Tratado de Libre Comercio (NAFTA) entre los Estados Unidos, Canadá y México, la red de numerosísimos acuerdos comerciales que ha entretejido las relaciones comerciales bilaterales entre los países del continente en la última década y la propuesta primero de la "Iniciativa para las Américas" y luego del Área de Libre Comercio de las Américas (ALCA/FTTA) (desde Alaska a Tierra del Fuego), son signos novedosos de una renovada y plural interdependencia que busca sus caminos en el encuentro, choque y negociación de intereses históricos diversificados.

Estamos ante "acontecimientos mayores en la historia de las relaciones entre Estados Unidos y América Latina", afirma Methol Ferré. Éstos "son el principio de una nueva era, que desata nuevas lógicas totalmente inéditas. Pero aún lo inédito tiene raíces profundas. Si es así, será deber para intelectuales y políticos, empresarios y sindicalistas, y más que nadie para la juventud, no tomar esto con frivolidad, arrastrados por el inmediatismo del fragor de cada día, sin detenerse a meditar —con el debido conocimiento histórico— sobre el significado y alcance de estos dos grandes cambios (...) que apuntan a distintas Latinoaméricas posibles del siglo XXI, extraordinariamente diferentes de lo que hemos vivido antes y en particular en este siglo XX".[29] Está realmente en juego el destino del continente.

UNA DIALÉCTICA BIPOLAR EN EL HEMISFERIO AMERICANO

Latinoamericanismo y panamericanismo

Hubo dos grandes corrientes históricas opuestas que han marcado las relaciones entre las naciones del continente. Ambas han cobrado cuerpo desde la segunda mitad del siglo pasado, dado que anteriormente las relaciones interamericanas habían sido casi inexistentes, si se exceptúan los primerísimos orígenes de la expansión europea en América y el interés suscitado por el constitucionalismo de los Estados Unidos independiente para los marcos institucionales de las nuevas repúblicas de América Latina. Hubo quienes llamaron a tales corrientes latinoamericanista y panamericanista (o bolivarismo y monroísmo).[1] Hoy adquieren nuevos rostros y vigencias en una bipolaridad que será decisiva para la configuración del continente americano en las primeras décadas del tercer milenio.

Sus primeros augurios habían comenzado ya bien entrada la segunda mitad del siglo XIX, con el latinoamericanismo inaugurado por el católico liberal colombiano Torres Caicedo. De él procede el primer uso del término "América Latina" —como lo indican las investigaciones de Arturo Ardao[2]—, aunque hay quienes señalan el filón paralelo del Imperio francés en México y un tinte afrancesado del término que inquieta a los hispanistas. En realidad, la primera institución que gozó de tal nombre fue el Colegio Pío Latinoamericano, destinado a la formación sacerdotal, fundado en Roma en el año 1858. Torres Caicedo escribe en 1861 sus *Bases para la unión económica y política de los Estados latinoamericanos* y funda en 1879 la Unión Latinoamericana, que incluye al Brasil, recogiendo así la tradición bolivariana en el sentido de superación de la fragmentación y atomización estatal de América Latina, bajo la dependencia del imperio inglés.

Torres Caicedo murió en 1889, el mismo año en que el secretario de Estado norteamericano, James Blain, realizaba la primera Conferencia panamericana de Washington, preparada desde 1881. Esta conferencia tuvo tres objetivos principales: 1) la unión aduanera, 2) la unidad monetaria en toda América, y 3) un banco interamericano que facilitara el crédito y las inversiones.

La eclosión de la sociedad industrial en los Estados Unidos, la irrupción del poder norteamericano y la proyección del "destino manifiesto", ya presente en sus padres fundadores, hacia Centroamérica y el Caribe, consumaron la expulsión de España de sus últimos enclaves americanos, Cuba y Puerto Rico, que pasaron a ser protectorados norteamericanos. Esto suscitó entonces, entre admiración, asombro y alarma, el resurgimiento en las elites intelectuales de los países latinoamericanos de aquella tradición bolivariana de unidad e integración, en cuanto toma de conciencia urgida y proyectual. Los micro-Estados de una América Latina fragmentada y dispersa se mostraban impotentes ante la entrada en escena de ese gigantesco Estado continental.

Entre finales del siglo XIX y comienzos del XX, una gran generación de intelectuales retomará cabalmente una autonconciencia latinoamericana y la reafirmación de su identidad cultural y de sus propios rumbos históricos.[3] El *Ariel* del uruguayo José Enrique Rodó será su "manifiesto" (autor también de un libro sobre Bolívar). Desde muy diversas "patrias chicas" se afirma entonces un nacionalismo de recapitulación histórica y vastos alcances, que es el de "nuestra América" del cubano José Martí, el de la "Patria Grande" del argentino Manuel Ugarte, el de la primera síntesis de la historia conjunta de América Latina en las obras del peruano Francisco García Calderón (*Las democracias latinas de América*, 1912, y *La creación de un continente*, 1913) y de otros, como el venezolano Blanco Fombona y el brasileño Oliveira Lima. Es preludio de unidad moral e intelectual de América Latina. La irrupción de la América anglosajona reafirmará y difundirá el uso identificativo de "América Latina", aunque hoy se agregue "y el Caribe", que es mayoritariamente latino e incluye nuevos y muy pequeños Estados independientes que fueron de colonización inglesa y holandesa.

Las celebraciones del IV Centenario del descubrimiento de América, en 1892, fueron la ocasión para esa toma de conciencia y ese deslinde, desde los orígenes, entre latinoamericanismo y panamericanismo. Esa generación de intelectuales latinoamericanos establece vínculos fecundos con la "generación del 98" de la España agónica (Castelar, Valera, Unamuno, Maeztu y otros) y revaloriza la tradición hispánica de sus pueblos. Unamuno escribe páginas extraordinarias sobre la unidad de los pueblos iberoamericanos. La Unión Latinoamericana y la Unión Iberoamericana (ambas incluían el Brasil) tienden entonces a confluir, mientras se afirmaba y proponía paralelamente la Unión Panamericana.

Desde el polo panamericano

Los grandes propósitos económicos del primer panamericanismo fueron inmediatamente dejados de lado. Estados Unidos aún no tenía la fuerza para realizarlos, y el imperio inglés seguía dominando todavía la escena, también en los países latinoamericanos. Las iniciativas económicas multilaterales fueron prácticamente abandonadas. Estados Unidos prefirió confiar su expansión a la libre empresa, a la penetración de sus "compañías", respaldadas de tanto en tanto en Centroamérica y el Caribe por las "cañoneras" y las invasiones de *marines*. La doctrina Monroe sobre la no intromisión europea en los asuntos americanos, proclamada en 1823 para evitar cualquier intento de restauración de la "Santa Alianza" en tierras americanas y bloquear la expansión rusa desde Alaska hasta California, convirtió los océanos que separaban a los Estados Unidos en un foso protector; a la vez, aseguró la libertad para su propia expansión en el continente.[4] Ya en plena "conquista del Oeste", se proyecta al exterior. Primero fue la anexión de Texas en 1845, después la ocupación y anexión de un vastísimo territorio de México, más tarde el agresivo intervencionismo de la presidencia de Teodoro Roosevelt en los países de América Central y el Caribe, caracterizado, entre otras cosas, por la ayuda determinante a la separación de Panamá de Colombia que facilitaba el control de la "zona del canal" (1903). En el mismo año de su decisiva intervención en la guerra de Cuba (1898), Estados Unidos anexa Hawai como camino a Oriente y a su ocupación de las Filipinas, base estratégica en el Sudeste asiático, con miras a China y Japón.

Desde vísperas de la Segunda Guerra Mundial, la retórica panamericanista sirvió sobre todo para la defensa continental, es decir, para fines estratégico-militares. Algunos de sus capítulos fueron la firma del Tratado Interamericano de Asistencia Recíproca en lo militar (TIAR, 1947) y la fundación de la Organización de los Estados Americanos (OEA, 1948), con sede en Washington y notorios liderazgo y hegemonía norteamericanos. Luego de la Segunda Guerra Mundial, instaurada la bipolaridad EE.UU.-URSS y ya en plena Guerra Fría, el panamericanismo será referencia genérica de la primacía de la geopolítica norteamericana, de su hegemonía económica y del ajuste estratégico-militar del continente contra la amenaza soviética.

Proyectados los Estados Unidos hacia un poder mundial, la ayuda a la reconstrucción de los países de Europa occidental, la conducción político-militar del bloque occidental, la contención del comunismo en Asia oriental, la alianza con Japón, fueron prioridades estratégicas mucho más importantes que la atención y la ayuda a América Latina, considerada apenas como un "patio" trasero algo alborotado. No hubo ningún "plan Marshall" para América Latina; no interesaba mayormente. Visto de manera retrospectiva, lo más importante fue la creación del Banco Interamericano de Desarrollo (BID, 1959).

Sólo la gran sacudida de la revolución cubana, a partir de 1959, dio nuevo ímpetu al ya gastado y poco creíble panamericanismo. Se replanteó entonces y tuvo como uno de sus principales objetivos evitar y reprimir toda posibilidad de contagio revolucionario a través del trágico aventurerismo guerrillero. Eran tiempos álgidos en los que se pretendía convertir "la cordillera de los Andes en una nueva Sierra Maestra", generando "uno, dos, tres Vietnam en América Latina". Sirvió también para lanzar en gran escala la "Alianza para el Progreso", como respuesta de un desarrollo en libertad. Este proyecto, de grandes dimensiones, acompañado por una fuerte propaganda a nivel continental, pronto se diluyó y dejó de lado, fallido, y fue sustituido por la respuesta meramente militar, mucho más sencilla, barata, inmediata, brutal, que sostenía los llamados "regímenes de seguridad nacional" y daba lugar a otra oleada intervencionista en los países latinoamericanos.

El cambio que se produce a partir del derrumbamiento de la URSS y la emergencia de grandes poderes competitivos, como la Unión Europea, el Japón y los tigres y dragones asiáticos, y el surgimiento de China, así como la lentitud y los obstáculos encontrados en las negociaciones multilaterales, sobre todo comerciales, desde el "Uruguay-round" del GATT hasta la Conferencia del milenio en Seattle (promovida por la Organización Mundial de Comercio), hacen que Estados Unidos dé nuevo valor a la solidaridad panamericana. Ya no lo hace sólo en términos estratégico-militares, sino sobre todo de integración económica, volviendo de algún modo al panamericanismo originario. La incorporación de América Latina en los paradigmas, ahora dominantes, de resurgimiento, legitimación y difusión de la economía de mercado y de las democracias liberales, y el fuerte crecimiento económico que viven muchos de sus países durante gran parte de la década de 1990 (que atrajo un flujo muy importante de capitales e inversiones extranjeras), son también factores de consideración respecto al cambio cualitativo de la política norteamericana en el continente. Se promoverá entonces "la emergencia de un nuevo consenso latinoamericano", que traducirá el "consenso de Washington".[5] Con "Washington" en este caso se alude al complejo político-económico-intelectual de la administración estadounidense y de los organismos financieros internacionales. Es la traducción para América Latina de la ideología del desarrollo imperante para una nueva fase mundial y hemisférica, sostenida por la aplicación de los paradigmas del Fondo Monetario Internacional y del Banco Mundial relativos a la reestructuración y ajustes económicos.[6] Privatizaciones, liberalizaciones y macroestabilidad deberían crear el clima justo para atraer las inversiones extranjeras y con ellas el progreso técnico, el acceso a grandes mercados comerciales y financieros y el incremento ocupacional. Es el programa neoliberal, que propone redimensionar drásticamente el papel del Estado, abriendo las fronteras al libre flujo de capitales, mercaderías y servicios.

Este cambio de interés y perspectiva de los Estados Unidos

hacia América Latina se ejemplifica ilustrativamente en dos diversas expresiones de Henry Kissinger. Años ha, con desdén, apostrofaba al canciller chileno Gabriel Valdés con estas palabras: "Usted nos habla de América Latina. No es importante. Nada importante puede venir del Sur. No es el Sur el que hace la historia".[7] Años después, el mismo Kissinger decía en la reunión de las Conferencias Lincoln-Juárez del Ministerio de Relaciones Exteriores de México, el 7 de marzo de 1990: "Cuando empecé a ocuparme del hemisferio y a establecer contactos en la región, había un importante elemento ideológico en ambos lados de la cerca: en los Estados Unidos una cruzada contra la penetración comunista en el hemisferio, y en América Latina un temor a la intervención estadounidense (...). Los cambios ocurridos en el continente tendrán consecuencias profundas, sobre todo en los Estados Unidos, porque a medida que se ha evaporado virtualmente la percepción de la amenaza soviética en el hemisferio, también desaparece el temor como un principio unificador de las relaciones hemisféricas".[8]

Es el cambio notorio que se advierte en estudios significativos publicados en la influyente revista *Foreign Affairs*; en su volumen de 1988-1989 aparece un artículo de Margaret Daly Hayes con el título "The US and Latin America: a lost decade";[9] a fines de 1990, otro artículo comienza con esta declaración: "Casi 500 años después de que Cristóbal Colón encontró el Nuevo Mundo, casi 60 años después de la Política del Buen Vecino de Franklin D. Roosevelt, y en torno a los 30 años desde que John F. Kennedy proclamó la Alianza para el Progreso, en 1990 George Bush aparece redescubriendo Latinoamérica".[10] Lo que aparecía pragmáticamente era una mayor homogeneidad, como nunca hasta entonces, a niveles políticos y económicos, entre los Estados Unidos y América Latina.

Fue entonces cuando, desde la euforia idealista, muy "wilsoniana", del proclamado nuevo orden mundial, el presidente Bush lanza la Iniciativa de las Américas. En ella se proyecta un "sistema que una a todas las Américas —Norte, Centro y Sur— como socios regionales en una zona de libre comercio que se extienda desde el puerto de Anchorage hasta la Tierra del Fuego",[11] comprometiéndose a la reducción-reestructuración de la "deuda externa" oficial y privada (siguiendo el "plan Brady") y a estimular la inversión extranjera, con la creación de un fondo de inversión multilateral. Dos años más tarde, en diciembre de 1992, se firmó el acuerdo definitivo y entra en vigor el Tratado de Libre Comercio de América del Norte (en inglés, NAFTA, *North American Free Trade Agreement*) entre los Estados Unidos, Canadá y México, que Henry Kissinger no duda en calificar como "la política norteamericana más innovadora hacia América Latina de toda su historia".[12] A la vez, se va creando una red de numerosos acuerdos comerciales bilaterales entre los Estados Unidos y los diversos países latinoamericanos.

Superada la "crisis del tequila" en 1994, en la Cumbre hemisférica de Miami (1994) durante la presidencia de Clinton, en pleno esplendor del ciclo benéfico de la economía norteamericana, Estados Unidos relanza la propuesta del ALCA (Área de Libre Comercio de las Américas, en inglés *Free Trade Area of the Americas*). En la Cumbre siguiente de Santiago de Chile (1998), en un documento de consenso de los 34 países presentes, los jefes de Estado del continente se dicen dispuestos a iniciar las negociaciones en esa perspectiva. Ese proyecto parece adquirir mayor envergadura y entra en fases más intensas y cruciales de negociaciones con la presidencia de George Bush (hijo) en los Estados Unidos y a partir de la Cumbre hemisférica de Quebec (2001). "Es el último y espectacular objetivo", afirma nuevamente Kissinger,[13] para cambiar y consolidar nuevas y estrechas relaciones a nivel de todo el hemisferio.

Sin embargo, las negociaciones hacia el ALCA encuentran muchas dificultades y están paralizadas, y la estrategia estadounidense parece privilegiar actualmente los acuerdos bilaterales o subregionales con los países latinoamericanos.[14]

Desde el polo latinoamericano

El polo latinoamericanista, por su parte, pasa de ser utopía bolivariana a "autoconciencia de la nación inconclusa"[15] expresada por sectores intelectuales de las generaciones latinoamericanas de finales del siglo XIX y comienzos del XX. Una segunda generación latinoamericanista es la que puede indicarse desde las décadas de 1920 a 1940. Si la primera se había caracterizado por la reconciliación de las elites intelectuales iberoamericanas y españolas, recuperando y revalorizando la tradición hispánica en la identidad cultural de sus pueblos; esta segunda incorpora también la revalorización de las raíces y la presencia indígenas y comienza a proyectarse en nuevos caminos políticos. No en vano uno de sus máximos exponentes, el mexicano José Vasconcelos, ministro de Educación de la Revolución Mexicana, que desde la segunda década del siglo XX ve la irrupción tumultuosa de masas campesinas en la escena, habla con exaltación poética de América como lugar de la "raza cósmica" en el que se han dado cita y mezclado todas las razas del mundo.[16] Su expresión más madura es la del peruano Víctor Raúl Haya de la Torre, que acuña el apelativo "Indoamérica", intenta desarrollar un pensamiento original y funda el APRA (Alianza Popular Revolucionaria Americana), con muy fuertes y extendidos influjos en la generación estudiantil (que provenía de la "reforma de Córdoba") y en ámbitos políticos desde México hasta la Argentina. Su "programa máximo" propone la unidad política de América Latina, la lucha contra el imperialismo yanqui, la nacionalización de tierras e industrias, la internacionalización del canal de Panamá y una vasta solidaridad de los componentes sociales mayoritarios y oprimidos de los pueblos latinoamericanos, sobre todo desde su base indígeno-campesina.[17] Con muy diversas inflexiones y acentos, la afirmación de la identidad cultural y de caminos propios para América Latina se expresan en Ugarte, Reyes, Caso, Ramos, Belaúnde, Mariátegui, Henríquez Ureña, Picón Salas, López de Mesa, Tristán de Athaide, Freire, Zum Felde, González, Eyzaguirre, exponentes del revisionismo histórico argentino y muchos otros.[18]

El primer proyecto concreto que pretende dar consistencia y articulación al latinoamericanismo emerge en el marco de los cuatro grandes acontecimientos que se verifican en la posguerra mundial: la afirmación de Rusia y los Estados Unidos como superpotencias mundiales, la inauguración de los tiempos de la "Guerra Fría", el gigantesco proceso de descolonización y la recuperación e integración europeas. Así se pasa de lo "intelectual-cultural" a lo "político-estatal" con el proyecto del "Nuevo ABC" (Argentina, Brasil, Chile), en el que los presidentes Juan Perón, Getulio Vargas y Carlos Ibáñez, en 1950, se proponen una profunda compenetración de las economías de estos países, encarnando un nacionalismo popular industrializador, con voluntad de independencia de los Estados Unidos. No había, por cierto, condiciones para que tuviera viabilidad. Pero es interesante observar con cuánta lucidez escribió años después Juan Domingo Perón planteando ya las cuestiones en juego: "Pienso yo que el año 2000 nos va a sorprender o unidos o dominados".[19] Entre 1952 y 1954, en diversas oportunidades, destaca esa "necesidad de unión" entre la Argentina, Brasil y Chile para atraer "a su órbita a los demás países sudamericanos".[20] En 1967, en su escrito sobre "Latinoamérica ahora o nunca", señalaba que "para evitar divisiones que pudieran ser utilizadas para explotarnos aisladamente", hay que crear, "gracias a un mercado ampliado sin fronteras interiores, las condiciones para la utilización del progreso técnico y la expansión económica, (que servirá) para mejorar el nivel de vida de nuestros doscientos millones de habitantes (se refiere a América del Sur)". Ello daría a Latinoamérica, "frente al dinamismo de los 'grandes' y el despertar de los continentes, el puesto que debe corresponderle en los asuntos mundiales (y apuntaría) a crear las bases de los futuros 'Estados Unidos de Sudamérica'".[21]

En la década de 1960, el tema de la integración, de histórico-cultural y político pasa a ser, sobre todo, cuestión económica. Fueron fundamentales al respecto los trabajos de la Comisión Económica para América Latina (CEPAL), organismo regional de las Naciones Unidas, bajo la dirección del economista argentino Raúl Prebisch.[22] El trabajo que éste preparó para la Conferencia de la CEPAL de mayo de 1949, "El desarrollo económico de América Latina y algunos de sus principales problemas", tuvo gran repercusión e influencia. Alberto Hirschman llegaría a denominarlo "manifiesto latinoamericano".

Los estudios y programas de la CEPAL estuvieron en la base del lanzamiento y desarrollo en los países latinoamericanos de la estrategia de industrialización a través de la sustitución de las importaciones. Para evitar la vulnerabilidad de las economías exportadoras de productos primarios en el mercado mundial, manifestada muy agudamente en la crisis mundial de 1930, el intervencionismo estatal en el control de cambios y de flujos financieros y comerciales estaba destinado al crecimiento del mercado interior para desarrollar una industrialización autosostenida. Eran los tiempos del *deficit spending* de John Maynard Keynes. No fueron pocos sus éxitos hasta mediados de 1970, sostenidos por la acumulación de divisas gracias a décadas de comercio internacional favorable en tiempos de las guerras europeas y de Corea. De 1950 a 1965 América Latina creció a un promedio del 5,3% anual, y del 6,2% entre 1967 y 1974, mientras que sus exportaciones de manufacturas crecían en un significativo 11,9% en la década de 1970, algo menos, pero no mucho, del 15,95% de los cuatro tigres asiáticos en el mismo período.

A partir de la reflexión sobre los obstáculos al desarrollo, dada la estrechez de los mercados internos de los países latinoamericanos por separado, la CEPAL planteaba además la exigencia de la integración, animada también por el desarrollo modélico de la Comunidad Europea. Democracia, industrialización e integración serán los objetivos fundamentales, que encuentran una de sus más significativas realizaciones en la "revolución en libertad" del gobierno de Eduardo Frei, en Chile, en plena pujanza de las corrientes socialcristianas en América Latina. Nace así, en 1960, la Asociación Latinoamericana de Libre Comercio (ALALC), que en 1980 se convierte en la Asociación Latinoamericana de Integración (ALADI). Las relaciones comerciales entre los países latinoamericanos, que habían sido muy tenues desde el siglo XIX, comienzan a intensificarse considerablemente durante toda esa década. Cierta pérdida de dinamismo de la ALALC ve luego surgir el Pacto Andino (1969), mientras el Mercado Común Centroamericano (1960) suscitaba nuevos dinamismos y transformaciones en el istmo, dando jaque mate a los tradicionales despotismos "familiares" radicados en sociedades rurales atrasadas (de los que los Somoza en Nicaragua, así como los Trujillo en la República Dominicana y los Duvalier en Haití, fueron tristes ejemplos). Más tarde, en 1973, se creará la Comunidad del Caribe (CARICOM) y en 1975 el Sistema Económico Latinoamericano (SELA) como organismo regional de consulta, coordinación y cooperación económicas. De la "extraversión" de los exportadores agrominerales se comienzan a reforzar los vínculos de "introversión".[23]

Los obstáculos para el desarrollo provocaban, a la vez, numerosos estudios sobre las condiciones de dependencia de América Latina.[24] La crítica del paradigma de la llamada "sociología científica" respecto a la transición entre la sociedad tradicional y la sociedad moderna y el agotamiento de las políticas "desarrollistas" abrieron paso a las teorías de la dependencia, manejada ésta como categoría omnicomprensiva para el análisis de la realidad latinoamericana.

La "década perdida" de América Latina (1981-1990) cerrará esa primera ola integracionista. La fase de recesión mundial después de la crisis del petróleo (1973) la prepara, y la crisis de la deuda manifestada con la cesación de pagos de México en 1982 la hace estallar. El peso insoportable de una deuda externa irresponsablemente asumida y desmesuradamente incrementada con el fuerte aumento de las tasas de interés convierte a los países latinoamericanos en gigantescos exportadores de capitales y provoca una tremenda crisis de la balanza de pagos. Esto se concatena con espirales de hiperinflación, recesión general, empobrecimiento y depresión en todos los niveles, y con una creciente marginación del mercado mundial.

Hacia fines de esa década, hay un viraje en el diagnóstico y en la orientación de las estrategias económicas en América Latina. Comienza la fase de ajustes estructurales, con el control de la inflación y la reducción de los déficit fiscales, la liberalización de los flujos comerciales e inversiones y el crecimiento relevante de las exportaciones. Al mismo tiempo, se reducen drásticamente las actividades industriales y reguladoras del Estado, privatizando las empresas públicas, facilitando los mercados competitivos, estimulando el sector privado y atrayendo cuantiosas inversiones extranjeras. Todo esto se realiza en el marco de una democratización política bastante consolidada. En realidad, se trataba de un intento global de adecuación a la nueva fase que se abría con la conclusión de la Guerra Fría y el resurgimiento imperioso del liberalismo vencedor. A comienzos de los noventa, el presidente del Banco Interamericano de Desarrollo (BID), Enrique Iglesias, escribía sobre "una nueva América Latina". Se refería a la coyuntura en la que "la región consolidó sistemas políticos democráticos, renovó sus cuadros dirigentes y sentó las bases de una transformación económica que libera la iniciativa de los individuos y reintegra la economía a los mercados mundiales", pero que, a la vez, vuelve a "emprender el camino de la integración regional con nuevos bríos y nuevos planes, más audaces y realistas que los concebidos en el pasado".[25] Si a principios de los años setenta, América Latina creció a un promedio del 6% anual, al final de esa misma década el crecimiento se había reducido al 1,5% y en los años ochenta llegó a ser nulo, mientras que en 1997 lograba volver a crecer a un ritmo del 5,3% anual.

La nueva oleada integracionista que se desata desde los años noventa es el rostro y la esperanza latinoamericanista de nuestro tiempo. El haber tenido que entrar cada país por separado en negociaciones internacionales a causa de la "crisis de la deuda", en condiciones de gran debilidad, fue suscitando la necesidad de formas de concertación. Éstas fueron primero políticas, en el "Grupo de Contadora" para afrontar la crisis centroamericana, y luego en el "Grupo de Río" (1990) para presentarse unidos en el diálogo y negociación en la escena internacional. Pero el factor de mayor novedad y propulsión, decisivo en cuanto eje integracionista, pasa por el desarrollo progresivo de nuevas relaciones entre la Argentina y Brasil, los dos grandes de Sudamérica.[26] El cambio de estas relaciones, de la rivalidad e incomunicación a la intensa cooperación en el marco de una alianza estratégica y fraterna, ha ido transformando el contexto regional. Sus primeros augurios fueron los Tratados de la Cuenca del Plata, pero es en julio de 1986 que se acuerda el "Programa de Integración Regional" entre Argentina y Brasil y se van precipitando entonces los acontecimientos. El 26 de marzo de 1991 se firma el Tratado de Asunción, por el que se constituye el Mercosur (Mercado Común del Sur) entre la Argentina, Brasil, Paraguay y Uruguay. Se consolida luego institucionalmente con el Protocolo de Ouro Preto (1994). Este decisivo proceso comenzó con los presidentes Alfonsín y Sarney, lo continuaron Menem y Collor de Melo, el mismo presidente argentino y Fernando H. Cardoso, y sus protagonistas actuales son Kirchner y Luiz Inácio da Silva. Se apunta hacia un mercado común, aun cuando el proceso se inicie por los aspectos estrictamente comerciales y, de hecho, en el inevitable proceso de transición, se pase simultáneamente por una zona de libre comercio imperfecta y una unión aduanera también imperfecta. Luego se asocia a Bolivia y Chile, y comienzan a establecerse vínculos cada vez más estrechos con la revitalizada Comunidad Andina, proyectándose hacia la conformación de un mercado común sudamericano.

Ahora bien, la aceleración, intensificación y ampliación del proceso integracionista hacia la creación de una Confederación Sudamericana ha tenido que pasar críticamente a través del agotamiento de las estrategias neoliberales ortodoxas vigentes desde comienzos del decenio de 1990 y relanzarse conforme a las exigencias y urgencias de nuevas inflexiones y desarrollos que el mismo proceso de integración está suscitando y necesitando.

América Latina cerró la década de 1990 con fuerte crecimiento hasta el año 1997, con tres años de variable estancamiento y otros dos años de dura crisis, lo que suma una media década perdida. La recesión de la economía mundial y la caída de los mercados accionarios norteamericanos tuvieron fuerte influencia en el brusco freno de los flujos de capital hacia América Latina. Si bien se logró la apertura de los mercados de capitales, bienes y servicios, y, en no pocos países, la estabilidad de las grandes variables macroeconómicas y la recuperación de la credibilidad en el manejo económico, fue creciendo la insatisfacción, a veces explosiva, ante los límites y restricciones de las políticas seguidas. Algunos países que suscribieron prolijamente esos paradigmas dominantes y que llegaron a ser presentados como modelos por el Fondo Monetario Internacional obtuvieron muy escasos resultados y entraron en una nueva fase de profunda inestabilidad y crisis. ¡Las agencias internacionales de evaluación de los riesgos publicaron altos índices de confianza de los mercados respecto a la Argentina hasta muy avanzado el año 1999!

Desde finales de la década de 1990, se levantaron voces muy críticas, incluso desde el Banco Mundial, respecto de los límites intrínsecos del "consenso de Washington".[27] Desde la CEPAL se escribía ilustrativamente: "La vulnerabilidad de la mayoría de los países de la región frente a la inestabilidad financiera internacional, el reducido crecimiento económico, los escasos progresos en equidad y la insatisfacción que se detecta en la opinión pública, han modificado las coordenadas del debate económico y social vigente en la región, poniendo en tela de juicio algunos de los principios de las modalidades de desarrollo predominantes".[28]

En efecto, los resultados fueron muy desilusionadores. El comercio y las inversiones crecieron mucho en los años noventa pero la "tierra prometida" se percibe cada vez como más lejana. Quedar entregados y confiados a la presunta autorregulación del mercado no ofrece perspectivas de crecimiento económico de la envergadura y persistencia que se necesita, ni permite afrontar positivamente los fosos de desigualdad y exclusión sino que se llega a empeorarlos. En los años noventa en América Latina aumentaron el desempleo, el subempleo y las áreas y condiciones de pobreza. Si en 1989 los pobres de América Latina, o sea los que no pueden satisfacer sus necesidades alimentarias y no alimentarias esenciales, eran casi 165 millones (el 38,26% de la población total), en 1998 llegan a casi 179 millones (si bien disminuyó su proporción, siendo el 35,83% del total).[29] El desempleo pasó del 8,3% en 1990 al 9,5% en 2001. Y son índices que empeoraron mucho en 2002. No funciona la "teoría del derrame" como segundo presunto tiempo de irradiación y distribución, que adviene después del primer tiempo de crecimiento y acumulación de riqueza. Sólo en Chile, Brasil y México hubo algunos sectores populares marginados que se incorporaron al mercado y se logró reducir en algo la pobreza. Sin embargo, no hubo durante los años noventa ni un solo país en la región en que se hubiera logrado simultáneamente crecimiento y más equidad. De hecho, la décima parte más rica de la población latinoamericana gana el 48% del total de los ingresos, mientras que la décima parte más pobre sólo obtiene el 1,6%. De los 500 millones de habitantes de la región, más de 220 millones viven en la pobreza y de ellos 100 millones están en condiciones de extrema pobreza (53 millones de latinoamericanos sufren hambre crónica). Los efectos de la pobreza extrema se descargan en particular sobre las mujeres, especialmente las que tienen que cuidar a su familia solas, sometidas a una jornada doble de trabajo, a las discriminaciones en el mercado laboral y en el salario, así como limitadas en sus oportunidades de acceso a la educación y a la capacitación. La CEPAL ha indicado que el inicio del nuevo siglo se caracteriza por un estancamiento en el proceso de superación de la pobreza en la región. Muy poco son los 4 millones menos de pobres logrados en el año 2004 y la reversión de 0,7% de la tasa de desempleo regional, que alcanza al 10%. No se logra enfrentar la escandalosa desigualdad en la distribución del ingreso. América Latina no puede seguir permitiéndose la ostentación privilegiada e irresponsable de minorías oligárquicas sin ningún compromiso real y efectivo con los pueblos y el destino de las naciones.

Ya no basta la estabilización de las economías —que se vuelve a convertir en cuestión a veces dramática, como aconteció en la Argentina—, sino que se necesita incorporarlas al cambio tecnológico mundial, reducir la heterogeneidad estructural de los sectores productivos, favorecer la democratización de acceso al capital, a la tecnología, a la capacitación y a la tierra y asegurar ritmos de reactivación y crecimiento sostenidos. Es fundamental al mismo tiempo modernizar los sectores públicos, valorizar y promover el trabajo nacional y el mercado interior, mejorar la distribución del ingreso desde pautas de equidad, aumentar los niveles de ahorro e implantar patrones de consumo más austeros por parte de los sectores pudientes. Es urgente la reforma del Estado, que no puede reducirse a una mera reducción y repliegue sino que requiere una profunda reestructuración y modernización que lo conviertan en custodia eficaz de los bienes públicos fundamentales para la convivencia social y en agente propulsor concentrado en los núcleos cruciales de la estrategia de crecimiento para el propio país, la integración regional y la negociación internacional. Resulta necesario no sólo un nuevo equilibrio entre Estado, mercado y sociedad civil, sino también una sinergia operativa en pos de una estrategia de desarrollo que corresponda a las verdaderas necesidades y legítimas expectativas sociales. Existe una gran insuficiencia de bienes públicos, sobre todo en el campo de la formación y los recursos humanos. Urge también afrontar aspectos éticos, educativos y culturales insoslayables. Es imprescindible suscitar y movilizar todos los "talentos" y energías, la capacidad de generosidad, sacrificio y esperanza de los pueblos, con la mayor convergencia y consensos posibles, en pos de contenidos ideales y estratégicos; sin ello, poco valen las complejas ortopedias del Estado o la libre iniciativa de los grandes capitales privados. Una tarea educativa gigantesca aparece, en fin, cada vez más prioritaria.

Hay que atesorar todo lo que hubo de bueno y útil en el camino andado en el último decenio del siglo pasado: la consolidación progresiva de la democracia y el clima de libertad; el haber puesto orden en casa respecto a la gestión económica en una diversidad de campos; el haber afrontado más seriamente las exigencias de competitividad a niveles nacionales, regionales y mundiales; los avances considerables en materia de escolarización y reformas educativas; el nuevo dinamismo de integración regional y apertura internacional. Todo ello se vive actualmente en condiciones de gran fragilidad, vulnerabilidad y desazón. Hoy se necesitan inflexiones sustanciales y aceleraciones determinadas para emprender nuevas sendas. Urge la definición política e intelectual de un nuevo paradigma para el desarrollo latinoamericano. Para esta hora, vale en términos universales y latinoamericanos lo que el Papa Juan Pablo II tuvo la libertad de afirmar: "Es particularmente urgente una reconsideración de los modelos que inspiran las opciones de desarrollo", lo cual exige, a la vez, "una revisión de la cooperación internacional, en términos de una nueva cultura de la solidaridad".[30]

Es cierto que "del dicho al hecho hay un gran trecho". En efecto, replantear y emprender nuevos caminos, asegurando amplios y firmes consensos políticos, es muy difícil en situaciones de crisis profundas y urgencias desbordantes, en los estrechos y escasos márgenes de autonomía existentes a causa de la interdependencia muy entrelazada de todos los poderes y factores económicos. Hay actualmente mucho desconcierto. Además estamos demasiado habituados, sobre todo cuando pesan las situaciones críticas, a descargar nuestras responsabilidades con un interminable catálogo de acusaciones de los unos contra los otros, sin enfrentar juntos una profunda revisión de las cosas, solidarios y esperanzados en un camino común. Añádase aun, y no es poco ni es para mañana, que los países latinoamericanos están necesitando como nunca cambios relevantes a nivel de clases dirigentes, para estar a la altura de los problemas, retos y tareas por afrontar. De todos modos, se trata de exigencias inaplazables e inseparables de la perspectiva unificante y orientadora de la integración, ya que "ningún país, pequeño, mediano, grande, puede por sí solo encarar exitosamente (...) la construcción de repúblicas libres, justas, democráticas, solidarias, participativas, durables en el tiempo y en el espacio".[31]

¿Qué tipo de asociación y solidaridad?

En estos tiempos de globalización, los grandes cambios en tecnologías y comunicaciones, el crecimiento de sectores de producción global y el flujo de capitales, la competitividad cada vez más aguerrida en el mercado mundial y las tensiones entre sus grandes actores provocaron la "vuelta a la región" por parte de la "superpotencia"americana; y ésta se encontró con un renovado interés de los latinoamericanos por las relaciones hemisféricas.

Mientras que con la caída del Muro de Berlín y la conclusión de la diarquía de Yalta, América Latina parecía contar con un mejor escenario para superar su mera condición de área de seguridad en la retaguardia de los Estados Unidos, a comienzos de la década de 1990 se encontró con fuertes y difusos temores de ir quedando cada vez más irrelevante y marginal en el nuevo orden emergente. Por una parte, su década perdida le restaba interés, atractivo y credibilidad para sus posibles interlocutores. Por otra, temía que la vasta tarea de reestructuración de los países de Europa oriental liberados del comunismo pudiese funcionar como desvío considerable de fondos por vías bilaterales y multilaterales para sostener y acelerar su transición. Le pesaba también "el síndrome Norte-Norte", o sea, que los flujos comerciales y financieros fueran restringiéndose dentro de los marcos de las relaciones noratlánticas y con las potencias emergentes de Asia.

Esa tendencia a la marginación se manifestó efectivamente en el declive de la participación de América Latina en las exportaciones mundiales (10,9% en 1950, 5,43% en 1985 y 3% en 1990), en el total de la inversión extranjera directa (en 1975 llegaba a 15,3% y en 1985 había bajado a 9,1%) y, en general, en el conjunto del comercio e inversión mundiales. Sólo conseguía créditos de los bancos privados extranjeros a tasas agiotistas de interés. ¿Del muro de la dependencia al muro de la indiferencia? Era entonces cuando el brasileño Helio Jaguaribe presentaba una ponencia con el título: "América Latina está aumentando su condición marginal y transformándose en réplica occidental de África".[32] "América Latina se ha quedado sola", escribía con cierto matiz patético el colombiano Álvaro Tirado Mejía en la Fundación Santillana para Iberoamérica (1989), retomando literalmente esa expresión del discurso de aceptación del Premio Nobel de Literatura por parte de su compatriota Gabriel García Márquez en Estocolmo (1982). "Paradójicamente —señalaba Jorge Castañeda—, después de tantos años de preocuparse por la excesiva injerencia de Estados Unidos en la región, es posible que América Latina sufra pronto la indiferencia estadounidense (...)."[33]

En efecto, desde el comienzo de la década de 1990 se advierte un "amplio viraje regional hacia las relaciones con Estados Unidos". "Durante muchos años —escribe Abraham Lowenthal— muchos (países) latinoamericanos definieron sus políticas exteriores primordialmente por oposición a Estados Unidos (...) Todo esto ha cambiado. La mayoría de los gobiernos latinoamericanos y muchos movimientos de oposición en América Latina desean ahora lazos más estrechos con Estados Unidos."[34] El lenguaje comienza a cambiar: de la "dependencia" a la "interdependencia", de la lucha contra el "intervencionismo" a la "asociación" y la "colaboración". El "tercermundismo" se evapora. Parece que fuera agotándose la letanía de denuncias contra los Estados Unidos como encarnación de un imperialismo siempre al acecho, conspirador y explotador, que no deja resquicios en las estructuras de dependencia al servicio de sus intereses, causa de todos los males..., en la que, más allá de las responsabilidades objetivas de la política estadounidense, una cierta imaginería latinoamericana descarga la pretensión de justificar los propios límites, fracasos y frustraciones. Adviene todo lo contrario: hay quienes todo lo esperan de esa nueva relación de amistad y colaboración con los Estados Unidos.

Es un "complicado romance" el de los latinoamericanos con los Estados Unidos, se tituló un artículo de *The Wall Street Journal Americas* de enero de 2000, en el que se transcribían los resultados de algunas encuestas: 77% de argentinos, 74% de paraguayos, 68% de mexicanos, 66% de brasileños, 63% de bolivianos y 60% de venezolanos ven a los Estados Unidos con intenciones conquistadoras, confirmando una encuesta del año anterior en la que la mayoría de los entrevistados latinoamericanos afirmaba que los Estados Unidos seguían sobre todo sus propios intereses, y muy pocos lo calificaban de modelo de democracia y defensor de los derechos humanos. Eso sí, también la mayoría de los latinoamericanos consideran que los Estados Unidos tienen la obligación de ayudarlos. La misma encuesta, pero ahora a través de las respuestas de los estadounidenses, demostraba un alto porcentaje de ignorancia de éstos respecto de América Latina. En una encuesta reciente de Gallup, sobre la base de un trabajo de campo realizado entre junio y agosto de 2004 en el que se recogió el punto de vista de 50.000 personas entrevistadas en 60 países de los cinco continentes, América Latina y Europa occidental aparecen como las regiones del mundo donde la política exterior estadounidense es más criticada (rechazada por una media de 6 de cada 10 ciudadanos).

En tales condiciones, ¿acaso se asiste a la posibilidad de realización definitiva y madura del panamericanismo? ¿Tal vez habrá que hablar de América sólo en singular? La situación, en realidad, es más compleja de lo que parece. No es nada fácil construir una auténtica solidaridad continental desde itinerarios histórico-culturales tan disímiles; tampoco lo es desde relaciones tensas en décadas pasadas. Crea grave dificultad sobre todo la tremenda asimetría de poderes entre el centro hegemónico del mundo actual, el único "imperio global", y más de 35 países, muchos de ellos sumamente pequeños, micro-Estados sin condiciones reales de viabilidad y con graves desequilibrios de todo orden, que en gran medida no han vivido desde sí mismos su propia "revolución industrial". ¿Es posible esa solidaridad en respuesta a las grandes necesidades y esperanzas de los pueblos, de las multitudes de pobres en especial, en un continente con las máximas desigualdades y muy diversificados intereses, teniendo como criterio efectivo de realización el bien común de todas las naciones? ¿Es factible que las grandes prioridades y responsabilidades estratégicas de los Estados Unidos en el orden mundial y los problemas que afronta la misma sociedad americana den espacio a proyectos de gran envergadura hemisférica, con todos los compromisos y sacrificios que los vayan haciendo creíbles y efectivos? Por ahora, no se ha pasado de las respuestas retóricas, de relaciones pragmáticas que han ido dejando atrás las formas más duras de la confrontación ideológica, de grandes proyectos cuya realización se está negociando con altos índices de indeterminación y expectativas que oscilan en muy diversos grados entre el escepticismo y la euforia.

De la euforia de los primeros años noventa se ha pasado a un clima más tenso y problemático. Las grandes dificultades en las negociaciones hemisféricas y en las multilaterales en la sede de la Organización Mundial de Comercio aumentan un escepticismo crítico. Crece nuevamente cierto "antiamericanismo" incitado por el protagonismo hegemónico, la sobreexposición unilateral y la intervención militar de los Estados Unidos en el escenario mundial y las dificultades encontradas en las negociaciones económicas multilaterales a nivel continental. Emerge nuevamente la retórica antiimperialista, condimentada por tonos populistas, como en el "chavismo", entre los "cocaleros" bolivianos y en sectores de izquierda radical. El fenómeno de "The Uneasy Americas"[35] ("La América inquieta") ya era tenido presente desde el Norte, en la revista *Foreign Affairs*.

"El ALCA es una opción", solía decir Fernando Henrique Cardoso, ex presidente del Brasil, pero "el Mercosur es nuestro destino". Este camino, que parece ciertamente mucho más frágil, pero que recoge y expresa en nuestro tiempo la auténtica tradición latinoamericana, pasa por el desarrollo del Mercosur rumbo a la conformación de un Mercado Común Sudamericano o Unión Sudamericana. ALCA y Mercosur, opuestos para algunos, contradictorios para otros, y complementarios para los demás, son los rostros actuales del panamericanismo y del latinoamericanismo que desatan nuevos dinamismos entrelazados, para la configuración del destino del continente en las próximas décadas.[36]

Latinoamérica, ahora o nunca

El Mercosur es el acontecimiento más lleno de novedad histórica y más importante para la América Latina de nuestro tiempo. Es fundamental reafirmar esta convicción en momentos en que esta institución pasa por una situación de *impasse* y pone en juego su futuro.

El Mercosur representa en la actualidad un mercado que llega a 250 millones de consumidores, con un promedio general de casi 3.000 dólares de ingreso per cápita, una extensión territorial de alrededor de 12 millones de kilómetros cuadrados, un Producto Bruto Interno regional de alrededor 900.000 millones de dólares y un gran potencial de exportaciones e importaciones. Ciertamente su poder es aún muy relativo ya que es muy escasa su participación actual en el comercio mundial (había llegado a ser del 7,7% del total exportado mundialmente en 1960), en desproporción con su capacidad productiva y sus recursos humanos y tecnológicos.

EL Mercosur cubre una zona clave de Latinoamérica: una red urbana que va de Brasil a Chile, pasa por el triángulo brasileño de Río de Janeiro, Belo Horizonte y San Pablo, y atraviesa una gran frontera formada por Asunción, Santa Cruz de la Sierra, el triángulo argentino del gran Buenos Aires, Rosario y Córdoba, y Santiago en la otra punta. Es la máxima concentración de capital humano, la mayor red de mercados, universidades e institutos de investigación de América Latina. Es su ámbito más "moderno". Es el único lugar desde donde América Latina puede generar un desarrollo autosostenido.

Su eje decisivo pasa por la relación entre la Argentina y Brasil. No hay Sudamérica sin alianza argentino-brasileña. Brasil es el país de mayores posibilidades de América Latina. Es un gigante de 8.511.965 kilómetros cuadrados, con más de 150 millones de habitantes, que representan un tercio de la población latinoamericana, con enormes potencialidades, y que, en medio de tremendos contrastes, maneja más de la quinta parte del comercio internacional de toda la región. Más del 70% de sus ventas al exterior está constituido por productos industriales (55% de manufacturas y 17% de semimanufacturas), en condiciones de gran diversificación de interlocutores y destinatarios. Es el centro de América del Sur. Sin Brasil nada de lo latinoamericano será posible. Únicamente desde el Brasil se puede articular América Latina. Y América Latina no es sólo opción diplomática del Brasil, sino toda su circunstancia y su devenir. Por eso, está obligado a asumir con clarividencia, determinación y generosidad, junto con una cuota de sacrificio solidario, sus responsabilidades de liderazgo.

Pero Brasil es sólo uno de los dos rostros de América Latina; termina siendo impotente por sí solo. Toda ilusión al respecto concluye en fracaso. El principio de integración exige la copresencia de los dos rostros, o sea el lusoamericano conjugado con el hispanoamericano; por una parte, del Estado hispanoamericano más importante de Sudamérica, en la contigüidad geográfica de la Cuenca del Plata, que es la Argentina, limítrofe a su vez con Chile, y unida a la vértebra andina (en lo que fue originariamente el inmenso Virreinato del Perú), y, por otra, del Estado hispanoamericano más importante de toda Latinoamérica que es México. Este triángulo es decisivo: no en vano Brasil representa el 38% de la producción total regional, mientras México representa el 24% y la Argentina el 13%. Cuando se comienza a superar la incomunicación entre la Argentina y Brasil, hacia finales de 1980, se van destruyendo de raíz las consecuencias originarias de la división peninsular, de la incomunicación entre la América española y la América lusitana y del injerto de la política imperial (de *divide et impera*). Se adopta la decisión de trabajar juntos, poniendo en común el acceso a sus respectivos mercados y recursos, y desarrollando gradualmente disciplinas colectivas. Comienzan a crearse las condiciones para pensar realmente, viablemente, en un proyecto latinoamericano. La alianza argentino-brasileña, y su capacidad de atracción y cohesión, confiere a Sudamérica, y con México a toda América Latina, un centro de poder intrínseco, cuya ausencia, según lo advertía ya Simón Bolívar en su "Carta de Jamaica", en 1815, provoca necesariamente la "balcanización" del subcontinente. No hay ya latinoamericanismo, que no sea vacua abstracción y retórica, si no es a través de este regionalismo concreto. "El Mercosur es lo decisivo de la combustión y unión de los pueblos de América del Sur", escribe Alberto Methol Ferré. "El Mercosur no es una 'regionalización' entre otras, es la 'regionalización fundante' de América del Sur (...). Todo otro camino que no siga o se enlace con esta avenida principal, es enemigo de nuestros pueblos. Son tiros al aire, apuestas erráticas, antinacionales."[37]

El Mercosur es una condición necesaria, en cuanto plataforma común, para que los países de América del Sur, desde sus propios intereses históricos, procedan a elevar sus parámetros de productividad, dispongan de posibilidades mínimas para obtener una inserción ventajosa en un mundo globalizado de competencia cada vez más encarnizada, sin ser o meramente asimilados o tendencialmente marginados por su marcha arrolladora. Es "ganar escala económica y política suficiente para no ser tragados en un mundo donde la presión organizada es la regla".[38] De ello depende, como ya se está demostrando, que tengan interlocución internacional con un mínimo de audiencia y alguna capacidad de imponer respeto. No se trata de un refugio contra la globalización sino de la posibilidad de protagonismo propio, ampliando sus mercados, poniendo en común sus recursos, facilitando, por medio de una cooperación cada vez más estrecha, la intensificación de su crecimiento industrial, instaurando condiciones tales que puedan afrontar los enormes problemas sociales, en pos de una vida digna para sus pueblos. Esa inserción competitiva "implica poder negociar con éxito apertura de mercados y la nivelación del campo de juego en la competencia económica, en un escenario de multipolaridad y globalización crecientes".[39] Es un "pasaporte para la historia".[40]

El sorprendente fenómeno acaecido en los Nuevos Países Industrializados (NPI) de Asia les ha permitido recorrer, en pocas décadas (por cierto no exentas de crisis como la de 1997), lo que a otros les costó medio siglo o un siglo completo. Dicho fenómeno ha sido enarbolado como un buen fruto de la globalización y parangonado de modo desafiante con la situación latinoamericana. Ese auge de los tigres y dragones no se explica sólo por el gran incremento de sus exportaciones, sino también por el espectacular aumento de sus valores exportados, o sea, su persistente incremento exportador con la creciente incorporación de valor agregado en cuanto modalidad de inserción en el mercado internacional. Mientras los latinoamericanos seguimos practicando un comercio con el mundo predominantemente intersectorial (sobre todo, venta de productos primarios o de escaso procesamiento a cambio de manufacturas), los asiáticos se han incorporado paulatinamente al intercambio de manufacturas por manufacturas. Por eso, bien se ha dicho que quizá ningún objetivo pueda ser más relevante que industrializar en forma competitiva a los países que forman parte del Mercosur. "Es decir, avanzar en conjunto, reduciendo las diferencias entre las partes, con miras a una integración competitiva", a un "avance paulatino hacia el comercio intraindustrial, que implica escala, diversificación y especialización", fomentándolo entre los miembros del Mercosur, y entre ellos y el mundo.[41]

Un ejemplo fundamental es la riqueza agrícola y zootécnica en la vasta Cuenca del Plata, especialmente en la Pampa húmeda, y también en las tierras tropicales brasileñas. Brasil ya superó a Australia, llegando a ser el mayor exportador mundial de carne bovina y de soja, seguido por la Argentina. Ya lo era desde hace tiempo del azúcar, café y jugo de naranja. El agronegocio representa el 29% del Producto Bruto brasileño, el 41% de sus exportaciones y el 37% de los empleos en el país; en la Argentina está en la base de su actual recuperación económica. El crecimiento productivo de los granos, los productos tropicales, la producción agroalimentaria, que parece responder a una tendencia de larga duración de carácter autosostenido, abre grandes y promisorias perspectivas para el Mercosur. También ha de tenerse presente la necesidad, sobre todo en Brasil, de repensar y procesar con seriedad y determinación reformas agrarias, no sólo referidas a la distribución de extensas tierras improductivas, de rentas parasitarias y atraso técnico, sino a las mejores condiciones de incorporación de los sectores rurales postergados a la propiedad y al trabajo agrícolas, brindándoles formación técnica y acceso al crédito y al mercado.

La cantidad abundante y diversificada de recursos naturales, que es ventaja comparativa cada vez más valorizada de la región, puede ser la base del desarrollo de un complejo agroindustrial fundamental, que incorpore una dosis de innovación científico-tecnológica mucho mayor, de efectos multiplicadores en cuanto a la productividad, y que logre un grado más elevado de competitividad en un mercado mundial de demanda creciente y cada vez más sofisticada de tales productos. La exportación de *commodities* agropecuarias tiene un alcance limitado y precios fluctuantes, si bien encuentra un fenomenal incremento del volumen de la demanda mundial y de los precios; pero sería una cosa limitada si fuera reducida a la especialización "primaria" en la división internacional de la producción y el trabajo. En cambio, ofrece mejores perspectivas la alternativa exportadora de productos agroindustriales, con elevado valor agregado, diferenciados y no estandarizados, asegurados sus altos niveles de calidad y salubridad, susceptibles de crear marcas reconocidas internacionalmente (las llamadas *specialities*). La "revolución de los alimentos" es un sector estratégico en el que el Mercosur tiene enormes posibilidades abiertas.[42] La actual expansión de los cultivos, incorporando también los progresos más modernos y seguros de la biogenética y atrayendo, gracias a la alta tasa de productividad y de competitividad, fuertes inversiones de grandes empresas del complejo agroalimentario mundial, convertirá el Mercosur a la brevedad en protagonista mundial del comercio de alimentos. El desarrollo de la cadena agroalimentaria, no sólo en producción primaria sino en la totalidad de sus múltiples eslabones, tiene un fuerte impacto multiplicador en el conjunto del sistema económico, incorporando las economías regionales, desarrollando una dimensión industrializadora y aumentando considerablemente la capacidad y el valor de las exportaciones. Similares exigencias y perspectivas se plantean respecto de la riqueza de muchos otros recursos de energía, minerales, forestales, turísticos y de materias primas que abundan en las generosas tierras latinoamericanas.

Ahora bien, en su primera década, los países del Mercosur lograron muy buenos resultados en términos de caída de la inflación, rápido crecimiento económico y avance de reformas estructurales (privatizaciones, desregulaciones, apertura) en un marco de consolidación democrática. En esos años, el Mercosur se caracterizó por un arancel exterior común ante terceros: es unión aduanera imperfecta cuya tarifa exterior común cubre aproximadamente el 85% de los productos comercializados entre el bloque y los demás países. También procedió aceleradamente a la desgravación arancelaria entre los países miembros, constituyéndose en zona de libre comercio entre ellos, en la que el 90% del comercio intrarregional circula sin derechos de aduana. Eso fomentó un notable aumento de dicho comercio, el cual, entre 1990 y 1997, pasó de 4.000 millones a 21.000 millones de dólares. Antes de la integración de los cuatro países, sus relaciones económicas eran mínimas: las exportaciones destinadas a la región alcanzaban sólo un promedio del 8% del total de sus exportaciones; después de la integración llegaron a ser el 23%. Las exportaciones brasileñas hacia el Mercosur se incrementaron a un ritmo del 26,6%, mientras las argentinas pasaron del 14% de sus exportaciones totales al 32% en el año 2000. El Mercosur absorbió a partir de los primeros años de la década del noventa el 50% de las exportaciones de Paraguay y Uruguay, 30% de la Argentina, mientras las de Brasil, más *global trader*, superaron el 25%. Se ha desarrollado además como "regionalismo abierto",[43] al decir de la CEPAL, dado que concomitantemente ha crecido la apertura al comercio internacional de los países miembros. En todo caso, las exportaciones de los países miembros acentuaron su destino regional; si bien sus exportaciones globales aumentaron a una tasa media del 7,4%, las destinadas a la región lo hicieron al 25,1%. La crisis financiera de Brasil en 1997 y el sucesivo colapso de la Argentina redujeron bruscamente esta expansión —casi a la mitad, en 2001-2002—, la que actualmente ha recomenzado, si bien gradualmente y entre muchas dificultades, un ciclo positivo. En los primeros nueve meses de 2004, Argentina exportó al Brasil 17,6% más que en igual lapso de 2003 e importó mercaderías brasileñas por 72,1% más que en aquel período.

El área del Mercosur gozó también de fuerte incremento de inversiones extranjeras directas, que se concentraron primero en la Argentina y después en Brasil, dada la alta liquidez internacional de los años noventa, la política de apertura de los países miembros, las numerosas y voluminosas privatizaciones emprendidas y el atractivo de un amplio mercado regional en crecimiento. Si bien desde el año 2001 las inversiones extranjeras marcharon cuesta abajo en el Mercosur y en toda América Latina, dada la recesión internacional y los efectos negativos de la crisis argentina, en 2004 se advierte una inversión de tendencia con un nuevo incremento.[44]

Además, se han firmado acuerdos para obras fundamentales de infraestructura de intercomunicación física, transportes y telecomunicaciones, y en el área de la energía (gas, petróleo y electricidad), que están en activo procesamiento. Los puentes fronterizos entre la Argentina y Brasil, las vías de comunicación entre la Argentina y Chile cruzando la cordillera, los primeros análisis técnicos para la autopista San Pablo-Montevideo-Buenos Aires y los numerosos estudios sobre el puente Colonia-Buenos Aires han sido importantes iniciativas en el ámbito del Cono Sur. La exigencia de modernización de infraestructuras regionales pasó del Mercosur a toda Sudamérica. En efecto, el Plan de acción para la Integración de la Infraestructura Regional Sud Americana (IIRSA), iniciativa de los doce presidentes del subcontinente, originada en la primera reunión de presidentes de América del Sur realizada en Brasilia en el año 2000, con veintidós proyectos prioritarios de integración, dio a esta perspectiva mayor organicidad e impulso. Los avances del programa IIRSA han sido importantes. Ellos se resumen en el diseño de diez Ejes de Integración y Desarrollo, la identificación y ordenamiento de 335 proyectos de infraestructura que se requieren para poner en marcha estos ejes, los cuales representan una demanda de inversión de 37 mil millones de dólares, y la definición de una "agenda de implementación consensuada" que consiste en concentrar esfuerzos en 31 proyectos, seleccionados por su gran impacto en la integración física regional, que requieren una inversión de 4 mil millones de dólares en el período 2005-2010.

En la iniciativa, IIRSA se han identificado los dos ejes consolidados que existen en Sudamérica, que son base de mercados subregionales en el marco de esquemas de intergración: el Eje

Andino (entre los cinco países de la Comunidad Andina) y el Eje Mercosur-Chile. Junto a ellos están los ejes "transversales" que articulan países tanto de la Comunidad Andina como del Mercosur. Entre estos ejes son muy ambiciosos los trazados de los corredores bioceánicos, complejos de carreteras, puentes y otras obras públicas emprendidas para unir puertos sudamericanos del Atlántico y del Pacífico, facilitando así el comercio intrarregional en mayor escala y las exportaciones a otros mercados mundiales. El más extenso y central une los puertos de aguas profundas de Sepetiba, próximo a Río de Janeiro, y el de Mejillones, en el norte de Chile. La red de carreteras que une el Estado brasileño de Mato Grosso con los puertos chilenos de Arica e Iquique (1.800 kilómetros al norte de Santiago), con trayectos en Bolivia a través de Santa Cruz, es una de las más avanzadas. El acceso de los productos brasileños, argentinos, uruguayos o paraguayos a los puertos del Pacífico de Chile y Perú, a través de trayectos que pasan necesariamente por Bolivia, abrirán caminos para el gran mercado del Extremo Oriente. Del mismo modo, los países del Pacífico sudamericano podrán tener acceso, por carreteras, a los puertos del Atlántico, facilitando sus expediciones para Europa, sin necesitar recorrer los largos trayectos marítimos por el estrecho de Magallanes o por el canal de Panamá. Baste pensar lo que todo ello podrá significar próximamente para el reciente acuerdo chileno-brasileño sobre la intensificación del comercio automotor de Brasil a Chile, con liberalización arancelaria total en 2006. Igualmente significativo es el gran proyecto de la "hidrovía" que, a través de la conexión y el transporte fluviales, comunicaría las tres grandes cuencas hidrográficas de América del Sur (Orinoco, Amazonas y del Plata), desde el Caribe, Mediterráneo americano del norte, hasta el Atlántico Sur. Las obras ya realizadas han permitido intensificar las relaciones comerciales de Bolivia y Paraguay con los otros países de la Cuenca del Plata, desde su extremo norte en el Mato Grosso brasileño, pasando por la Mesopotamia argentina, hasta el Uruguay.[45] Además, la Corporación Andina de Fomento y el Banco Nacional de Desarrollo Económico y Social de Brasil están financiando un paquete de proyectos en las fronteras brasileñas con sus vecinos de los Andes. En fin, recientemente la VIII Reunión de Cancilleres de la Organización del Tratado de Cooperación Amazónica (OTCA), firmado en 1978 pero que quedó en cierto letargo, ha relanzado un Plan estratégico de desarrollo sostenido de la Amazonia, así como de su protección del daño ambiental, de las mafias y del terrorismo.

Estos proyectos de integración física de América del Sur tienen escasas posibilidades de ser realizados mientras no se dé satisfacción a la legítima reivindicación de Bolivia de contar con un puerto soberano sobre el Océano Pacífico. En efecto, Bolivia es enclave estratégico entre el Atlántico y el Pacífico. En setiembre de 2003, el anuncio de la exportación de gas natural (del que Bolivia tiene grandes reservas) con destino a América del Norte a través de los puertos chilenos desató una serie de movilizaciones populares en la región occidental boliviana que terminaron con la renuncia y fuga al exterior del presidente Sánchez de Lozada. El arraigado recelo popular de los bolivianos se arrastra desde la llamada Guerra del Pacífico de 1879, cuando este país perdió sus costas en beneficio de Chile, y está alimentado por el fracaso de periódicas negociaciones diplomáticas bilaterales. No obstante declaraciones de buena voluntad y disponibilidad, un nacionalismo algo miope —reconocido por un "manifiesto" reciente firmado por numerosos intelectuales chilenos y bolivianos— ha impedido la resolución de un problema que genera periódicas tensiones regionales.

A su vez, las relaciones entre Chile y la Argentina empeoraron por la incapacidad de la Argentina de cumplir sus acuerdos de exportación del gas que Chile necesita. La Argentina está en plena crisis energética —que se descarga también sobre Chile y Uruguay—, por no haber podido prever y asegurar las grandes inversiones que se necesitan para aumentar considerablemente la producción del gas. La región latinoamericana posee grandísimas reservas de gas y petróleo que requieren ser explotadas y utilizadas dentro de una perspectiva regional. En ese sentido, Brasil ha propuesto a Bolivia y a la Argentina crear una red gasífera trinacional, de la cual podrían abastecerse Uruguay y Chile. Sin embargo, dada la explosiva situación de ingobernabilidad y confusión en Bolivia, se ha preferido integrarse energéticamente a Perú, con un gasoducto que iría desde el puerto de Pisco (sur de Perú) hacia el norte de Chile; de allí atravesaría la cordillera de los Andes por dos gasoductos argentinos y luego, por medio de redes locales, llegaría al Brasil (Porto Alegre) y al Uruguay. El BID se ha comprometido a financiar este anillo energético. Mientras tanto, los gigantes petroleros venezolano y

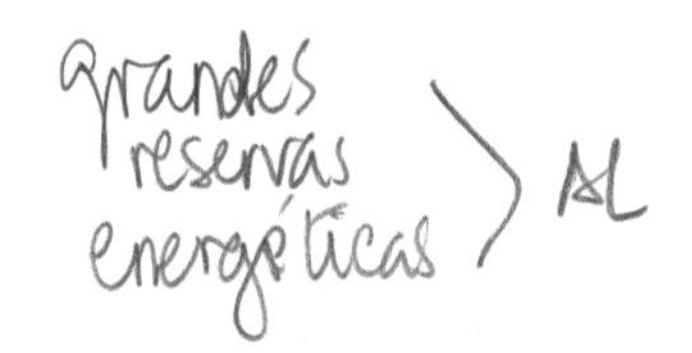

brasileño (PVDSA y Petrobrás), junto con la menor ENARSA de la Argentina, están dando pasos importantes hacia la constitución de "PetroAmérica" o "PetroSur", con el interés manifestado por muchos otros países latinoamericanos.[46] Muchas otras obras de infraestructura en materia energética están por iniciarse, como la construcción del Gasoducto de Unificación Nacional (GASUN), de más de cinco mil kilómetros de extensión, para llevar el gas importado desde Bolivia a una parte de la región amazónica y al semiárido Nordeste brasileño, comunicado también con el gasoducto que ya abastece de gas al sur y sudeste del país; a su vez, la Argentina y Bolivia han firmado el contrato para la importantísima obra del gasoducto del Nordeste, que cruzará desde Bolivia hasta Rosario, atravesando el Chaco y Formosa, conectándose con la red troncal en la Argentina, superando las carencias de gas registradas el invierno pasado. Por su parte, Colombia y Venezuela, no obstante sus diferencias políticas, han pactado la construcción de un gasoducto binacional que en los primeros años traerá gas colombiano a refinerías y petroquímicas del occidente venezolano y que luego servirá para llevar el fluido en sentido inverso. Mientras tanto, el presidente Chávez utiliza la gran riqueza petrolera venelozana para sostener a Cuba y a los países de la comunidad del Caribe y para apoyar a Brasil y a la Argentina en su actual crisis energética.

Con financiación del Banco Interamericano de Desarrollo y de la Corporación Andina de Fomento y del Fondo Financiero para el Desarrollo de la Cuenca del Plata (FONPLATA), gracias también al programa de cooperación de la Unión Europea, y necesitada de capitales privados que comienzan a ser atraídos para diversas obras en forma de concesiones, tal infraestructura de comunicaciones anudará e intensificará las relaciones entre muy diversas regiones de distintos países sudamericanos, valorizará las economías locales del "interior", multiplicará las relaciones comerciales en un área subcontinental que adquirirá mayor consistencia y trabazón geopolíticas y económicas y facilitará sus intercambios con los mercados mundiales.

A pesar de las dificultades señaladas, las fronteras sudamericanas tienden a no ser más límites que separan y contraponen, sino lugares de encuentro y colaboración. El acuerdo firmado por Brasil y Uruguay el 14 de abril de 2004 sobre permisos de residencia, estudio y trabajo para uruguayos y brasileños que viven en una vasta zona de frontera —que fue muy conflictiva en otros tiempos— marca una perspectiva ejemplar.

Esta nueva lógica "mercosureña" no sólo impone a los gobiernos y a sus ministerios un ritmo de continuas consultas y trabajos conjuntos, sino también estudios de los técnicos a distintos niveles. Además, dicha lógica ha ido tomando cuerpo en el dinamismo empresarial. En efecto, se ha constituido un fuerte tejido de alianzas de empresas de distintos países; aumentan las inversiones entre los países vecinos; las multinacionales están reestructurando y expandiendo sus actividades en el mercado regional protegido y de libre circulación; hay nuevas modalidades de *joint venture* entre empresas de países vecinos; se multiplican también las modalidades de interconexión empresarial en el tendido de redes eléctricas y gasoductos. Se expanden también grandes empresas de países de la región que están inmersas en importantes procesos de internacionalización regional, como Petrobrás (Brasil, hidrocarburos) y Companhia Vale do Rio Doce (Brasil, minería). Hay grandes instalaciones fronterizas, como la gigantesca planta hidroeléctrica de Itaipú entre Brasil y Paraguay, y la Argentina y Paraguay se han comprometido a completar las obras hidroeléctricas de Yaciretá. Las pequeñas y medianas empresas —que representan en todos los países del Mercosur más del 90% de los establecimientos productivos y, según los casos, aportan alrededor del 40% del PBI de Brasil, más del 60% de la Argentina y el 90% de Uruguay y Paraguay—, si bien menos preparadas para el desafío de la integración, están buscando adaptarse a los retos de la competitividad. Se ha creado recientemente la Secretaría "Pymes" del Mercosur y Latinoamérica, con sede en Montevideo. Una red de estudios, convenios regionales y programas de asistencia técnica apuntan a ese sector económico. Tales dinamismos de integración involucran cada vez más a crecientes sectores de la sociedad civil (universidades, cooperativismo, gremios de empresarios y sindicatos de trabajadores, sectores intelectuales y artísticos, etc.).[47] Está en marcha el Mercosur educativo y cultural. Será muy importante movilizar las juventudes como protagonistas de la integración.[48] Además, el Mercosur podrá contar en el futuro próximo con una secretaría permanente de defensa regional, si se confirman los primeros análisis que han realizado durante el año 2004 los comandantes en jefe de los ejércitos de la Argentina, Bolivia, Brasil, Chile, Paraguay y Uruguay, mientras se procede al intercambio de oficiales en las escuelas de guerra, hecho sobresaliente que confirma la confianza mutua. En fin, un papel capital le compete a la Iglesia. Así como el Papa Pío XII no dudó en apostar por la creación de la Comunidad Europea, también se puede esperar que la Iglesia católica aliente y apoye la integración sudamericana y latinoamericana. Ella es signo eficaz de comunión y solidaridad de nuestros pueblos.[49]

Sin embargo, al Mercosur le quedan pendientes abundantes asignaturas. El comercio intrarregional todavía es predominantemente intersectorial, donde las exportaciones argentinas, junto con las bastante escasas del Uruguay y Paraguay, provienen en gran medida de productos primarios, mientras que las manufacturas brasileñas invaden todo el ámbito comunitario. Éstas se vieron favorecidas también por la enorme y necesaria devaluación del 30 al 35% de la moneda brasileña respecto del dólar, actuada en plena crisis cambiaria de Brasil a comienzos de 1999, lo que aumentó toda clase de desequilibrios en el ámbito subregional y agudizó situaciones críticas entre los socios comerciales. Brasil tendría que haber demostrado una actitud mucho más atenta, cordial y fraternal con sus socios y aliados que están en situaciones de mayor debilidad. No pocas veces, la fragmentación y vulnerabilidad y estrechez de miras de la "clase política" brasileña y las presiones de muy diversos *lobbies* corporativos y regionales han hecho que la gran responsabilidad del país para el conjunto del Mercosur y la grandeza de miras que eso exige se hayan rebajado a intereses y controversias de muy poca entidad para Brasil, pero de mucha mayor trascendencia para los socios menores de la alianza. Basta pensar en las trabas puestas a la importación del arroz del Uruguay, por ejemplo. Ello ha dado pie a los enemigos del Mercosur para enarbolar el eslogan divisionista de la "Brasil-dependencia".

La diversidad de regímenes cambiarios agudizó las dificultades. Mientras que la línea de flotación del "real" brasileño llevó a una inflación del 30% en el país en 1991 —suscitando la abierta crítica de sus socios al ver favorecidas las exportaciones brasileñas—, la Argentina se mantuvo hasta 2002 en la persistencia de la paridad legal de un peso por un dólar. Se multiplicaron, pues, resquemores, sospechas, acusaciones. Después de los tiempos más "calientes" de la crisis argentina, se ha ido estabilizando la libre flotación del peso argentino respecto del dólar. Ahora hay un régimen cambiario similar entre los países del Mercosur, lo que ha sido un buen paso para retomar en forma más equilibrada y recíprocamente ventajosa la intensificación de las corrientes comerciales en el área. Por esto mismo, Antonio Fraga, ex presidente del Banco Central de Brasil, destacó inmediatamente que con el fin de la convertibilidad del peso argentino "se abre un nuevo espacio para estrechar las relaciones entre los dos países y, también, para pensar en el futuro en una política cambiaria común en la región", mientras que "la dolarización habría cerrado ese camino".[50] También el presidente Lula ha hecho declaraciones sobre la importancia de emprender el camino hacia una futura moneda común. Si la primera década del Mercosur estuvo caracterizada por la integración comercial, se plantea actualmente la exigencia de construir las bases de la integración financiera y monetaria. La creación de condiciones de convergencia y estabilidad a este nivel podrían conducir al *peso real*, auspiciable moneda común, aprendiendo también las lecciones del largo y complejo proceso que condujo al *euro* en la Unión Europea.[51]

El relanzamiento del Mercosur, como propuesta explícita de los socios desde el año 2000, exige proseguir la transformación de los mercados nacionales en mercados unificados, completando la eliminación de las barreras arancelarias con la progresiva superación de las no arancelarias aún vigentes, enfrentando las fisuras existentes en el Arancel Externo Común y los regímenes especiales de importación y constituyendo modalidades más eficaces y exigentes de arbitraje en los contenciosos emergentes, para que el área Mercosur se vaya materializando cada vez más como mercado interior.[52] La unión aduanera imperfecta, constituida aceleradamente y vigente desde 1995, sufrió en marzo de 2001 la elevación hasta 35% de los aranceles para la importación de los bienes de consumo por parte del gobierno argentino de De la Rúa, jaqueado por la crisis. En julio de 2004 el gobierno de Kirchner impuso tasas arancelarias a la importación de electrodomésticos brasileños. Los automóviles son otra manzana de la discordia. Según un estudio de la brasileña Confederación Nacional de la Industria divulgado a mediados de enero de 2005, la Argentina es el país que más violaciones realiza al arancel externo común del Mercosur, pues tiene una lista de excepciones de 2.546 productos; le sigue Paraguay, con 2196 productos, Brasil con 1.506 y Uruguay con 1.414 apartados arancelarios. Al menos desde 1999 el bloque regional se ha convertido en un torneo de violaciones y excepciones a las reglas establecidas, enfrascado en restricciones y discusiones, sobre muchos productos (papel, calzado, aparatos sanitarios, siderúrgicos, televisores, azúcar, trigo, textiles, cocinas, lavadoras y heladeras, industria automotriz, etc.). Hay que revertir esa tendencia proteccionista. Todo ello requiere muy pacientes negociaciones dentro de una más firme institucionalización del Mercosur para evitar empantanarse en continuos contenciosos puntuales, sin permitir su polarización y su instrumentalización. Reconstruirse gradualmente como área de libre comercio y unión aduanera es el anverso de la moneda. Pero el reverso consiste en que el Mercosur tiene que exportar mucho más hacia fuera. Hasta 1999 hubo un gran desarrollo del comercio intrazonal. Pero esto no puede sostenerse indefinidamente. No basta un autosustentamiento. En los inmediatos años pasados el comercio intrazonal disminuyó considerablemente: las ventas de Brasil a la Argentina cayeron en el año 2002 casi el 70% y las de la Argentina a Brasil se redujeron el 26%, sobre todo por falta de crédito para el intercambio. Actualmente, las exportaciones totales y regionales están de nuevo en fuerte crecimiento, pero hay que crecer mucho más hacia fuera y vender más a los terceros mercados. Eso supone políticas comunes de infraestructura, de inversión general y en tecnología, de promoción y defensa comercial ante terceros y de negociación muy intensa e inteligente como bloque con los otros megamercados (TLCAN, ALCA, UE, Extremo Oriente, etc.). Requiere también la suficiente flexibilidad para que los países miembros puedan compatibilizar, y no contraponer (lo que es intento divisionista y, al fin, perjudicial para todos), la profundización de los vínculos del Mercosur y el perfeccionamiento de la integración regional con un aumento de las exportaciones fuera de la región.

Esta integración aún será superficial si sólo se desarrolla a través del comercio de bienes y servicios y de los movimientos internacionales de capital, sin profundizarse a niveles macroeconómicos, productivos y tecnológicos. El Mercosur está necesitando una mayor coordinación de políticas macroeconómicas. En la Cumbre del Mercosur en Florianópolis se dio un primer paso con la definición conjunta de metas de convergencia sobre los parámetros de inflación, déficit fiscal y deuda pública, en modo similar a las del Tratado de Maastricht. Ahora tienen que ser revistas con realismo, credibilidad y practicabilidad y tener fuerza vinculante para los socios.[53] La coordinación de las políticas macroeconómicas requiere el desarrollo conjunto de una política de industrialización e investigación. Se ha de favorecer la colaboración entre empresas de los diversos sectores productivos, los movimientos intrarregionales de adquisiciones y fusiones estratégicas, la creación de grandes *tradings* del Mercosur y la conversión de empresas locales en regionales y multinacionales. Es fundamental invertir en la formación humana, profesional y técnica, incrementar la productividad y promover las exportaciones de mayor contenido tecnológico. Si se pretende dar pasos sólidos hacia la moneda común, se requiere también una armonización de las políticas fiscales y, en especial, una disciplina común sobre los incentivos a las inversiones extranjeras, cuestión que ya se está afrontando, para evitar duras tensiones en cuanto a la atracción de capitales y las distorsiones que ello provoca en la competitividad dentro del Mercosur.

Hace falta, en fin, un cumplimiento leal de lo pactado, sin cambiar unilateralmente las reglas del juego. Es necesaria una conciencia de lo que implica una alianza estratégica de envergadura, que se demuestra efectivamente, de modo especial, en los momentos más álgidos de eclosión de situaciones de crisis (como la experimentada, primero por Brasil, y después sufrida mucho más radical y dramáticamente por la Argentina). Por el contrario, las fases de profundas crisis despiertan los fingidos y estrechos "nacionalismos", las medidas unilaterales, la ausencia de un diálogo preventivo y fraterno, las restricciones comerciales, la competitividad desleal entre los socios, la intromisión de los *lobbies* corporativos en defensa de sus intereses particulares, las cuñas divisionistas de los grandes poderes. El "sálvese quien pueda" es pésima actitud y peor camino. Falta mucho para dejar de pensar aisladamente y hacerlo, en cambio, conjuntamente, en una auténtica cultura del "Mercosur", hasta que arraigue realmente en sus pueblos, en todos los niveles. "Lo que no se asienta en los pueblos, no se gana", dijo el primer mandatario uruguayo, Tabaré Vázquez, al inicio del semestre uruguayo de presidencia del Mercosur, en junio de 2005: hay que "llenar de ciudadanía" el proceso de integración. Crisis, tensiones, vacilaciones son y serán inevitables, como serán también difíciles y arduas las negociaciones y los arbitrajes para ir acompasando equilibradamente los intercambios comerciales y las inversiones, pero lo más importante es que prevalezca la conciencia de lo fundamental que está en juego.

Los dos socios mayores

Después del desmoronamiento de la Argentina y no obstante sus signos actuales de recuperación, todavía el país presenta un flanco débil para los procesos de integración. El primer gobierno de Carlos Menem logró sorprendente estabilización, crecimiento económico, modernización tecnológica, en condiciones de debilidad inimaginables: heredó un país desmantelado en su aparato productivo, lacerado por años de guerra interna, de "guerra sucia", humillado por la derrota de las Malvinas, desquiciado por una hiperinflación galopante. Lo mejor que heredó fue la importante vuelta a la democracia con el presidente Alfonsín. Su costo fue un remate apresurado, sin precedentes e indiscriminado de empresas públicas, un excesivo nivel de corrupción, una sucesión de "ajustes" y la ilusión de la "plata dulce" en un país que, sobre todo desde su capital, Buenos Aires, oscila rápidamente entre euforias dilapidadoras y grandes depresiones. Con el peso descomunal e incontrolable de su deuda externa ("deuda... eterna", dice un buen amigo), sin reactivación productiva, sin nuevo impulso industrializador, quedó en una situación muy grave, de gran postración y fragilidad. Está quebrada y fundida, dijo Eduardo Duhalde cuando asumió la presidencia, ante el colapso del sistema financiero. El año 2002 concluyó con no menos del 15% de contracción del producto nacional, el 25% de desocupación y la mitad de la población sumergida en la pobreza; medio millón de familias logró sobrevivir gracias a la ayuda mínima mensual de 150 pesos como asistencia extraordinaria del Estado. "Hoy la patria requiere algo inédito", señaló el Episcopado nacional en varios importantes documentos y declaraciones; lo habían ido marcando a fuego las homilías pronunciadas por el cardenal Jorge Bergoglio con ocasión de las últimas fiestas patrias del 25 de Mayo,[54] juicio certero y perspectiva notable para la reconstrucción y la esperanza. La Iglesia fue protagonista del "diálogo nacional" para la salvación de la patria y la compañía más cercana y eficaz de ayuda, asistencia y esperanza para los sectores golpeados por la crisis, custodia y regeneradora del pueblo.

La situación política y económica del país precipitó por la parálisis de la presidencia de De la Rúa, pasando por una fase política muy crítica, en medio de tremendas dificultades e incertidumbres, con muy escasos márgenes de maniobra y sobre los terrenos movedizos de situaciones sociales explosivas. Si esta crisis tuvo ciertamente una larga gestación (y un legado especialmente desastroso fue el del desmantelamiento industrial en tiempos de Martínez de Hoz), es indudable que representa, en un período más breve, el desmoronamiento de una estrategia económica ultraliberal, marcada por sus límites y contradicciones, por las turbulencias de crisis políticas y monetarias y por el estancamiento de la economía mundial. La bancarrota económica llevó al caos político. El presidente Eduardo Duhalde tuvo el mérito, no de poca monta, de gobernar una fase extremadamente crítica hacia un mínimo de orden y estabilidad, abandonando la paridad legal entre peso y dólar, a costo de confiscar buena parte del ahorro de las clases medias argentinas y de las clases pasivas, y de cargar con la primera gestión del "default".

A pesar de haber obtenido sólo el 22,5% de los votos en la elección presidencial, Nestor Kirchner consiguió obtener un apoyo relevante de la población restableciendo una imagen de fuerte autoridad de gobierno, mezclada con los gestos de un temperamento decidido e intempestivo, abriendo a la vez demasiados frentes de conflicto y crítica.

La situación continúa siendo de mucha fragilidad y vulnerabilidad, y aún no han sido enfrentadas las reformas estructurales en la política, la economía, la educación y el orden público. No le faltan a ese gran país riquezas naturales de todo tipo. La Argentina es actualmente el quinto exportador mundial de alimentos, que cuenta con grandes fuentes de autoabastecimiento energético y es principal exportador de petróleo y gas dentro del Mercosur, posee un extensísimo litoral marítimo, grandes reservas minerales, grandes espacios para la actividad turística, una infraestructura tecnológicamente avanzada en materia de comunicaciones y un capital humano con alto nivel educativo y cultural. ¡Que pudiera estar tan mal es un "milagro económico"! Las primeras señales de recuperación comenzaron pronto a ser percibidas a través del fuerte crecimiento de cosechas y exportaciones, y gracias también a la desvalorización controlada del *peso* al logro de un extraordinario superávit de la balanza comercial. La caída de las importaciones dio un impulso al aumento de las iniciativas de industrialización sustitutiva. La inflación parece bajo control, aumentan los de-

pósitos bancarios, el crecimiento económico ha ido recuperando lo perdido. La producción agrícola mueve toda la economía, en especial gracias a los muy extensos cultivos de la soja, a su mercado de la China y a los altos precios internacionales. La economía argentina logró crecer el 8,7% en el segundo semestre de 2003 y ha mantenido un ritmo alto de crecimiento en 2004 (mientras más altos son aún los ritmos de crecimiento económico en el vecino Uruguay). El año 2004 ha visto el récord histórico de exportaciones (más del 17% respecto al 2003) y un aumento significativo de importaciones, incluida la duplicación de importaciones de bienes de capital. Hoy cuenta también con muy alto superávit fiscal e incremento de reservas. La gestión del ministro de Economía, Roberto Lavagna, se demuestra seria y exitosa en medio de grandes dificultades. Helio Jaguaribe afirmó elocuentemente que "Argentina es un país condenado al éxito". Tampoco le faltan grandes reservas humanas para que la sociedad salga del empantanamiento en que se encuentra, advirtiéndose ya las más diversas experiencias populares solidarias y creativas que van más allá de la queja crispada, de la reivindicación corporativa, del descargo de corresponsabilidades, de la confrontación caótica y tendencialmente violenta que ciertamente algunos están apoyando y utilizando. No necesita el país lamentaciones, rencores y resentimientos, y menos aún "revanchismos", que de nada sirven para sanear la memoria y reforzar la unidad de la nación. Es toda la sociedad argentina que está llamada a interrogarse a sí misma.

Ciertamente es necesario un gobierno renovado en su conducción y gestión, fuerte y determinado, con serena y efectiva autoridad, que sepa armonizar los intereses del Estado central y de las provincias, de las empresas y los sindicatos, de las industrias y el mundo rural, en el cuadro de un gran acuerdo nacional, con la suficiente credibilidad popular y autoridad nacional como para moderar las reacciones y presiones que suscitan los necesarios sacrificios, equitativamente compartidos, y poner nuevamente la sociedad y la economía argentinas en movimiento. La Argentina tiene necesidad de una política clarividente, a largo plazo (y no las luchas irresponsables y suicidas de facciones), que marque con decisión un rumbo por seguir, juntamente con una renovada movilización de energías morales y espirituales que ponga a su pueblo de pie, que vaya generando condiciones de confianza interna e internacional, que valorice la empresarialidad y laboriosidad, que coopere en la reconstrucción de un tejido industrial y la generación de más empleo. Se trata, en fin, de animar convergencias solidarias en la reconstrucción de la nación, porque están en juego las razones de fondo de la convivencia y el destino nacionales. Y no existe reconstrucción de la nación que no pase a través de la reconstrucción de la persona, de su dignidad, libertad y responsabilidad, sus vínculos de pertenencia y solidaridad, comenzando por la familia y prosiguiendo en todo lo que ayuda a una "comunidad organizada", movida por ideales y metas comunes. ¡Nada de fáciles ilusiones! Este camino es arduo y difícil. Un proyecto estratégico de desarrollo requiere ser sostenido por un vasto consenso nacional, alimentado por fuertes inversiones educativas e inspirado por una revolución espiritual que ponga sus raíces en la gran reserva cultural del pueblo.[55] Cualquier tentación o insidia de agresión de la tradición católica del pueblo argentino, de favorecimiento de la disgregación del tejido familiar y social así como de sus reservas morales y religiosas, es antinacional y antipopular. Nada puede ser construido a partir de los fantasmas ideológicos del pasado ni de los modelos nihilistas y hedonistas de las actuales sociedades del consumo y del espectáculo.

Hoy la Argentina está bajo la vigilancia recelosa de grandes poderes internacionales, aunque también ellos son corresponsables de la crisis. Cualquier maniobra de desestabilización sería jugar con fuego y arriesgaría provocar un incendio de propagación insospechable. Lo que se necesita es una auténtica solidaridad internacional, también de las grandes instituciones financieras. Si nada puede excusar la "mala conducta" del país, tampoco el FMI puede desentenderse de sus recetas erráticas, de su tozudez en insistir a destiempo sobre la paridad legal peso-dólar con el consiguiente deterioro de competitividad de los productos argentinos, de su cortedad de miras respecto a las causas de incubación de la crisis, de su imprevisión respecto a la vulnerabilidad del país ante la especulación financiera y la volatilidad de capitales voluminosos propias de un mercado financiero internacional con graves deficiencias. No puede desentenderse de su actuación durante la crisis más como sujeto político que como entidad financiera para ayudas de emergencia y reconstrucción y de su inclinación a imponer condiciones demasiado gravosas más atentas a la satisfacción de los acreedores internacionales que a las apremiantes necesidades del pueblo argentino. Actualmente parece predominar un diálogo franco y arduo, que ha desbloqueado ayudas necesarias ante la buena marcha coyuntural de la economía del país. La administración Bush ha intervenido para moderar polarizaciones posibles. Si bien la reestructuración radical de la deuda externa ha ido dando buenos resultados, aún queda planteada una cierta incógnita respecto a la acción de muchos deudores que no han querido aceptarla. Por otra parte, este tema no puede considerarse aisladamente, sin tener presente la urgencia de afrontar la "deuda social", sobre todo en lo que respecta a la salud, educación, empleo, jubilaciones, etc., de vastos sectores del pueblo argentino sumidos en la pobreza.

La urgencia de salir del borde del abismo corrió el riesgo de ser aprovechada por la "sirena" de propuestas destinadas, de hecho, a ir resquebrajando y debilitando la participación argentina en el Mercosur. Era previsible que la crisis argentina arrastrara también al Uruguay. Hay quienes difundieron entre los países que son socios menores la consigna de "reducir la dependencia del Mercosur" y "desenganchar de la Argentina", aprovechándose de la necesidad urgente que tienen de no quedar desvalidos y desprotegidos frente a esa situación extraordinaria del país hermano, con todos los perjuicios que acarreaba. Por una parte, la recuperación económica de la Argentina —que será proceso largo, complejo y sufrido— es interés primordial del Mercosur y encuentra su sustento capital en una más intensa cooperación mercosureña a nivel comunitario e internacional. Duhalde primero y Kirchner después supieron confirmar la "opción estratégica" del Mercosur. No obstante ello, la actual fragilidad y vulnerabilidad internas del país dificultan la definición y la actuación de una clara política exterior y empujan y llevan a veces a decisiones puntuales no precisamente coherentes con dicha opción, sobre todo en lo que respecta al avance en el proceso de liberalización comercial, especialmente con su socio mayor, el Brasil. Se van sumando así los rubros de fricción, sea en relación con los electrodomésticos, el calzado, la industria automotriz, etc. La asimetría de desarrollo entre ambos y la escasa competitividad de gran parte de la industria argentina —duramente golpeada por la crisis, escasa de inversiones, de modernización y productividad— tienden a una presencia avasallante de las exportaciones industriales brasileñas en la Argentina y a una concentración en Brasil de las inversiones extranjeras, atraídas también por políticas agresivas de beneficios impositivos y fiscales. Hay que evitar contraposiciones rígidas, desde miras cortoplacistas y corporativistas, sobre pequeñas disputas de mercado en el conjunto global de intercambios, y, al contrario, ser muy pacientes en las negociaciones, preparar convergencias a través de mecanismos transitorios y contar con una especial cuota de generosidad de parte del socio más fuerte.

Al Brasil le compete e interesa ayudar a la Argentina, sea directamente, sea en el escenario internacional, y ello requiere buenas dosis de comprensión, flexibilidad en las negociaciones y especial solidaridad. No basta más la retórica de la amistad y de la "alianza estratégica", sino una acción decidida de fomento de una política industrial conjunta con efectivos y significativos financiamientos del Banco Nacional de Desarrollo Económico y Social, entidad estatal brasileña. Brasil tiene condiciones industriales y financieras para promover un impulso relevante en la reindustrialización de la Argentina. Hoy Brasil es el polo más poderoso del Mercosur, su referencia principal y propulsora. La emergencia de devaluación de la moneda y fuga de capitales justo antes de las elecciones presidenciales en el Brasil fue causada mucho más por los temores y especulaciones de la banca extranjera y las incertidumbres sobre la orientación y gestión del futuro gobierno, y no tanto por los datos de la economía real y por la gestión de la política económica. Fue importante y oportuna, entonces, la asistencia del FMI. No obstante todos sus profundos desequilibrios sociales, los vastos sectores de pobreza e incluso hambre, la enorme deuda interna y externa (¡más de 250 mil millones de dólares que equivalen al 55% del Producto Bruto Interno!) y las muy altas tasas de interés, la economía brasileña tiene una consistente base productiva, industrial y tecnológica, gracias a un proceso de industrialización espontánea desde la década de 1930 y deliberada en el segundo gobierno de Vargas (1951-1954), al desarrollismo dinámico de Kubitschek (1656-1960), a la política industrial del gobierno del general Geisel durante la segunda mitad de los años setenta y a la masa

Brasil

de inversiones y privatizaciones durante los gobiernos de Cardoso. Al contrario, los sucesivos gobiernos militares en la Argentina no hicieron sino desmantelar el poderoso aparato industrial del país.

A pesar de todo, la economía del gigante brasileño ofrece signos de solidez y esperanzas de fuerte desarrollo.[56] Brasil ha crecido en forma sostenida y considerable durante los últimos quince años, y obtenido en los últimos años fuerte superávit comercial, que en 2004 ha superado los 30.000 millones de dólares (algo inédito para el país, pero sobre todo dependiente de los altos precios coyunturales y fluctuantes de los productos agrícolas),[57] y también en ese año un fuerte superávit de la cuenta corriente de la balanza de pagos, otro hecho inusual. Otras buenas noticias son el fuerte crecimiento de la industria y la reducción del desempleo, con 1,2 millones de empleos formales creados desde inicios del año 2004. Es significativo que se haya superado el 5% de crecimiento económico en el año 2004, pero la acción severa del gobierno de Luiz Inácio da Silva en relación con la balanza pública, la lucha contra la inflación (que es enemiga de los pobres), la gradual disminución de los todavía altos intereses, las reformas estructurales realizadas a nivel fiscal y de la previdencia social y su política comercial "global", están creando las condiciones para una menor vulnerabilidad internacional y para mayor crecimiento económico. Éste le resulta fundamental para llevar adelante las muy variadas y numerosas obras de infraestructura y de realización de la reforma agraria, así como los programas de "Hambre cero" y de "Auxilio familia", de promoción de la escolaridad y el trabajo y otros de reforma social que respondan a las necesidades de los sectores más pobres del país. No sirven para ello ni las formas asistencialistas ni los discursos ideológicos ni los centralismos políticos en pos de clientelas, sino la promoción de la formación y capacidades de trabajo, las energías emprendedoras, las actitudes solidarias de construcción y cooperación del propio pueblo, desde su *ethos* cultural cristiano. Es fundamental la movilización de la sociedad civil y, especialmente, de la Iglesia, con su fuerte arraigo nacional y popular, su fuerza cohesiva, educativa y participante, la multiplicidad de sus obras.

La gran señal de madurez democrática que manifestó el país con las elecciones presidenciales parece confirmarse con el compás de espera y confianza hacia el nuevo gobierno, consciente de los estrechos y riesgosos márgenes de maniobra dentro de los cuales tiene que actuar. El gobierno de Lula tiene que llevar adelante una estrategia de gran perspicacia y determinación, con fuerte autoridad, para emprender una fase de transición muy difícil en la dirección de un renovado modelo de desarrollo y de inclusión social. Para Lula será muy importante saber mantener un amplio consenso social y una perspectiva de esperanza a pesar de sacrificios y tiempos largos inevitables, con aguda conciencia de tener que controlar la eventual eclosión de oposiciones polarizadas, que pueden arrastrar el país hacia situaciones de caos y crisis. Por un lado, los poderes fuertes transnacionales estarán muy prontos, cuando lo consideren conveniente y oportuno, para crear situaciones de fuertes presiones a nivel del mercado internacional y nacional y ganar con la especulación económica y política; y, por otro, los sectores radicalizados que han acompañado la candidatura de Lula, azuzados por promesas electorales muchas veces de tono populista o ideológicas, pretenderán hacer precipitar lo antes posible situaciones sociales y políticas conflictivas, en el ámbito interno e internacional, de "ruptura revolucionaria".

El paso desde aquellos eslóganes ideológicos y populistas, mezclados en la campaña electoral con las esperanzas populares, hasta las condiciones y posibilidades concretas de acción de gobierno, ha llevado a Lula a proseguir en lo fundamental los lineamientos generales de la política de su predecesor, pero ahora está requiriéndose la inflexión de una aceleración del crecimiento económico y de un tenaz reformismo constructivo. La pérdida electoral en la gran metrópolis paulista fue señal de alarma y alerta.

No obstante las fuertes dosis de dificultades, incertidumbres y malhumores, así como cierta pérdida de confianza por no haber podido desterrar formas habituales de corrupción política, es todavía significativa la esperanza que suscita el gobierno de Lula a nivel nacional y regional. Del éxito de esta presidencia depende no sólo el futuro del pueblo brasileño, sino también del Mercosur (por el que ha apostado decididamente) y de toda América del Sur. No escuche Lula, pues, las sirenas divisionistas y antilatinoamericanas de quienes le piden "desanclar" del Mercosur y reducirlo cada vez más a mera formalidad. Tiene razón su canciller, Celso Amorim, férreo defensor de la integración latinoamericana, cuando reconoce que ésta tiene costos inevitables, que hay que asumir con una "diplomacia de la generosidad" y teniendo firme el rumbo hacia los horizontes estratégicos e ideales. Ello es lo que le corresponde a un gran país, digno de asumir un liderazgo sudamericano con amplia credibilidad y consenso.

Hacia el Mercado Común

Aunque se haya logrado la consolidación democrática, el Mercosur en su conjunto se asienta en una fragilidad de fundamentos políticos, económicos, tecnológicos y sociales sumamente vulnerable respecto a los contrastes internos y al impacto de la coyuntura internacional. Esto se demostró especialmente con los fuertes impactos negativos de la crisis de los países asiáticos en 1997 y de Rusia en 1998, y con las repercusiones de la recesión internacional. El Mercosur necesita un crecimiento económico relevante y sostenido desde una intensificación de la producción y la productividad en todos los campos, que se pueda acompañar con una política activa de incorporación de sectores crecientes de población a más altos niveles de escolaridad y preparación técnica, al mercado del trabajo y del consumo, promoviendo la laboriosidad y empresarialidad, como protagonistas en el conjunto de la construcción nacional. Es cuestión inaplazable de justicia y, a la vez, fundamental para un crecimiento más firme del mercado interno y de la producción nacional y regional.

Tales son hoy el desafío y la alternativa cruciales que afronta el Mercosur: o pueden ir creándose las condiciones para ser una de las áreas de mayor crecimiento económico en las próximas décadas o sencillamente morir. Puede ir zafando de la actual coyuntura crítica en la que se encuentra y relanzar su crecimiento como interlocutor privilegiado de las áreas económicas más poderosas del mundo o arrastrar una vida vegetativa y de satélite de los países latinoamericanos por separado. Puede diluirse como una simple área de libre comercio destinada a ser englobada y asimilada por los procesos de liberalización hemisférica y mundial, o puede encaminarse decididamente hacia la realización de un mercado común y confederación política. Puede limitarse a las desgastantes tensiones entre los socios o ser fuerza propulsora de una auténtica Unión Sudamericana. Puede afrontar con resolu-

ción la superación de sus más estridentes desigualdades y crecer como auténtica convivencia democrática o decaer según dos imágenes que diseñan bien un horizonte tan posible como trágico. Una es la de Ignacio Ramonet, quien, en su *Geopolítica del caos*, entrevé el modelo "archipiélago", que se daría literalmente en el Sur como un conjunto desperdigado de "pequeñas islas de opulentos en medio de un océano de pobreza".[58] Otra es la de Helio Jaguaribe: la caída en el "colonial-fascismo", o sea, "una elite económico-política defendiéndose con trincheras, metralletas y tanques, de masas subordinadas por la vía militar".[59]

Es motivo de esperanza el hecho de que, desde su mayor crisis interna y en las condiciones internacionales más difíciles creadas por la recesión internacional y los escenarios de seguridad y guerra, las recientes Cumbres semestrales del Mercosur se hayan caracterizado por progresos innegables en la voluntad de su relanzamiento, si bien se camina en forma zigzagueante para la concreción eficaz de los propósitos. Ha sido importante que los mandatarios de las naciones hermanas reafirmaran que "en sus diez años de existencia, el Mercosur se ha consolidado como un instrumento esencial para promover la democracia representativa, el desarrollo económico y la equidad social en la región", considerándolo como "la más importante opción estratégica de nuestros países en la historia reciente". Se señaló, además, la determinación de seguir avanzando en "la conformación del mercado único".[60]

Esta alianza estratégica se ha visto reforzada con los gobiernos de Luis Inázio da Silva y de Néstor Kirchner, consolidada en los encuentros bilaterales y manifestada con el llamado "Consenso de Buenos Aires" dentro de una nueva política regional. Nunca fueron tan favorables las condiciones para consolidar y profundizar la integración argentino-brasileña, a la que se suma ahora la vecindad política del nuevo gobierno uruguayo de Tabaré Vázquez. Dados los estrechos márgenes de maniobra del pequeño país, frágil y vulnerable, el Frente Amplio-Encuentro Progresista tendrá que demostrar, contando con el apoyo y las esperanzas de su amplia base popular, mucha más firmeza de gobierno y realismo reformador que devaneos ideológicos anacrónicos (arraigados, además, en un subsuelo cultural laicista árido, ya agotado), superando también los riesgos de pujas internas de poder de sus numerosas y variadas formaciones políticas. Le será fundamental asociarse atentamente a sus vecinos, con especial atención a la singular posición, intereses y expectativas del Uruguay en la encrucijada de la Cuenca Platense y en la proyección internacional del Mercosur, con clara conciencia de no ser más desde hace tiempo la "Suiza de América" (soberbio aislamiento respecto a América Latina combinado con proyección cosmopolita) y definitivamente atrás aquello del "Estado tapón" o "algodón entre cristales".[61] Lamentablemente, por su parte, el Paraguay sigue empantanado en una interminable transición a la democracia y al saneamiento de la vida nacional. La actual asimetría entre Brasil y la Argentina está solicitando un reforzamiento de la sub-alianza de esta última con Uruguay, Paraguay, Bolivia y Perú, especialmente (aunque la fragilidad interior debilite y a veces ofusque la política exterior), por supuesto no en clave antibrasileña, sino como positivo factor de equilibrio para todos. La asimetría en el interior del Mercosur tiene que dar lugar también a mayor solidaridad de los "grandes" con Paraguay y Uruguay, cuestión que está ya afrontándose a través del estudio de políticas más flexibles y fondos de convergencia, compensación y desarrollo con aportes de todos los países miembros. Ha sido bienvenida, pues, la creación en la reciente XXVIII Cumbre del Mercosur en Asunción (junio de 2005) del Fondo para la Convergencia Estructural (FOCEM), dotado de 100 millones de dólares anuales, que será aportado en su 70% por Brasil, el 27% por la Argentina, el 2% por Uruguay y el 1% por Paraguay. De sus cuatro destinos, tres de ellos —programas de convergencia estructural, de mejora de la competitividad y de cohesión social— dan prioridad a los países pequeños y a las regiones fronterizas de los grandes, mientras que el cuarto servirá para el fortalecimiento institucional del Mercosur. Tiene razón el presidente Vázquez cuando solicita, en común acuerdo con el gobierno paraguayo, que los socios menores del Mercosur tengan "un mayor protagonismo" en las decisiones del bloque para construir "un mayor Mercosur, un mejor Mercosur, y la posibilidad de actuar como articuladores entre dos colosos como la Argentina y Brasil". Ciertamente no faltan periódicos roces y tensiones en el ámbito del Mercosur, que actualmente parecen concentrarse en cierta irritación del presidente Kirchner ante el creciente liderazgo del Brasil. Subsisten muchas situaciones de desequilibrios y tensiones comerciales entre los socios y de recelos respecto a la atracción de capitales e inversiones, que se concentran en Brasil. Más importante que los aspectos comerciales controvertidos son la imprevisibilidad, la falta de respeto a las reglas y la ausencia de mecanismos negociadores y arbitrales, lo que azuza nerviosismo a ciertos niveles gubernamentales y empresariales y da pie a los enemigos del Mercosur y de la integración latinoamericana para alimentar campañas de desprestigio, escepticismo y división. Se requiere mucha paciencia, flexibilidad y pragmatismo dentro de un horizonte estratégico común y un espíritu creciente de amistad, fraternidad y solidaridad. Vale la pena recordar a los gobiernos de la región, y especialmente a los de la Argentina y Brasil, el origen de la Comunidad Europea que contó con el compromiso firme de dos países, Alemania y Francia, que se habían combatido y destruido mutuamente en dos guerras terribles pero, con heridas aún sangrantes, se demostraron capaces de una decisión política clarividente y de largo alcance. Después de más de medio siglo, la Unión Europea encuentra todavía grandes dificultades, no obstante el importante camino recorrido. Bajo esta luz, las actuales diferencias entre Brasil y la Argentina no pueden sino parecer de pequeña entidad.

No faltan buenos pasos dados adelante, como los acuerdos alcanzados respecto a la definición de los mecanismos para el tratamiento de las excepciones al Arancel Externo Común, a las condiciones para el ejercicio profesional temporal y al protocolo de contrataciones públicas que hará posible a las empresas de todos los países socios participar en igualdad de condiciones en las licitaciones públicas. Está en estudio también la solución del problema del "doble cobro del arancel externo común" (cuando un producto importado desde fuera del bloque paga el AEC en la aduana de llegada, en tránsito, pero también en la de destino), diseñando un mecanismo para distribuir equitativamente entre los cuatro países socios la renta aduanera resultante de un solo cobro del AEC. Además, ha comenzado a ser encarada más seriamente la imprescindible institucionalización reforzada del Mercosur, con la constitución formal del Tribunal Permanente de Arbitraje para la solución de controversias (que tiene su sede en Asunción y que ha comenzado su trabajo en el segundo semestre de 2004), la propuesta de creación del Parlamento del Mercosur (que tomará cuerpo en 2006), los estudios sobre la necesidad de un banco regional para el financiamiento del desarrollo (con la participación de los Bancos Centrales, de Inversión y Fomento de los diversos países y con el apoyo del Banco Interamericano de Desarrollo, de la Corporación Andina de Fomento y del Fondo Financiero para el Desarrollo de la

Cuenca del Plata) y la mayor jerarquización de la Comisión de Representantes Permanentes del Mercosur en Montevideo, presidida por Eduardo Duhalde. Sin embargo, falta dar muchos otros pasos para reforzar las reglas, las instituciones y las disciplinas colectivas. El semestre de presidencia brasileño, iniciado con la XXVII Cumbre de Ouro Preto (Brasil) en diciembre de 2004, ha permitido dar pasos importantes en tres direcciones: la necesidad de impulsar y financiar un programa de infraestructuras para la región, la impostergable concreción de un "anillo energético" en el área y la creación de un sistema financiero regional. Habrá que avanzar también en la dirección del fortalecimiento de los elementos de supranacionalidad en el funcionamiento del bloque, para encarar con voluntades políticas convergentes y solvencia institucional los recurrentes problemas comerciales entre los socios.

Esta profundización de los vínculos del Mercosur se compagina con su proceso de ampliación. La necesidad prioritaria de consolidar y desarrollar los vínculos económicos y políticos con Chile coincide con declaraciones del presidente Lagos sobre la importancia decisiva de dichas relaciones de solidaridad y colaboración fraternas. No faltan entre algunos sectores políticos y empresariales chilenos las tentaciones de autosuficiencia como "primeros de la clase", considerándose más próximos al Primer Mundo, confiándose en la gran liberalización comercial obtenida sobre todo con los Estados Unidos y la Unión Europea, como si la globalización no tuviera necesidad de la regionalización. Sin embargo, el destino de Chile es indisociable del destino sudamericano y latinoamericano. El gobierno de Ricardo Lagos ha ratificado netamente la condición de Chile como "miembro asociado" y se ha pronunciado a favor de la integración mercosureña como instrumento que permite "enfrentar unidos los diferentes desafíos políticos y económicos" y "hablar con una sola voz" ante sus interlocutores, no obstante mezquinas presiones corporativas contrarias. Ha sido importante que Perú, Ecuador, Colombia y Venezuela hayan decidido también asociarse al Mercosur, intensificando las relaciones entre el Mercosur y la Comunidad Andina de Naciones. De gran significación y perspectiva ha sido, en fin, la decisión política de México de convertirse en miembro "asociado" del Mercosur, en continuidad con la participación solidaria del presidente mexicano Fox en la Cumbre del Mercosur de julio de 2002, celebrada en Buenos Aires, y con diversos acuerdos de complementación económica y liberalización comercial firmados por México con Brasil, la Argentina y Uruguay.

Todos estos son signos ilustrativos de una conciencia más clara y común entre los interlocutores sudamericanos: por más que sea fundamental una solidaridad y cooperación internacional auténticas, es preciso sobre todo contar con las propias fuerzas. Ya amainadas las tormentas financieras, se ha abierto una nueva fase cíclica de crecimiento en la que tocará principalmente a los gobiernos de Brasil y la Argentina afrontar el desafío de la reconstrucción política y económica del Mercosur en las nuevas condiciones sudamericanas, hemisféricas y mundiales. Los *impasses* actuales del Mercosur se resuelven... ¡con más y mejor Mercosur! Tiene que llegar a completarse como unión aduanera, llevar adelante una inteligente convergencia de políticas macroeconómicas, lograr un desarrollo industrial y tecnológico de conjunto, reactivar progresivamente un nivel de crecimiento subregional de al menos 5% anual y enfrentar la cuestión de la equidad, logrando así ser eje propulsor hacia la Unión Sudamericana. El avance en la triple construcción del Mercosur político, bioceánico y agroalimentario, en su concertación macroeconómica y en el desarrollo industrial y tecnológico regional, en sus relaciones de integración y cooperación con la Comunidad Andina de Naciones (CAN) y con México, permitirá dejar definitivamente atrás la fase de estancamiento de comienzos de siglo, "superar" el Mercosur en el camino de una Unión Sudamericana y encarar con mayor fuerza y coherencia las negociaciones con los megamercados mundiales. El camino es todavía largo y para nada sencillo. Si se frustra, América del Sur quedará condenada a la marginalidad e insignificancia como segmento del mercado mundial, dirigido exógenamente por multinacionales y grandes potencias. Tiene razón Lula: el fracaso del proyecto integracionista condenaría a América Latina a un "siglo perdido".

La perspectiva del ALCA

Fue significativo, y no ciertamente fruto de la casualidad, que la "Iniciativa para las Américas" haya sido lanzada por el presidente George Bush (padre) el 27 de junio de 1990, pocos días antes del 6 de julio siguiente, cuando se firmó el Acta de Buenos

Aires entre la Argentina y Brasil, compromiso fundamental para la institución del Mercosur. ¿Una respuesta al Mercosur contra el Mercosur? No en vano la propuesta del presidente Bush pareció improvisada y precipitada, incluso para muchos sectores competentes de su administración. Esta iniciativa fue casi inmediatamente dejada entre paréntesis por la "crisis del tequila", sobre todo, hasta que el presidente Bill Clinton la relanzó en la Cumbre hemisférica de Miami (1994), primer encuentro entre jefes de Estado americanos después de la reunión de Punta del Este en 1967 en el marco de la "Alianza para el Progreso".

La Cumbre de Miami acogió positivamente la propuesta del Área de Libre Comercio de las Américas (ALCA), agregando entre sus objetivos el fortalecimiento de la democracia de sus países y la protección de los derechos humanos, la lucha contra la corrupción y el narcotráfico y el acceso universal a la educación, la erradicación de la pobreza y la conservación del medio ambiente en el hemisferio. Después de una sucesión anual de reuniones de Ministerios de Comercio de todos los países del hemisferio, el presidente George Bush (hijo) la retomó y apoyó especialmente en la Cumbre hemisférica de Quebec (2001).[62] Por su parte, Canadá, con 31 millones de habitantes y una de las economías mayores del mundo, se ha mostrado muy interesado en el ALCA para lograr una relación más activa con América Latina y poder reducir así su gran dependencia del mercado estadounidense, destino del 80% de sus exportaciones.

La perspectiva del ALCA, al menos programáticamente, ofrece, en primer lugar, el horizonte de un inmenso mercado de 791 millones de personas en unos 51,3 millones de kilómetros cuadrados, con un producto bruto interno de más de 9 mil millones de dólares, lo que representa el 23% del producto bruto mundial. Una rápida comparación permite señalar que la capacidad de importación del Mercosur no llega a los 100 millones de dólares anuales, mientras que la capacidad de importación de los tres países del TLC/NAFTA es de 1.600 millones de dólares anuales, siendo, pues, 16 veces mayor. La mitad del comercio hemisférico se realiza entre los Estados Unidos y Canadá, y más de las tres cuartas partes dentro del TLCAN/NAFTA. Para los países del TLCAN el comercio intrahemisférico ha representado el 61% de su comercio mundial; de este 61%, el 54% se realiza en el interior del TLCAN y sólo el 6% con el resto del hemisferio. Se trataría, pues, para los países latinoamericanos del acceso al mercado más importante del mundo, el norteamericano. Es una oferta que encandila. Se constituiría así el mayor bloque económico-regional del mundo.

En segundo lugar, el ALCA se apoya en los importantes resultados logrados por la realización del Tratado de Libre Comercio de América del Norte (TLCAN/NAFTA) y en las significativas ventajas obtenidas por México como miembro.[63] Superada la "crisis del tequila" y el primer impacto enorme con la mayor potencia económica mundial, en proceso de gran transición democrática, México ha gozado de altos índices de crecimiento económico (de un nivel del 5,9% en el año 2000). Cada vez más vinculado a la economía y a la industria de los Estados Unidos, México ha recibido ingentes flujos de capital. En el año 2000, entre México y Brasil recibieron 43 mil millones de dólares, mientras que los demás países latinoamericanos, en su conjunto, sólo 31 mil millones. Muchísimas empresas transnacionales de origen estadounidense, y también europeas, japonesas, chinas, etc., incrementaron sus inversiones, especialmente en los Estados del Norte de México, en la industria manufacturera ensambladora, sobre todo en las "maquiladoras" de la gran frontera (automotores, electrónica y vestidos, en primer lugar), modernizadas tecnológicamente y con fuerte crecimiento de empleos (mano de obra barata para los Estados Unidos, pero mejor pagada en comparación con los niveles mexicanos). En la Región de la Frontera, que designa un corredor de 200 kilómetros de ancho y de más de 3.140 kilómetros de extensión, y que separa México de los Estados Unidos, se ha dado una tumultuosa evolución económica, demográfica, cultural e infraestructural, sobre todo por el enorme vaivén de personas, mercancías y capitales.

El fuerte crecimiento productivo y de productividad fundamentalmente no ha sido dirigido al mercado interior, sino a la exportación. Las exportaciones hacia los Estados Unidos han dado un enorme salto en su crecimiento: si en 1988 eran de 22 mil millones de dólares, en 1999 México exportó bienes y servicios por un volumen de 136 mil millones de dólares e importó por 142 mil millones, colocándose en el décimotercer lugar en el mundo, según el volumen total de intercambios comerciales, y en el séptimo u octavo lugar en cuanto país exportador. Es hoy el segundo socio comercial de los Estados Unidos, por encima de Japón. En los últimos seis años del siglo XX, el comercio exterior de México se triplicó (hecho sin precedente histórico en América Latina), y este país obtuvo una balanza comercial favorable en relación con sus socios del NAFTA; entre 1994 y 2000, el superávit con los Estados Unidos y Canadá alcanzó 80.400 millones de dólares. Sin embargo, el hecho de que el 80% de esos intercambios se realicen con los Estados Unidos, indica también la dependencia y vulnerabilidad mexicana ante el gigante del Norte. El actual modelo industrial exportador de México es muy dinámico (aunque haya disminuido su ritmo), pero demuestra un escaso poder de propulsión y es motor lento para el crecimiento interno, signo y reflejo al mismo tiempo de grave desarticulación productiva. Además, las plantas ensambladoras de la frontera están sufriendo la competencia de los bajos costos productivos en el Extremo Oriente, con pérdida de cientos de miles de puestos de trabajo. Esta situación le plantea la exigencia y el desafío de desarrollar una industria propia, un tejido de empresas pequeñas y medias, de promover fuertes inversiones en educación y en formación técnica y de incorporar a vastos sectores muy empobrecidos de su población —¡cuestión de justicia!— al dinamismo de la nación y al desarrollo de su mercado. México puede y debe hacer mucho más en ese sentido. Un gran país no puede permitirse que más del 35% de su población viva bajo el límite de la pobreza. "Ahora nuestra prioridad absoluta —afirmó el presidente Fox el 23 de julio de 2003— es el fortalecimiento de los mercados internos, la generación de empleos, autoempleo e ingreso familiar."

La otra cara del TLCAN es la ruina de la agricultura mexicana atrasada, la miseria en los campos, el enorme éxodo hacia las grandes ciudades, las situaciones críticas de indigencia de campesinos e indígenas y la difusión generalizada de la llamada "economía informal", que es por lo general de supervivencia de los excluidos. En el año 2003 la economía mexicana creció apenas el 1,2% y en 2004 un escaso 2,5% por causa de los desequilibrios internos y del alto costo que el país está pagando en la transición difícil y compleja de más de 70 años de autoritarismo hacia una democracia gobernable, en la que imperan ciertamente mayor libertad, respeto a los derechos humanos y lucha contra la corrupción, pero en la que pesa aún la herencia anacrónica del "ogro filantrópico" y la dificultad de convergencias políticas en torno a grandes metas nacionales. Se está comenzando también a afrontar serios problemas como las grandes deficiencias del sistema educativo mexicano, los altos índices de inseguridad, la ineficiencia de las empresas públicas y las dificultades que crea un sistema fiscal inequitativo, complejo, costoso y cambiante.

En enero de 2002, el presidente Bush tomó de sorpresa a Centroamérica anunciando su intención de negociar el *Central America Free Trade Agreement* (CAFTA, en español, TLCCA), desde el modelo del NAFTA, que despertó muchas expectativas en la región. Hubo quienes esperaron "El Dorado" de un crecimiento exponencial de comercio e inversiones.[64] Sin embargo, ese tratado, firmado por los presidentes en Washington, el 28 de mayo de 2004, quedó en un *impasse* debido a la elección presidencial estadounidense, y después a la espera de la ratificación del Congreso en los Estados Unidos y de la aprobación de los seis Parlamentos de los socios centroamericanos. El ansiado acceso ilimitado al mercado estadounidense se ha convertido en una ruta larga, ardua y repleta de incógnitas, mientras se ha descartado ya que incluya en la agenda de negociación a la emigración centroamericana a los Estados Unidos (cuya tasa de crecimiento en más elevada que la de México, aun cuando en términos absolutos haya más mexicanos que centroamericanos que viven en los Estados Unidos).

Si, a pesar de esto, el TLCAN/NAFTA se presenta como iniciativa relativamente exitosa y muy poderosa, y se prolonga con los tratados de libre comercio con Chile y los que se están negociando con Centroamérica y algunos países andinos, ¿por qué no proyectar sus beneficios para el conjunto de América Latina con el ALCA? Cierto es que la relación con México —"tan lejos de Dios y tan cerca de los Estados Unidos"— ha sido siempre fundamental para éstos, no sólo por la contigüidad geográfica sino también por los flujos continuos de inmigración mexicana a través de la larguísima frontera común. La importancia de esa relación EE.UU.-México quedó destacada por el hecho de sucesivos encuentros del presidente George Bush con el presidente Fox. Correlativamente, dos gestos muy significativos del comienzo de la presidencia de Vicente Fox fueron, por un lado, su largo viaje a la frontera con los Estados Unidos para acoger a los trabajadores mexicanos de retorno con ocasión de las fiestas natalicias, como reconocimiento del arraigo nacional y la gran capacidad de sacrificio y ahorro de estos emigrantes, que se manifiestan con el enorme volumen de remesas que envían desde los Estados Unidos a México (14.500 millones de dólares en 2003, o sea, un monto superior a lo obtenido por el país gracias al turismo y a las inversiones extranjeras). Precisamente por esto, México, así como los países centroamericanos y del Caribe, reivindican una disminución de los altos costos que tienen en los Estados Unidos las remesas de dinero de los "hispanos" hacia sus países de origen. Por otro lado, los viajes de Fox a los países del Mercosur han sido señal de que México no da la espalda a los demás países latinoamericanos y se propone intensificar con ellos sus relaciones económicas y políticas. En efecto, México está recuperando su protagonismo en América Latina, con el reconocimiento de que la integración no se reduce a los intercambios comerciales sino que es también cooperación, cultura, política y memoria histórica. Está llevando adelante el Tratado de Libre Comercio del "grupo de los Tres", junto con Colombia y Venezuela (destino de más del 20% de las exportaciones mexicanas a la región), incrementa sus inversiones privadas en los más diversos países latinoamericanos, refuerza la cooperación con los países centroamericanos en virtud de un "tratamiento especial y diferenciado" a favor de las economías menores y se proyecta como miembro asociado del Mercosur.

La tercera garantía ofrecida por los Estados Unidos, en la perspectiva del ALCA, fue la continuidad sorprendente, durante la última década del siglo XX, de crecimiento económico sostenido en todos los niveles (de 4,1% anual, contra el casi 2% desde 1970 hasta 1990). Ello ha sido fruto, sobre todo, de haber operado una reconversión tecnológica de alcance espectacular, lo que le ha permitido también tomar decididamente la delantera en campos fundamentales como comunicaciones, electrónica, telemática, biogenética y las nuevas tecnologías en general. Pasó así de crónicos déficit a un consistente superávit fiscal. El balance federal llegó a estar en activo de 200 mil millones de dólares. Logró mantener la inflación por debajo del 1,5%, y redujo el desempleo del 10% hasta llegar a un nivel bajísimo del 3,9% (aumentando muchos más empleos que requieren niveles importantes de escolaridad y competencia que los meramente precarios, para servicios muy simples y con bajas remuneraciones). Si se tiene en cuenta que la economía estadounidense venía del ciclo terrible de los años ochenta, resultó tanto más sorprendente ese persistente y sostenido crecimiento económico, el más largo de toda su historia, durante más de 198 meses consecutivos, hasta abril de 2001. La marcha de la "locomotora" funcionó a todo vapor no sólo a nivel del enorme mercado interior, sino también para tracción de sus asociados y de la economía mundial (de cuya riqueza el 28% procede de los Estados Unidos). Sin embargo, desde comienzos del año 2001 la "locomotora" ha ido perdiendo ritmo y ha sufrido una fase de desaceleración y recesión que sólo recientemente comienza a dar signos de repunte. La economía estadounidense cuenta ciertamente con bases más que sólidas, aunque sometidas hoy a algunas incertidumbres, con muy fuertes requerimientos de inversión para su reanimación y para la prosecución de la guerra contra el terrorismo. De cualquier modo, el efecto conductor de la potente locomotora norteamericana, que parece estar adquiriendo nueva velocidad de marcha, ha despertado expectativas de beneficios para América Latina.

El ALCA es un proyecto de grandes dimensiones. Implicaría un cambio cualitativo en la proyección de los Estados Unidos a nivel continental, en sus relaciones con el área latinoamericana. Está claro que en la geoestrategia de su imperio global tienen la prioridad sus relaciones con Eurasia, sobre todo en la proyección de la OTAN y en su alianza con la Unión Europea, lugar clave para todo nuevo orden internacional y toda hegemonía mundial. Latinoamérica no entra dentro de sus principales prioridades internacionales. En el "gran tablero de ajedrez"[65] —como lo indica el mismo título del libro de Zbigniew Brezinski— es Eurasia la que juega la partida decisiva para ese orden y hegemonía mundiales. La proyección geopolítica y militar después del atentado terrorista del 11 de setiembre lo confirma. El paso gradual de la "Europa de los 15" a la "Europa de los 27", las relaciones con China, la formación de la Asociación del Sudeste Asiático que reúne a 10 países más China, Japón y Corea, la cuestión ardiente del conflicto en Tierra Santa y la proyección política y militar para la reestructuración del Medio Oriente, la guerra contra el terrorismo y el asedio contra las "fronteras de la tiranía"... todo ello interesa y preocupa mucho más a la geoestrategia de los Estados

Unidos que su relación con América Latina. Pensar otra cosa sería hacerse ilusiones vanas.

Ya había sido significativo que en su escrito *The Testing of American Foreign Policy*, presentado como *on American's global role,*[66] la entonces secretaria de Estado, Madeleine K. Albright, ignorase la política en el hemisferio americano dentro de las diversas prioridades y escenarios que señalaba. ¡Ni siquiera la mencionaba! Las primeras reflexiones provenientes de la nueva administración de la presidencia Bush criticaron la política incierta de la presidencia Clinton respecto de las relaciones hemisféricas y advierten con preocupación que las relaciones entre los Estados Unidos y América Latina se están complicando e incuban motivos de tensión.[67] Pero sigue habiendo mucha ignorancia y descuido respecto de América Latina. América Latina estuvo ausente de los temas de la reciente campaña electoral estadounidense.

Ciertamente no había sido de buen auspicio a comienzos de 2002 el informe de la revista *Newsweek*, vocero de poderes fuertes, que se presentó en su tapa con la pregunta: "¿Qué está sucediendo en América Latina?" y se abrió con otro título más inquietante: "¿Adiós, amigos?", junto a un mapa diseñado a grandes trazos en el que México, Centroamérica y Sudamérica aparecían como una masa continental separada por un mar que cubre toda la frontera entre los Estados Unidos y México desde el Pacífico hasta el Atlántico. El contenido del informe fue, como el mapa imaginado, extremadamente claro, según el cual el 11 de setiembre cambia todas las perspectivas: "Bajo George W. Bush, la región (América Latina), por largo tiempo descuidada, pareció pasar a ocupar un lugar central en la política de Estados Unidos. En los primeros meses de su presidencia, Bush proclamó el alba de un nuevo 'siglo de las Américas' que habría podido difundir las bendiciones de la libertad y del crecimiento económico en todos los rincones del hemisferio (...). Pero a la luz del 11 de setiembre, América Latina de repente se encontró desplazada a los márgenes del escenario mundial". El autor del informe citaba a Arturo Sarukhan, dirigente de la cancillería mexicana, que afirmaba: "Nadie en Washington hoy presta más de cinco segundos de atención a América Latina". Todos los gestos de una "vuelta al hemisferio" por parte de los Estados Unidos —repite diversas veces, con un cierto deleite, el informe

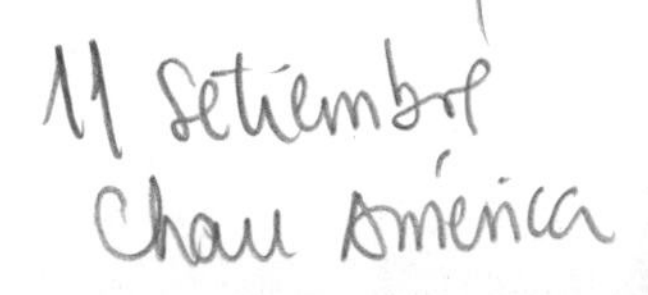

de *Newsweek*— "parecen quedar muy distantes en la memoria". En un recuadro adjunto, se decía que la única solución para América Latina sería la dolarización.[68]

¿Acaso se vuelve a lo que escribía Mark Falcoff, del American Enterprise Institute, en 1990, cuando afirmaba categóricamente que "con el fin de la Guerra Fría, ningún país latinoamericano, salvo uno, tendrá suficiente valor o interés para nosotros como para merecer la misma atención que recibía en el pasado como parte de una ecuación estratégica más amplia", siendo México, por supuesto, esa excepción, ya que es "con quien compartimos una frontera".[69] ¡Atención!: el mapa de *Newsweek* excluye también a México..., aunque en esto parezca exagerado.

Lo que importa es verificar efectivamente cuál es y será el interés político, el compromiso real, la solidaridad efectiva y la inversión de energías y recursos que los Estados Unidos está dispuesto a arriesgar en un proyecto de tanta envergadura y exigencia, sobre todo cuando el crecimiento económico actual carga con no pocas incertidumbres y cuando compromete sus energías en una guerra de larga duración. La distancia que hay entre América Latina y los Estados Unidos es semejante a la que existía entre Grecia, Portugal, España e Irlanda respecto a Alemania en la década de los setenta. La Comunidad Europea, sobre todo por obra de Alemania, Francia e Italia, sostuvo con diversos fondos, siendo el más conocido el Fondo Europeo de Desarrollo Regional, la modernización, el crecimiento económico y tecnológico, la democratización, la educación e investigación y las obras de infraestructura en aquellos países más atrasados, que hoy cuentan con índices económicos más o menos similares a los de Alemania, plenamente incorporados a la Unión Europea. Fue un diseño clarividente y de gran solidaridad. ¿Estados Unidos está dispuesto a una solidaridad similar para bien de todos? ¿O tal vez se confirma como un centro imperial que no distribuye sus beneficios en todo el sistema americano, sin dejar oportunidad de auténtico desarrollo de aquellos que le están asociados en condiciones subalternas?

Es obvio que muchos interrogantes surjan en América Latina al respecto. Se sabe que el entonces presidente brasileño, Fernando H. Cardoso, no era un convencido de la viabilidad efectiva del ALCA. Alberto Methol Ferré ha llegado a hablar de "la zanahoria del ALCA": "Los Estados Unidos nos proponen el ALCA, nos están mostrando la zanahoria, aprovechando la condición de que todos nuestros países están en dificultades económicas muy intensas, y aprovechando que, al tener tan altas dificultades económicas, no puedan pensar a largo plazo, sino a corto plazo", y buscan una "salida rápida de la crisis en que estamos". Según su opinión, "el ALCA no va a ser realidad nunca. Es tan sólo una 'ilusión' creada con fines políticos", o sea, para liquidar el Mercosur o desarticularlo o desprestigiarlo por unos diez o veinte años más.[70] Estados Unidos no quiere un centro de poder autónomo en América del Sur. Tal sospecha nace de una experiencia histórica bien conocida. La Alianza para el Progreso era mucho más que el ALCA, mucho más que la prospectiva de un área de libre comercio. Fue lanzada para contrarrestar la influencia de la naciente Revolución Cubana. Contó con un aparato propagandístico gigantesco, pero casi inmediatamente se desvaneció, se hizo humo imperceptiblemente y no pasó nada. Se prefirió apoyar y dar la palabra a las armas, sin implicarse en ninguna empresa común con América Latina, ni comprometerse a apoyar el desarrollo latinoamericano. ¿Acaso el ALCA es una réplica política similar? Estos interrogantes se hacen más urgentes con la nueva fase histórica inaugurada abruptamente por la irrupción del terrorismo global. En verdad, es aún muy pronto para saber, con márgenes de relativa seguridad, en cuáles direcciones avanzará Estados Unidos en los próximos diez años.

La experiencia pasada muestra que la conformación del Tratado de Libre Comercio con México suscitó fuertes oposiciones en los Estados Unidos hasta su aprobación. Similares resistencias bloquean la firma del CAFTA. Hay que prever que mucho más poderosas serán las que provocará el ALCA, si se pretende negociarlo con seriedad y efectivamente llevarlo a cabo. Ya la política hemisférica de la administración Clinton había estado sometida a fuertes debates y propuestas alternativas. ¿Y en la nueva situación de "guerra" global? Antes del atentado terrorista, ya se comenzaba a cuestionar duramente toda política "regionalista", multilateral, con fuertes presiones para volver al bilateralismo de las relaciones de los Estados Unidos con cada país latinoamericano. Empiezan a arreciar las críticas a las "agrupaciones regionales" y a las preferencias dadas por la proximidad geográfica como contrarias a la globalización.[71] Sólo México sería "mercado natural" para los Estados Unidos. ¡Claro, el bilateralismo propuesto sería juego de gigante con los 35 enanitos (sean mayores o menores), y según las reglas impuestas por el gigante! Así no vale. Significativo fue también el título de la portada de la revista *Newsweek*, del 25 de abril de 2001: "El Pacto de comercio de las Américas: una mala idea" (tal el título en su edición en lengua inglesa, pero quizá por pudor, en la edición en lengua española, pusieron "la mala idea" entre signos de interrogación). ¿Tendrá futuro real el ALCA en la estrategia norteamericana? ¿Podrá superar las fuertes tensiones y los obstáculos de los más diversos grupos de presión, sean proteccionistas o superglobalizadores, contrarios a todos los agrupamientos regionales? La gestión del presidente Bush suscita interrogantes serios a este propósito.

De hecho, "Estados Unidos no demuestra hasta ahora tener una visión histórica del ALCA, observó el ex presidente Cardoso, como la que tuvo en su momento con Europa a través del Plan Marshall". Ya en las reuniones de Miami, en noviembre de 2003, los ministros de las 34 naciones del continente (todas menos Cuba) tuvieron que reducir el perfil y la ambición del acuerdo hemisférico. Se acordó definir un consenso con un nivel mínimo de compromisos, permitiendo que fueran establecidos separadamente otros acuerdos entre los países que quisieran intensificar los compromisos de liberalización y cooperación. ¡Un ALCA *light*! Ni siquiera así fue facilitado el ritmo de las negociaciones. Al contrario, en la Cumbre hemisférica de Puebla, en enero de 2004, se terminó en un *impasse*, a causa de la fuerte oposición entre las propuestas de los Estados Unidos, sostenidas por Canadá, México, Chile y los países centroamericanos y caribeños, y las contrapropuestas del Mercosur. En Puebla, la propuesta de los Estados Unidos no incluía la eliminación de los subsidios para la agricultura y algunos ramos industriales, dejando fuera del acuerdo cerca del 10% de los productos y bloqueando gran parte de las exportaciones agrícolas latinoamericanas. La verdad es que a los Estados Unidos se le hace más fácil hacer acuerdos con la mayoría de los países de América Latina porque en ellos la cuestión agrícola carece de la relevancia que tiene para el Mercosur. Estados Unidos está dispuesto a negociar los subsidios para la agricultura y las normas "antidumping" sólo en la sede de la Organización Mundial de Comercio (por eso mismo, tales rubros fueron excluidos de los tratados de libre comercio con México, Chile y Centroamérica). Esa negociación multilateral será compleja y decisiva, pero mientras tanto América Latina quedaría a merced del riesgo de una avalancha de productos agrícolas norteamericanos, gracias a los subsidios gubernamentales. La contrarréplica no se hizo esperar: Brasil propuso dejar para las negociaciones en la OMC/WTO las cuestiones de la propiedad intelectual y las inversiones, la apertura de los servicios y de las compras públicas, que interesan mucho a los Estados Unidos. En realidad, la intransigencia de la administración Bush sobre los subsidios a los agricultores estuvo también condicionada por la larga campaña de elecciones nacionales en los Estados Unidos. Cualquier concesión en este campo hubiera provocado críticas fuertes de parte de sectores políticos y sindicales, así como de ciertas corporaciones, que defienden el proteccionismo. Además, se sabe que la posición del Partido Demócrata es más proteccionista que la del Partido Republicano.

El resultado hasta ahora es que la potencia más rica del planeta aparece minimalista en las concesiones que conciernen a sus áreas productivas más "sensibles" y maximalista en la pretensión de obtener ganancias respecto a las áreas más "sensibles" de sus socios menores. Nunca fue una buena señal cuando las grandes potencias procuran obtener ventajas internacionales que se puedan ganar a un costo muy bajo e imponiéndolas a expensas de sus socios más débiles. Por eso, crece la conciencia, sobre todo en el Mercosur, de que sólo un tratado posible y equilibrado debe ser elaborado a nivel hemisférico, "que no impida ni imponga", sin apresurarse a suscribirlo "a cualquier costo y de cualquier manera". En todo caso, la fecha del 1º de enero de 2005 que se había fijado para comenzar a implantar el ALCA ya ha sido superada en los hechos, requiriéndose otros niveles de consenso y maduración de los acuerdos que parecen más bien distantes. Incluso el presidente Lula afirmó en cierto momento que el ALCA estaba desapareciendo de la agenda de negociaciones del Brasil. Recientemente, la administración del segundo gobierno de Bush parece haber cambiado la displicencia por preocupación, colándose América Latina en su agenda política. La gira por la Argentina, Brasil y Nicaragua del secretario de Defensa, Donald Rumsfeld y la de la secretaria de Estado, Condoleeze Rice a Colombia, Chile y El Salvador, son significativas de esa preocupación creciente a causa de situaciones conflictivas y explosivas (que el presidente Chávez se encarga de azuzar) y del interés de relanzar las negociaciones del ALCA, aún congeladas y paralizadas.

Ni satélites ni condenados al anacronismo ideológico

Hoy América Latina tiende a separar sus dos regiones básicas. México, América Central y las Antillas caminan en el TLCAN/NAFTA o hacia él, mientras que el conjunto de Sudamérica, a diversos ritmos y con vacilaciones, tiende a autocentrarse en la dinámica abierta por el Mercosur y la revitalización de la Comunidad Andina.

El TLCAN/NAFTA es el cumplimiento de los sueños de los fundadores de los Estados Unidos, extendiendo su frontera natural hacia Canadá por el Norte y hacia México por el Sur. Jefferson consideraba que esa frontera llegaba hasta Panamá (luego disociado de Colombia y creado como país para la construcción del Canal a comienzos del siglo XX) e incluía a Cuba. México, Centroamérica y el Caribe constituyen el gran espacio de frontera con el mayor poder mundial. No es por casualidad que un reciente libro de Thomas Barnett, *The Pentagon's New Map,* plantee las previsiones de una sustancial anexión en un único macrobloque con los Estados Unidos y Canadá de México y América Central, ¡proyección y ambición ciertamente preocupantes!

Si el 80% del comercio de México ya se realiza con los Estados Unidos, lo hace también el 60% del de América Central y el Caribe. Esa vasta región latinoamericana tenderá cada vez más a remodelarse como frontera americana, a "dolarizarse",[72] a transformarse en una importante área a modo de un gigantesco e informal Puerto Rico. Estados Unidos domina su comercio internacional, sus inversiones extranjeras, su moneda y su turismo, y se constituye en el destino principal de sus emigrantes legales e ilegales. Sus economías participan de lleno en sistemas internacionales de producción integrada. Sea dicho entre paréntesis: ése es el margen estrecho y crucial de una "apertura" de Cuba; si se encierra, se anquilosa y muere; si se abre, sin más, se

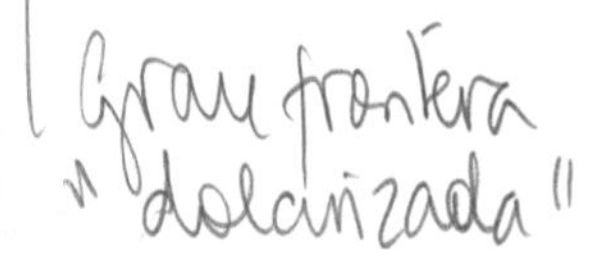

convierte rápidamente en un barrio de Miami. Desde su vigorosa consistencia nacional —religiosa, cultural, económica y política—, México podrá contar con un mayor margen de resistencia, autonomía y negociación; mucho menor será en los pequeños países centroamericanos y caribeños. En las relaciones entre México y los Estados Unidos hay mucho en juego para el conjunto de Sudamérica. No en vano, México está intensificando su proyección latinoamericana.

La inmediata proyección mexicana hacia el Sur pasa por el istmo centroamericano. La relación con México es fundamental para Centroamérica. En los tres acuerdos de Tuxla (1991, 1996 y 1998) de las Cumbres mexicano-centroamericanas se han dado avances importantes de asociación y cooperación. Por eso, es muy importante también el proyecto "Puebla-Panamá", lanzado por el presidente mexicano Vicente Fox como ambicioso plan de desarrollo regional del sur de México y de su prolongación natural en el istmo centroamericano. Se trata de un espacio que comparte condicionantes geográficos, físicos y humanos, lo que debería permitir la articulación de soluciones globales. Este proyecto pretende integrar no sólo los esfuerzos gubernamentales, sino también a las comunidades, a la empresa privada, así como a los organismos financieros regionales. Abarca ocho países con 108 millones de habitantes (81 de ellos en México) y contempla inversiones por más de 8.000 millones de dólares en 30 proyectos, en relación con el Sistema de Integración Centroamericana (SICA) y con el futuro ALCA. Prevé el fomento a la inversión productiva, la construcción de autopistas, líneas ferroviarias, puertos y aeropuertos, redes energéticas y de comunicaciones, así como la promoción del turismo y la descompresión de las tendencias migratorias, exigiendo y promoviendo condiciones de democraticidad y seguridad por parte de todos los socios. Se espera un avance en las obras de infraestructura física para este año, pero el conjunto del plan se proyecta para los próximos 25 años. Este plan señala el camino de la más que deseable integración de México con América Central que, microfragmentada, queda sin rumbos históricos. Habrá que superar arraigadas sospechas y rivalidades localistas, tan inhibitorias como impotentes. Lo peor es quedar en el inmovilismo.

Por eso mismo, también es muy importante el desarrollo el Sistema de Integración Centroamericana (SICA), modalidad de reactivación del proceso de integración subregional que se produjo desde los años noventa (protocolos de Tegucigalpa y Guatemala en 1991 y 1993), a medida que los acuerdos de paz iban generando la estabilidad necesaria. El SICA ha fomentado el comercio recíproco entre los países de la subregión, llevándolo a 2.500 millones de dólares en el año 2000 (o sea, el quinto de las exportaciones totales), ha dado lugar a la creación de instituciones regionales y al surgimiento de empresas genuinamente transcentroamericanas y constituido una urdimbre de vasos comunicantes entre las diversas sociedades civiles. Sin embargo, se trata aún de cifras bajas: sólo en el caso salvadoreño las exportaciones a sus vecinos alcanzan la cifra del 40% del total exportado (Guatemala 29%, Honduras 6%, Costa Rica 14%, Nicaragua 18% y Panamá 15%). Lamentablemente, esa "interdependencia se ve comprometida por las dificultades que revelan los países en actuar conjuntamente en sus negociaciones comerciales frente a terceros países (los casos de Chile y México), las violaciones unilaterales que periódicamente perforan el arancel común centroamericano, la mora en las contribuciones al sostenimiento de las instituciones regionales, y la actitud del 'sálvese quien pueda' antes de la de cerrar filas ante la adversidad".[73] Importa, además, que se fortalezcan sus democracias, los niveles de pacificación y seguridad, y que se superen definitivamente los absurdos conflictos fronterizos. Cualquier paso en dirección a la Unión Centroamericana es un bien —ya en 1824 se vivió la breve experiencia de las Provincias Unidas de América Central—, que no puede disociarse de los acuerdos de cooperación y libre comercio con los megamercados (sobre todo los Estados Unidos, pero también la Unión Europea) y, a nivel latinoamericano, con México y los que comienzan a negociarse con el Mercosur.

También la Comunidad del Caribe (CARICOM) ha dado pasos importantes en los procesos de integración. En los protocolos adicionales del Tratado Revisto de Chaguaramas, firmado en el año 2002, se dispone la libre circulación de personas, capitales y servicios entre las islas y se ratifica la voluntad de una preparación y participación conjunta en las negociaciones del ALCA. La Sudamérica continental se está acercando mucho a los pequeños Estados del Caribe con sucesivas visitas de jefes de Estado y programas de cooperación.

Fue, en fin, muy oportuna y significativa la participación del presidente Fox en la Cumbre del Mercosur en Buenos Aires (julio de 2002), a la luz de su persistente intento de disminuir la dependencia comercial de México con los Estados Unidos, diversificando las relaciones y los acuerdos de libre comercio (ya firmó más de 30 acuerdos comerciales con distintos países y bloques, y el establecido con la Unión Europea funciona intensamente). Los acuerdos de cooperación económica firmados con Brasil, la Argentina y Uruguay, su voluntad de asociarse más estrechamente al Mercosur y los acuerdos que ya lo conectan con Chile, con América Central y con el "grupo de los Tres" (México con Colombia y Venezuela) son vínculos sumamente importantes y promisorios. Para México es muy importante que Sudamérica mantenga un sistema propio, independiente del NAFTA, para poder relacionarse con él, contrapesar la influencia de la potencia económica del Norte y preservar su cultura latinoamericana.

La perspectiva del ALCA es un dato fundamental, de primera importancia y magnitud, a tener en cuenta. Suscita gran entusiasmo en sectores de las elites políticas, económicas y tecnocráticas de los países latinoamericanos, a riesgo de ofrecerse precipitadamente al abrazo con nada menos que la única potencia global, de supremacía mundial (incluso hubo quienes quisieron acelerar el término de sus negociaciones para el año 2003). Buena parte de los economistas influyentes del nuevo curso latinoamericano se formaron en los Estados Unidos y piensan según sus paradigmas. Hay también una mentalidad y vocación de "satélites", que se expresa cuando se acepta de antemano la total subalternidad, apenas como región provincial del imperio mundial, totalmente asimilada, sin ahondar en las condiciones que permitirían cierto grado de autonomía y de protagonismo dentro de las compatibilidades de un ALCA bajo hegemonía estadounidense. Para América Latina es fundamental intensificar relaciones dignas y mutuamente provechosas con los Estados Unidos, sin ilusiones exageradas o servilismos "cipayos".

Embarcarse en un gran proyecto de asociación con la primera potencia mundial desde la propia pequeñez y hasta insignificancia requiere gran lucidez y claridad respecto de los propios intereses históricos; precisa conjugar y coordinar convergencias negociables entre los países latinoamericanos, mucho realismo, prudencia y cautela. Exige, además, establecer condiciones de negociación inteligente, para no verse arrollados y para que el diálogo pueda encaminarse realmente hacia una solidaridad efectiva en pos del bien común. Hay que crear, en efecto, las condiciones para que este diálogo no sea ni de pura confrontación —¡porque se pierde!—, ni de mera asimilación —¡porque también se pierde!—, sino auténticamente abierto, franco, paciente y solidario.

Ir cada país por separado a las negociaciones, en situación de tal desigualdad de poderes y ante las exigencias técnicas requeridas para negociaciones muy complejas, es una vía sin salida... ¡para los latinoamericanos! Por eso resultaba tan importante y significativo, en prospectiva, el acuerdo "4 más 1", firmado entre el Mercosur (en nombre de los cuatro países miembros) y los Estados Unidos, en Washington, el 19 de junio de 1991; en él se comprometen a consultarse regularmente sobre temas de comercio e inversión a fin de favorecer e intensificar las relaciones recíprocas. Más aún, es fundamental que los distintos países y subregiones de América Latina sepan combinar sus intereses específicos en el marco de un consenso sólido y firme sobre algunos objetivos necesarios y beneficiosos para todos, y negociar con los Estados Unidos desde esa mayor unidad posible. Es bueno recordar a Martín Fierro cuando dice: "Los hermanos sean unidos, porque ésa es la ley primera, tengan unión verdadera, en cualquier tiempo que sea, porque si entre ellos pelean, los devoran los de ajuera". En ese sentido, es significativo que tanto el BID como la CEPAL hayan manifestado críticas y malestar ante el método de acuerdos bilaterales que los Estados Unidos promueven en sus relaciones con diversos países latinoamericanos y del Caribe. En la reunión de gobernadores del Banco, que tuvo lugar en Lima durante el mes de mayo de 2004, el informe presentado por el BID afirmaba que el bilateralismo que se está imponiendo como mecanismo más factible de integración entre América Latina y el mundo desarrollado es un sustituto imperfecto de la integración multilateral. También el actual secretario ejecutivo de la CEPAL, José Luis Machinea, afirmó que "esta proliferación de tratados comerciales hace más difícil el establecimiento de las necesarias alianzas estratégicas dentro de la región".

Un elemental realismo exige reconocer que la hegemonía mundial norteamericana es también hemisférica, americana. Dado que está arraigada en el sustrato y la tradición democrático-liberales que constituyen la gran nación de los Estados Unidos —tierra de libertad, patria de acogida de exiliados y refugiados, potencia decisiva en la lucha contra los totalitarismos del siglo XX—, hay quienes afirman que su hegemonía puede ser cordial, benigna y hasta ventajosa para sus asociados. William Kristol y Robert Kagan se refieren a una "hegemonía global benevolente", basada en una "supremacía y confianza morales", que carece de la "coerción brutal que caracterizó al imperialismo europeo".[74] Sin embargo, un mayor realismo se expresa cuando décadas atrás Reinhold Niebuhr afirmaba: para una gran nación "no es posible ser, a la vez, pura y responsable" en el ejercicio del poder. Más aún: "Los hombres y naciones poderosas están en gran peligro más por causa de sus propias ilusiones que por los designios hostiles de sus vecinos".[75] Para una potencia hegemónica global, una perniciosa ilusión sería la de sostener y difundir acríticamente el mito de su superioridad moral, única e inocente. Si todo el mal se coloca fuera de sí y para sí se arroga una misión moral, faltarán entonces la capacidad de equilibrio, los controles, la posibilidad de compensaciones respecto de sus decisiones que puedan ser, llegado el caso, arbitrarias e inaceptables. La verdad es que hay tener muy en cuenta que Estados Unidos es, a la vez, "democracia e imperio", como escribe Octavio Paz, y ésta es su mayor contradicción.[76] Toca a los Estados Unidos demostrar la seriedad de ese diálogo, con la credibilidad que suscitaría asumirse en forma determinada, persistente y transparente una cuota proporcionada de compromisos solidarios y de sacrificios para favorecer efectivamente el desarrollo de los países latinoamericanos.

No hay alternativa real a la necesidad de continuar siempre negociando con los Estados Unidos, con todos los compromisos que ello requiera, desde la mayor unidad y conciencia de los intereses económicos, estratégicos e ideales de América Latina. Sin embargo, hay quienes continúan añorando nostálgicamente y proponiendo anacrónicamente el enfrentamiento ideológico y político "muro contra muro", para emprender la vía "revolucionaria", impracticable, carente de posibilidades reales (más aún sin el contrapeso de la URSS), destinada a la violencia, la precariedad, la marginalidad. El fracaso del "socialismo real", la violencia del totalitarismo liberticida y los enormes costos humanos provocados han demostrado con creces todas las razones para rechazarlo.

Cuba no es modelo ni vía para el desarrollo latinoamericano, aunque haya que discernir y también aprender respecto de algunos de sus logros, iniciales o duraderos. Pese a su pequeñez, Cuba fue un actor importante, aunque ciertamente desmesurado, sostenido por la Unión Soviética, en el escenario de la Guerra Fría. Hoy es un país aislado, que lucha por sobrevivir. Ha tenido que emprender una reestructuración muy exigente, abrir su economía a los capitales extranjeros privados, dolarizar segmentos económicos y sociales separados y privilegiados con respecto al bajo nivel de vida de la población. No es la persistencia en modelos ideológicos tan rígidos como gastados o la pragmática incorporación de mecanismos capitalistas las que irán abriendo camino gradual a la democratización real y al diálogo y reconciliación sinceros de todos los cubanos, por el bien de su patria. Tampoco ayudan la exclusión política y el ahogo económico de Cuba, menos aún cualquier confrontación militar. El monopolio político-ideológico del Estado por parte del Partido Comunista pretende encuadrar un consenso popular y nacional y a la vez mantiene un control total de la sociedad civil, la educación y los medios de comunicación (incluso del acceso a Internet) por una fuerte regimentación interna. Su enfrentamiento permanente con los Estados Unidos es la otra cara de la contraposición total del gobierno de los Estados Unidos. Éste mantiene bajo hostigamiento al régimen castrista en clima de guerra fría y persiste en un inicuo embargo que afecta al pueblo cubano (en su discurso del 9 de enero de 2005, el Papa Juan Pablo II ha pedido nuevamente que sea levantado "lo antes posible"), sostiene la ley Helms-Burton con pretensiones de universalizar ese embargo violando el derecho internacional, queriendo imponer nuevas sanciones (que motivaron la desaprobación pública del Comité Permanente del Episcopado cubano en un comunicado del 26 de mayo de 2004). Estados Unidos insiste en mantener excluida a Cuba del concierto hemisférico alegando la "cláusula democrática" (mientras el mismo Estados Unidos mantiene activas relaciones políticas y económicas con China). Cuba es parte de Latinoamérica y hay que facilitar su incorporación a la familia de las naciones de la subregión, buscando favorecer las condiciones propicias para "¡Que Cuba se abra al mundo y que el mundo se abra a Cuba!", como exclamó el Papa Juan Pablo II en su viaje a la isla.[77] Hay que colaborar hasta encontrar una salida para el pueblo cubano a través de formas de transición democrática, sin plazos perentorios, que deberá madurar de la mejor forma posible. El referéndum promovido por el "Proyecto Varela" ha sido una contribución en ese sentido. Lamentablemente, la imprescindible cuestión de las libertades democráticas no está en la agenda del régimen, que se sostiene con la concentración del poder en un Partido Comunista bastante atrofiado y de escasa participación política, y una militarización de la vida pública. Los juicios sumarios contra los disidentes, su forzada identificación como criminales comunes o traidores a la patria y la polarización del discurso ideológico no consiguen diluir esa señal de falta de esperanza manifestada en el muy difundido deseo de emigración, sobre todo entre los jóvenes cubanos.[78] Por eso mismo, los obispos reiteran en la declaración citada "que la solución de la situación en que se encuentra la nación cubana pasa por un proceso de diálogo entre los cubanos, de conciliación, de búsqueda, con todos y para el bien de todos, de caminos viables hacia una sociedad más justa y fraterna, sin exclusiones".

Expresiones bastante raídas de los sobrevivientes de la derrota de las estrategias revolucionarias alimentan y se juntan a las patrullas dispersas en los frentes indigenistas, a diversas "organizaciones no gubernamentales", a coaliciones de izquierda radical, que, por lo general, no han aprendido mucho del derrumbe político e ideológico de lo que fue su mundo de referencia. Hoy se conglomeran en nuevos y muy diversos movimientos de protesta formados por excluidos, amenazados y crispados por el proceso de globalización o por sus críticos ideológicos. Confluyen en la corriente antiglobal, que tuvo en Porto Alegre (Brasil) las dos primeras reuniones del "Foro Social Mundial" en cuanto momento de encuentro y convergencia. Hasta entonces esgrimían la figura del subcomandante Marcos, de Chiapas, como símbolo y liderazgo. Saben provocar repercusión "mediática" (¡demostrando ser antiglobales bien globalizados!). Sin embargo, dan la impresión de un conjunto de grupos heterogéneos y reactivos, que se agitan y pescan en el caldo de cultivo de las tradicionalmente críticas situaciones sociales en América Latina y en el agotamiento de las estrategias neoliberales que fueron más ortodoxas, confiando en el *"tanto peggio, tanto meglio"*. No obstante se lancen planteamientos provocativos que pueden compartirse en algunas de sus denuncias concretas, por lo general el movimiento "no global" no demuestra otra inteligencia y perspectiva que no sean las meras denuncia y confrontación, tan globales como mazacóticas. La globalización neoliberal aparece como el "mal" que amenaza a toda la humanidad, como el imperio del "capital colectivo", transnacional, respecto del cual no cabe otra actitud que la del rechazo global. La misma Susan George, una de las "gurús" del movimiento por una globalización alternativa, escribió sobre Porto Alegre: "Muchos personajes y ningún programa. Una confusión total (...)". No se sabe si el presidente Lula elogiaba o criticaba el evento cuando lo calificaba de "festival ideológico". Lo más rescatable es que deje públicamente planteado, aun dentro de la confusión, la necesidad y urgencia de imaginar política y culturalmente un futuro diverso.

Sobre la agenda de negociaciones

Son muchos los analistas norteamericanos que, entre los factores determinantes del cambio de actitud y proyección de los Estados Unidos hacia América Latina en los años noventa, han destacado la previsión, el cálculo y la atracción de las *business opportunities*. Canadá y México resultan ser actualmente el segundo y el tercero, respectivamente, en la lista de los socios comerciales de los Estados Unidos; si se suman a ello el auge de las exportaciones a Sudamérica en la década de 1990, el área hemisférica resulta una de las prioridades en la visión estratégica de los Estados Unidos en comercio e inversiones. A medida que los países de la región salieron de la recesión y liberalizaron sus relaciones comerciales, América Latina se fue convirtiendo de nuevo en el mercado de más rápido crecimiento de las exportaciones estadounidenses. Desde el año 1990, las ventas de los Estados Unidos a los países latinoamericanos aumentaron más del 18% y superaron ya sus exportaciones a los países de la Unión Europea. En 1996 los Estados Unidos exportaron a Brasil

13 mil millones de dólares, dos veces y media más que en 1990, y más de 10 millones de lo exportado a China ese mismo año. Estados Unidos vende más a los países centroamericanos que a los de Europa oriental y de la ex URSS juntos. Según estimaciones del Banco de Boston, las ventas estadounidenses a América Latina en el año 2010 serán superiores a las que se realizarán a Japón y la Unión Europea.

Aún hay un dato más significativo: en contraste con el déficit comercial estadounidense en su relación con Asia y el estancamiento de intercambios con Europa, el comercio interamericano, en el ámbito hemisférico, ha aportado a los Estados Unidos un superávit considerable, al haber exportado a esta región productos de alto valor agregado como bienes de capital y maquinarias. Además, las empresas subsidiarias en el continente de las compañías multinacionales estadounidenses aportan un cuarto del total de sus ingresos, un tercio total de sus empleos y más de la mitad de los intercambios en el circuito interior de tales compañías. El comercio con América Latina resulta, pues, importante para los Estados Unidos, por más que esto pueda relativizarse señalando el hecho de que su comercio internacional alcanza sólo el 12% del Producto Bruto Nacional. De todos modos, dicha importancia es claramente percibida en la medida en que permite vislumbrar una cierta compensación de su crónico, enorme y creciente déficit comercial mundial mediante un área de libre comercio hemisférico en la que reúne condiciones preferenciales y ventajosas para ir desplazando a los "agresivos competidores" europeos y asiáticos. Baste tener presente que el déficit comercial de los Estados Unidos con el extranjero subió 65% en el año 2000, alcanzando el récord de 271 millones de dólares, precisamente mientras crecía el desencanto ante la lentitud de las negociaciones en el ámbito de la Organización Mundial de Comercio.

Añádase, además, que el acervo de inversiones estadounidenses en América Latina en 1997 alcanzó los 97.500 millones de dólares (excluyendo los paraísos fiscales); de ellos 35.700 millones correspondían a Brasil, 25.400 millones a México, 9.700 millones a la Argentina y 5.200 a Venezuela, constituyendo el 58% del total de las inversiones en la región. El sector manufacturero totalizaba más de la mitad de estas inversiones estadounidenses, por medio de nuevas plantas de empresas multinacionales instaladas en América Latina, en especial en los sectores automotriz, electrónico y de prendas de vestir. Otras empresas estadounidenses participaron en las numerosas privatizaciones en el sector de servicios, en particular en energía eléctrica, gas natural y telecomunicaciones[79]. América Latina sigue siendo, en fin, la fuente de cerca del 30% de las importaciones petroleras de los Estados Unidos y varios bancos de ese país siguen obteniendo todavía allí una parte considerable de sus ingresos.

Si Estados Unidos gana con la libertad e intensificación del comercio con América Latina, ¿qué ganaría ésta con el ALCA? Es fundamental para América Latina el libre acceso de sus productos al enorme mercado norteamericano. Pero para ello se requiere que se vayan derribando las barreras tarifarias y no tarifarias. Estados Unidos tiene que poner también sobre la mesa de negociaciones transparentes sus programas de créditos a la exportación, de ayuda en alimentos y de subsidios así como las normas técnicas que implican modalidades, abiertas o subrepticias, de proteccionismo. Y no se trata de la mera ampliación del TLCAN/NAFTA como extensión de preferencias garantizadas unilateralmente por los Estados Unidos, sino como nueva iniciativa negociada entre socios de igual dignidad, aunque con notoria asimetría de poderes, que buscan compatibilizar sus intereses diversos y muchas veces opuestos.

Se ha de considerar que los países latinoamericanos han hecho grandes sacrificios y esfuerzos durante la última década, para abrirse al comercio internacional, sin que a sus progresos correspondiera análoga actitud de los grandes países hiperindustrializados.[80] Los Estados Unidos mantienen barreras comerciales más elevadas para la importación de manufacturas que para las materias primas, con excepción de las agrícolas, que tienen un trato especial, mucho más proteccionista aún. ¿En dónde quedan las "ventajas comparativas" de las economías de los países latinoamericanos si el acero como el azúcar, la soja, el maíz, los tomates y los zumos de fruta, por ejemplo, se topan con los fuertes subsidios del "proteccionismo" estadounidense? A ello se agrega el requerimiento latinoamericano de revisar las reglamentaciones "antidumping", los derechos compensatorios, las severas investigaciones de la Sección 301 sobre regímenes comerciales y de inversión de los países latinoamericanos, las exigencias higiénico-sanitarias, entre otras; éstos son, muchas veces, mecanismos instrumentales desde una posición "proteccionista" de quien es tan poderoso que no admite que se le pidan cuentas y, menos aún, por supuesto, que se tomen medidas compensatorias o de represalia. Y de represalias del más poderoso bien se recuerdan la pérdida de la cuota azucarera, como ocurrió a Cuba en 1960, el embargo atunero sufrido por México en 1980, los embargos comerciales impuestos a Cuba y a la Nicaragua sandinista, la aplicación de sanciones al Brasil por establecer reservas de mercado en su industria de ordenadoras; sanciones impuestas a regímenes que han estado en confrontación total con los Estados Unidos como a gobiernos de países con los que han mantenido relaciones de amistad y cooperación.

Un ejemplo lo evidencia. Brasil y la Argentina se han convertido en grandes productores de soja, como este último país lo es de maíz. No se trata, obviamente, de solicitar que Estados Unidos elimine todos los subsidios agrícolas al mismo tiempo, pero, por ejemplo, las ayudas a los productores norteamericanos de soja y de maíz ascienden a 6 mil millones y 2 mil millones de dólares al año respectivamente. No es pedir la otra cara de la luna conseguir que elimine tales subsidios.

El ALCA, pues, ¿incluirá todos los rubros de comercio? ¿Habrá una auténtica libertad de comercio para los productos agropecuarios? ¿Se levantarán las restricciones para la exportación de los productos primarios e industriales procedentes de los países latinoamericanos? Todo ha de tener su adecuada contrapartida. No en vano el presidente de la Reserva Federal, Greenspan, ha advertido recientemente contra una tendencia al aumento del proteccionismo de los Estados Unidos, donde vastos sectores de la opinión pública continúan resistiéndose a la liberalización de los intercambios comerciales considerándolos contrarios a la producción y empleo en el propio país. No es ciertamente una buena señal que el Congreso estadounidense haya decidido, a principios de agosto de 2001 y ante la caída de los precios del mercado, sostener de modo extraordinario la renta de los agricultores norteamericanos, con 5.500 millones de dólares, destinados, en especial, a las empresas que cultivan cereales, algodón, soja, tabaco y manzanas. ¡Diametralmente contrario a lo que se propondría una auténtica área de libre comercio hemisférico! Hace poco la Organización Mundial de Comercio ha condenado a los Estados Unidos por la ley que

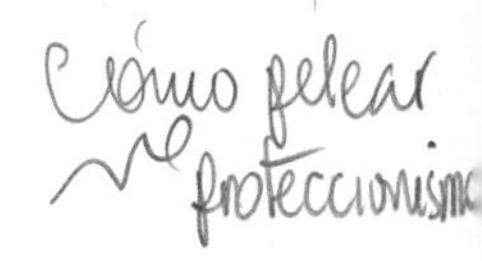

promulgó este país el 15 de noviembre de 2000; su motivo declarado era precisamente el de adecuarse a la normativa de la OMC. Se le condena, en cambio, porque en realidad representaba un subsidio ilícito a las exportaciones, en especial a las agrícolas. Mucho más recientemente, Estados Unidos fue de nuevo sancionado por la OMC a causa de la "enmienda Byrd", por la que se recolectaron más de 800 millones de dólares de impuestos "antidumping" aplicados a productos extranjeros, destinados luego a subvencionar productos estadounidenses. El *Wall Street Journal*, en su edición del 30 de abril de 2001, recogió las declaraciones de Nicholas Stern, entonces economista jefe del Banco Mundial, quien afirmaba que si el conjunto de los países de mayor industrialización redujera las barreras comerciales a los productos de los países en desarrollo, éstos podrían obtener 100 mil millones de dólares al año.

Mientras el presidente Bush relanza desde la Conferencia de Naciones Unidas de Monterrey (acerca de la financiación del desarrollo) la exhortación mundial a derribar las barreras proteccionistas para bien de la economía global, al mismo tiempo impone tributos punitivos a su socio del NAFTA, Canadá, sobre la exportación de las maderas de construcción, y decreta medidas ultraproteccionistas para el acero, agrediendo entre muchas otras a las exportaciones de países latinoamericanos. ¿Cuáles garantías pueden dar las negociaciones hacia el ALCA cuando se han impuesto arbitrarias medidas "antidumping" a las exportaciones brasileñas de jugo de naranja concentrado, a las chilenas de salmones y hongos secos, y a las argentinas de miel, sin contar aún las demás medidas proteccionistas que limitan el acceso al mercado de los Estados Unidos de productos agrícolas estratégicos de América Latina, como el azúcar, los cítricos y la carne? ¿Cómo puede presentarse el presidente Bush como paladín del libre comercio y pedir a los latinoamericanos que renuncien al proteccionismo cuando el parlamento de su país aprobó a principios de mayo de 2002 un aumento de subsidios a favor de la agricultura de casi 180 mil millones de dólares para los próximos diez años? Es la misma Organización para la Cooperación y el Desarrollo Económico (OCDE), que incluye entre sus 30 miembros a todos los países más desarrollados, la que informó que las arcas públicas estadounidenses aportaron el 21% del total del ingreso agrícola bruto del país en 2001, o sea, una con-

tribución estatal que ascendió a 48 mil millones de dólares. En conjunto, la intervención estatal en la agricultura de los 30 países de la OCDE demandó en 2001 una inversión de fondos públicos por 311 mil millones de dólares, lo que significa un desvío de recursos de los contribuyentes hacia una agricultura ineficiente y ultraprotegida por unos 850 millones de dólares diarios. Según cálculos de la Banca Mundial, los subsidios agrícolas en los países de la OCDE ascendieron a 230 mil millones de dólares en el período de 2000 a 2002, suma equivalente al 46% de la producción total de esos países.

Dicho sea de paso, hay sectores antiglobalizadores en los Estados Unidos y Europa que no hacen más que defender el proteccionismo de los poderosos y las barreras levantadas contra el acceso de los más débiles países en desarrollo a los mercados. Es también el mismo proteccionismo que se disfraza de "solidaridad global" hacia el maltrato de los trabajadores de estos países y al daño al medio ambiente, reivindicaciones más que legítimas si no estuvieran teñidas de una modalidad farisaica de colonialismo "moralista".

La ardua aprobación del *fast track* (que en español se traduciría por "vía rápida" para las negociaciones comerciales) en los Estados Unidos fue ciertamente una señal positiva. La voluntad política de la administración norteamericana respecto del ALCA habría carecido de auténtica credibilidad hasta que el presidente George Bush no hubiera obtenido del Congreso el *fast track*, como ya lo había prometido el presidente Bill Clinton, en cuanto autorización para firmar acuerdos comerciales. Después el mismo Congreso podría aprobar o desechar, pero no modificar, a través de la red de comisiones parlamentarias en las que influyen los más diversos *lobbies* sindicales, corporativos y proteccionistas. Hubiera sido inútil desperdiciar tiempo y energías en complejas negociaciones inter-estatales que después podrían ser muy modificadas por senadores y diputados estadounidenses en su fase de ratificación. Pero "la administración Bush compró el *fast track* —señala Paul Krugman— a costa de muchas concesiones a intereses especiales. Estas concesiones afectan el libre comercio de los países a los que supuestamente debe favorecer" y reducen las posibilidades de un acuerdo equilibrado entre los 34 países involucrados en el ALCA. La ley firmada por el presidente el 6 de agosto de 2002 impone que consiga del Congreso la aprobación, caso por caso, para reducir los subsidios y derechos de aduana de una lista de centenares de productos, en su mayoría agrícolas; o sea, deja las barreras proteccionistas de muchos productos bajo los resultados de negociaciones complejas e inciertas. En la lista "protegida" están algunos de los bienes de exportación más importantes de Brasil y de otros países latinoamericanos a los Estados Unidos. La respuesta no se hizo esperar. "Estados Unidos aprobó un *fast track* para las negociaciones del ALCA, pero bajo condiciones tales que, si tomadas literalmente, no existirá ningún ALCA", declaró el entonces presidente Fernando H. Cardoso.[81]

Sería muy reductivo sospechar que el proyecto ALCA sea un cínico intento de atraer a los países latinoamericanos a un régimen de libre comercio, en el que se encuentren, de entrada, como perdedores en el juego. En realidad, Estados Unidos cree firmemente en las tesis clásicas del neoliberalismo, considerando que la libre distribución de los factores en función de criterios de competitividad conduce a los centros acumuladores de capitales y tecnologías a invertir en los países carentes de tales factores, lo que irá permitiendo progresivamente a éstos reequilibrar los niveles de competitividad. Es lo que afirma, por ejemplo, Jeffrey Sachs. Dentro de tales parámetros, el ALCA abastecería los mercados latinoamericanos con abundancia de productos estadounidenses buenos y baratos, por un lado, y, por el otro, atraería un inmenso flujo de inversiones estadounidenses que recuperarían a mediano plazo la competitividad industrial de esos países. El gobierno de Bush y muchos economistas creen efectivamente que el crecimiento económico y un mejor nivel de vida sobrevienen a todo país que baja sus aranceles, abre sus fronteras y recibe a los capitales extranjeros sin imponerles reglas que rijan su entrada o salida del país. La competencia exterior obliga a un país a modernizar su economía, a ser más eficiente y a concentrarse en sus ventajas comparativas, lo que llevaría al aumento de exportaciones, producción y empleos. Es lo que cree también Zoellick.

Tiene que estar muy claro: no hay duda de que, en términos generales, el liberalismo económico favorece y mejora la asignación y el uso de los recursos a escala mundial. Esto es cierto a mediano y largo plazo. Sin embargo, tal razonamiento parece ignorar, por una parte, que las experiencias de los países en desarrollo demuestran que cierto margen de proteccionismo durante algún período de desarrollo es necesario para la creación, expansión y consolidación de las propias industrias e innovaciones tecnológicas. El arancel Hamilton de los Estados Unidos durante el siglo XIX, el *Zollverein* alemán, las prácticas japonesas antes y después de la Segunda Guerra Mundial, el proteccionismo e intervencionismo de los países industrializados después de la Segunda Guerra Mundial, la experiencia de Brasil entre los años cincuenta y setenta... son todos ejemplos de proteccionismo logrado. ¿Cómo ignorar que el "milagro económico" de los países de Asia oriental y su "despegue en crecimiento sostenido", al decir de W. W. Rostow, desde 1960, y presentado como fruto tan positivo de la globalización neoliberal, han sido efecto combinado de la libre empresa, la intervención estratégica y financiera del Estado, de una burocracia tecnocrática con fuerte propensión al comando y un elevado nivel de alfabetización y cultura? Al contrario, es un hecho incontrovertible que la "experiencia librecambista del siglo XIX fue un total fracaso", como lo demuestran los estudios del economista Paul Bairoch,[82] pues aceleró el subdesarrollo de los países menos avanzados, destruyendo sus artesanías e incipiente industrialización por ser infracompetitivas respecto a la arrolladora expansión de la producción de los países que vivían en plena dinámica su revolución industrial. Esto no quiere decir que se favorezcan hoy las tendencias autárquicas y los apoyos estatales privilegiados a sectores menos productivos y competitivos con elevadas barreras aduaneras, ya que esa vieja práctica de proteccionismo redundará por cierto en perjuicio para el propio país.

Los países latinoamericanos están obligados, eso sí, a solicitar algunas "protecciones" especiales, selectivas, que deberían ser respetadas y aseguradas en el cuadro del ALCA, con regímenes transitorios de corta o media duración, para evitar que una arrolladora ola de exportaciones norteamericanas avasalle y desmantele lo que hay de consistente en la industrialización de América Latina y las posibilidades de emprendimientos en materia productiva. Sería reproducir un intercambio intersectorial desigual, si el ALCA se redujera a favorecer la exportación sobre todo de bienes de capital y maquinarias por parte de los Estados Unidos, y de productos primarios, agropecuarios y extractivos por parte de los países latinoamericanos; o incluso, que las com-

pañías multinacionales dictaran las reglas del juego operando desde el interior de los países latinoamericanos con mano de obra barata y libertad de transacciones financieras y comerciales para producir especialmente para la exportación, sin que se fueran creando condiciones de industrialización e inversión tecnológica para una propia consistencia económica de las naciones. Para Brasil, en particular, son fundamentales los programas específicos de sostén de industrias clave como la siderúrgica, automovilística, informática y de telecomunicaciones, aeronáutica y naval. Se trata de aceptar, en cambio, algunas formas nuevas de proteccionismo moderno para compensar la asimetría de poderes económicos que entran en un proceso de "libertad de comercio". O sea, se trataría de un proteccionismo a plazos y selectivo, para concentrar el interés nacional en algunos sectores económicos clave con vistas a crear las condiciones aptas para su competitividad internacional.[83] Otra cosa sería un auténtico suicidio. ¿Acaso los Estados Unidos, la Unión Europea y Japón no aplican pragmáticamente estrategias de mercado administrado, conservando amplios márgenes de intervención estatal para determinadas producciones y actividades de importancia estratégica, en la protección abierta o encubierta de la producción industrial y agrícola? ¿Acaso las compañías multinacionales no operan muchas veces como islas de planificación centralizada y global en un mar de relaciones de mercado? Las pautas de Doha reconocen que los países menos desarrollados generalmente están en desventaja para comerciar con las naciones desarrolladas, y necesitan un trato especial.

Por otra parte, las mismas tesis que aseguran grandes flujos de inversiones estadounidenses progresivamente reequilibrantes del mercado no consideran suficientemente que la supresión de todas las barreras aduaneras eliminaría estímulos para tales inversiones. Las empresas estadounidenses ya no tendrían necesidad de hacer grandes inversiones en los países socios de América Latina —lo que reduce el dinamismo del mercado interno y la oferta de empleo en los Estados Unidos—, sino que pasarían a vender directamente sus productos sin ninguna carga aduanera. Además, las ventajas comparativas de la mano de obra más barata y de la disponibilidad de materias primas locales se están reduciendo cada vez más, puesto que los factores más decisivos de producción y de trabajo se expresan en las nuevas condiciones tecnológicas, basadas en el uso de la informática y de la robótica, y en la capacitación del "capital humano", mientras crece también el empleo de productos sintéticos. En cambio, "lo que atrae la inversión extranjera es la existencia de un gran mercado protegido, en el que pueda contar con un tratamiento favorable o no discriminatorio".[84]

No pueden disociarse dos objetivos fundamentales para los países latinoamericanos, que parecen opuestos pero que han de encontrar su debida coordinación (como lo demuestra el Mercosur): abrir sus economías al mercado internacional y proteger selectivamente sus sistemas industriales y su capacidad de innovación tecnológica. Las modalidades y tiempos concretos de conjugación de los dos imperativos opuestos, de la apertura internacional y la protección interna selectiva, constituirán un punto fundamental en la agenda de negociaciones.

Nuevos temas y novísimos

Otras cuestiones capitales han sido incorporadas a la agenda de negociaciones hacia el ALCA. Se tratará de verificar cuál es la voluntad y disponibilidad efectivas de los Estados Unidos respecto de los flujos de inversiones y capitales en esta región. La "Iniciativa para las Américas" preveía, en su origen, una inversión de 300 millones de dólares, con la gestión del Banco Interamericano de Desarrollo, una suma más bien insignificante.

El flujo de capital voluntario hacia varios países latinoamericanos desde 1990 ha sido alentador, en contraste con los años de la "década perdida". En ésta se dio una fuerte transferencia de ingresos hacia los países desarrollados, mientras que los flujos anuales de capitales a América Latina, a partir de los años noventa, pasaron de casi 22 mil millones de dólares en 1990 a 116 mil millones en 1997; el 70% de ellos fueron de inversión directa, y esto ha sido muy importante.[85] La inversión extranjera en América Latina ha sido favorecida por la disponibilidad de capitales en el sistema financiero internacional, atraídos en muchos casos por sectores productivos de alta potencialidad de crecimiento y en otros por las elevadas tasas de interés y la expectativa de rápidas ganancias en la Bolsa de Valores (con la garantía implícita de que el sistema financiero internacional preste a los países receptores los recursos necesarios para salir de cualquier posible crisis). También las inversiones de portafolio son importantes para los países porque solucionan dificultades de corto plazo en la balanza de pagos.

En 1999 América Latina había sobrepasado a Asia como destino de inversiones en plantas y equipos, recibiendo aquel año más de 100 mil millones de dólares. Pero las inversiones disminuyeron mucho con las repercusiones de las crisis financieras del Sudeste asiático y de Rusia, descendiendo el 22% en el año 2000. Bajaron aún el 9,1% más en 2001 y más todavía en 2002, ya en fase de desaceleración económica mundial y disminución de disponibilidad de capitales. Además, la crisis de la Argentina ahuyentó de la región a los inversores. El ingreso de capitales en la región en el año 2000 fluctuó en torno a los 50 mil millones de dólares, con fuerte disminución respecto a los 74 mil millones recibidos durante el trienio 1996-1998. En los primeros años del nuevo siglo sólo México y Brasil han mantenido altos niveles de inversión externa. En 2003, el flujo de inversiones extranjeras se redujo aún a 29 mil millones de dólares, 25% inferior al de 2002. La situación actual ofrece señales importantes de nuevo crecimiento de estas inversiones.

En 2004 la inversión extranjera en América Latina y el Caribe aumentó un 44% y superó los 56.400 millones de dólares (aunque todavía no recupera el promedio anual que logró en el período 1996-2000). El principal país inversor fueron los Estados Unidos, con un 32% del total, debido a la baja de la inversión europea. Nuevamente Brasil (18 mil millones) y México (17 mil millones), seguidos por Chile (7.600 millones), fueron los mayores receptores.

Añádase, asimismo, que será ineludible, a nivel mundial y continental, encontrar reglas adecuadas respecto de los flujos financieros, sobre todo del ingreso de capitales a corto plazo, "golondrinas" de retorno, originalmente sacados al exterior por las oligarquías económicas de países latinoamericanos mediante la transnacionalización bancaria, que se reducen a apostar especulativamente sobre el valor de las monedas y tienden a emigrar rápidamente, como ya ha ocurrido en diversas ocasiones críticas. Cálculos aproximados estiman, por ejemplo, en 130 mil millones de dólares el monto de la fuga de capitales de la Argentina al extranjero, una cifra casi equivalente a la deuda internacional del país. Continuar con el "Parque Jurásico" del flujo incontrolado e incontrolable de capitales, cuando provienen de modalidades de pura especulación financiera, que agudizan duras crisis de "sistemas-países" enteros, no puede justificarse con "la dura y justa ley de los mercados financieros". Sería absurdo seguir pensando que los mercados financieros siempre recompensan la virtud y castigan los vicios. Las agencias internacionales de evaluación del riesgo por países han influido muchas veces negativamente al respecto. Las economías emergentes resultan las más afectadas por las sucesivas crisis que sacuden los mercados de capitales y monedas, dada la lentitud en la reforma del sistema financiero mundial.[86] Es cada vez más notoria la situación anómala existente entre la capacidad de desplazar capitales más allá de toda frontera y la ausencia de adecuados sistemas de control y regulación, a garantía de los inversores, de la estabilidad de las economías nacionales y para bien de la comunidad internacional. La globalización comporta interdependencia y ésta exige mayor cooperación. Se impone, en particular, la reforma de las instituciones financieras internacionales. La confianza respecto al Fondo Monetario Internacional está en sus mínimos históricos, precisamente cuando se tiene más necesidad de él. "Con la Argentina, el FMI se ha salido de todas las normas que conocíamos sobre negociaciones", afirmó José A. Ocampo, colombiano, entonces secretario ejecutivo de la CEPAL. La primera función esencial de éstas instituciones, desde la perspectiva de los países en desarrollo, "es precisamente compensar el efecto procíclico de los mercados financieros, suavizando en su origen los ciclos de auge y colapso financieros mediante una regulación adecuada, y ofreciendo mayor grado de libertad para que los países adopten políticas anticíclicas (...). Una segunda función, igualmente esencial, es ayudar a contrarrestar la concentración del crédito, poniendo recursos a disposición de países y agentes que suelen tener un acceso limitado al crédito en los mercados privados de capital internacionales".[87]

No obstante su alto nivel de complejidad, nada puede impedir ni postergar la urgencia de emprender esa tarea de mayor gobierno de los mercados financieros, aunque sea difícil encontrar las fórmulas técnicas adecuadas, y más difícil aún afirmar una decidida voluntad política para enfrentarla como cuestión improrrogable. En ocasión del Jubileo de los trabajadores, celebrado el 1º de mayo de 2000, Juan Pablo II señaló la exigencia y urgencia de "una nueva cultura, nuevas reglas y nuevas instituciones a nivel mundial", sobre todo en relación con los mercados financieros.[88]

También los países latinoamericanos, pese a sus limitadas posibilidades, pueden hacer mucho para sanear las bases de financiación de su desarrollo. No hay que confiar el propio crecimiento a los flujos financieros externos, ni siquiera en períodos de alta liquidez. Es indispensable que la inversión extranjera no sea sustitutiva sino complementaria del ahorro interno, que ha de ser promovido y elevado en forma sostenida, entre otras cosas, por una seria revisión, reforma y ajuste del sistema fiscal y la formación de los fondos de pensiones destinados a la actividad productiva. Importa también una regulación y gobierno prudentes de los tipos de cambio, tasas de interés, monto de las deudas públicas y privadas, etc., como herramientas de una política macroeconómica para evitar desequilibrios y sobresaltos. Todo esto ayuda de manera realista y razonable a reducir el déficit de cuenta corriente, para poder reducir a la vez la demanda de ahorro externo. Lograr un equilibrio fiscal permanente es absolutamente central. Fondos de compensación y estabilización, como los ya existentes en algunos pocos países latinoamericanos, son importantes para prevenir y moderar los choques externos, debidos sobre todo a situaciones adversas en el mercado internacional de capitales y materias primas. En todo caso, el ámbito financiero ha de quedar subordinado a los intereses superiores de la economía real. Además, se puede practicar una selectividad en la índole y montos de capitales que ingresan, de modo que se alienten las inversiones de mediano y largo plazo orientadas a la actividad productiva y se restrinja la entrada de capitales especulativos a corto plazo, de alta volatilidad, que agudizan las probabilidades de crisis. Se puede gravar más a las utilidades distribuidas —sobre todo, de las empresas multinacionales que remiten sus utilidades al país de origen— que a las reinvertidas en el propio país (como fue el caso de la reforma fiscal chilena de mediados de los años ochenta), especialmente como reinversión tecnológica. Tienen que reformular, reglamentar y consolidar un sistema bancario, transparente y eficaz, más volcado a sostener la actividad productiva que a especular en los circuitos financieros, sin limitarse a conceder financiamientos sólo a compañías multinacionales y a las mayores empresas nacionales sino establecer también programas de crédito para las pequeñas y medianas empresas. Hay que prever, en fin, programas y redes de protección social anticíclicas, en tiempos de emergencia, como los implantados en México, Brasil, Argentina, Ecuador, Honduras y Nicaragua, que proporcionen un nivel mínimo de consumo y, a la vez, protejan la acumulación de capital humano de los pobres (por ejemplo, por transferencia en efectivo o en especie a las unidades familiares que invierten en asistencia escolar y sanitaria para sus hijos) o que promuevan empleos de urgencia. La cuestión de sistemas de erogación de micropréstamos a niveles populares, sobre todo para la formación técnica y profesional, y para las pequeñas empresas, es fundamental.

No podrán eludirse tampoco las exigencias de una solidaridad efectiva con vistas a la cancelación total de la deuda, oficial y privada, con los Estados Unidos, de los países más pobres de América Latina y el Caribe, y a modalidades mucho más desahogadas de cancelación parcial de su volumen de capital, reducción de sus tasas de interés, renegociación de pagos a más largos plazos y formas de reinversión, para todos. Tasas de interés del 15% sobre el capital fueron usurarias. La deuda externa se ha ido concentrando cada vez más en deuda pública, con garantía pública, reduciéndose mucho la deuda privada. Los Estados tienen, pues, mucho mayor margen de gestión y maniobra. Los fondos que han ido saliendo de los países latinoamericanos como pagos de capital, pero especialmente por los servicios de la deuda, suman cantidades equivalentes al monto total del endeudamiento. Éste es un peso tal que reduce considerablemente las reales posibilidades de desarrollo, convierte a países enteros en eternos "tributarios" y se descarga sobre ya sufridos sectores de población. "No se puede pretender que las deudas contraídas —ha afirmado repetidas veces la Santa Sede— sean pagadas con sacrificios insoportables." La iniciativa del Banco Mundial para disminuir el peso de la deuda de los países más pobres es apreciable, pero incluye a muy pocos países y requiere actualmente políticas de más vastos alcances. Bolivia y Nicaragua se beneficiaron con esta iniciativa. La condonación de la deuda de 20 países pobres gracias al Movimiento Jubileo 2000 ha sido también significativa; más relevante aún es la muy reciente cancelación de la deuda por parte de los ministros de Finanzas del G8, de 18 países más empobrecidos, entre ellos Bolivia, Honduras y Nicaragua.

El enorme monto de la deuda de la Argentina a nivel nacional e internacional, sobre todo en forma de títulos públicos y de deudas bilaterales, terminó por ser impagable en las condiciones y volúmenes alcanzados. La decisión obligada del gobierno argentino de suspender ciertos pagos y de renegociarlos radicalmente coloca objetivamente en cuestión todo el tratamiento de la deuda externa de los países latinoamericanos. No se trata de una opción ideológica de contraposición, sino de una necesidad real. Es urgente y fundamental una coparticipación responsable de gobiernos, organismos financieros internacionales y toda la comunidad mundial para afrontar más a fondo la cuestión y buscar con mayor determinación las vías de resolución de esta situación. El Código de conducta esbozado por el Institute of Internacional Finance (IIF), asociación que reúne a los mayores bancos del mundo, y aprobado en reciente reunión del "G-20", ha sido un buen paso adelante. En todo caso, resulta evidente que el crecimiento económico —y no las exigencias que llevan a la retracción económica— es la única garantía para poder cumplir con los compromisos externos. Es bueno que la Argentina y Brasil hayan sellado en Río de Janeiro el Acta de Copacabana, mediante la cual se comprometen a mantener un frente común en las negociaciones con los organismos de crédito. Entre otras cosas, en esta acta se pide al FMI no computar como gasto público las inversiones en infraestructuras, para reducir la presión sobre el déficit fiscal, no amenazar el crecimiento económico y garantizar una deuda sostenible. Este y otros mecanismos financieros innovadores, junto con la reproposición de la cancelación de la deuda para los países más pobres, se están planteando de nuevo no sólo en foros latinoamericanos, como la XVIII Cumbre del "Grupo de Río" reunida en Río de Janeiro a comienzos de noviembre de 2004, sino también en foros e instancias internacionales. Es hora de que los buenos propósitos declamados por gobernantes de las grandes potencias vayan haciéndose realidad.

En fin, las promesas definidas por el Congreso de Monterrey (marzo de 2002) sobre la ayuda financiera al desarrollo, para aumentar los niveles indecorosos y decrecientes de la cooperación de los países del "G-7" durante los últimos años, no parecen tener una dimensión adecuada. Hubo mayor empeño de los Estados Unidos y la Unión Europea para aumentar estos niveles de cooperación, pero no se consiguió la adhesión del objetivo propuesto por la Secretaría de las Naciones Unidas de duplicar los actuales 57 mil millones de dólares para alcanzar los 100 mil millones. Se discutió mucho en Monterrey sobre los mejores modos de destinar tales ayudas a los países más pobres. Es comprensible que se quieran destinar prioritariamente hacia los países con buenas políticas macroeconómicas, con gobiernos democráticamente elegidos, allí donde se respeten los derechos humanos, se mejoren los servicios públicos, se realicen positivas obras de infraestructura y se atienda el bienestar de la población, extirpando la corrupción. A pesar de ello, los criterios y medidas para juzgar tales situaciones quedan a menudo confundidos prácticamente con las prioridades y alianzas dictadas por el interés estratégico de las grandes potencias. Así se multiplican los pesos y medidas diversos según las situaciones. Los mismos países donatarios tendrían, a su vez, que rever los programas de cooperación que aparecen dominados sólo por sus objetivos políticos, por los mercados para sus industrias, por sus intereses comerciales y por sus modelos culturales, más que por una verdadera solidaridad en bien de los destinatarios. Éstos no pueden considerarse como "asistidos" sino llamados a ser coconstructores de los programas de cooperación. Sin embargo, la reciente tragedia del "tsunami" en el Sudeste asiático ha puesto nuevamente sobre el tapete la cuestión de la cooperación internacional, el objetivo del 0,7% del Producto Bruto Interno como contribución de los países y las modalidades más eficaces de su coordinación y realización. En todo caso, se tiene que dar un salto de cualidad como inversión sustancial para combatir la guerra contra la pobreza.

La cuestión de transferencia de tecnologías es capital. Una región que se proponga ingresar en el tercer milenio y arrastre en su seno un fuerte rezago tecnológico, no tiene otro camino sino negociar la transferencia de conocimientos con los Estados Unidos, la Unión Europea y Japón. No basta todo lo que puede y tiene que promoverse por iniciativa de los Estados y de las universidades en este campo. Hay que tener presente que las empresas extranjeras utilizan la investigación que realizan en sus casas matrices, que las empresas nacionales en los países latinoamericanos carecen, por lo general, de volumen de recursos o interés para tales investigaciones y que las empresas estatales que tenían masa crítica para emprenderlas han sido privatizadas. Por eso mismo, resultan fundamentales la transferencia de conocimientos y las reinversiones tecnológicas.

Esto plantea difíciles cuestiones en relación con la "propiedad intelectual", tal como, por otra parte, se ha visto en las discusiones a nivel del GATT/OMC. Si el conocimiento ha sido considerado tradicionalmente como bien común universal y la comunidad científica abierta a tal universalidad, actualmente hay fuertes tendencias a su mercantilización, a la protección legal de patentes a largo plazo, o sea de toda clase de innovaciones tecnológicas, y a un creciente hermetismo, en contradicción con el libre flujo, supermultiplicado, de informaciones de todo tipo. Si se tienen en cuenta las páginas "futuristas" de Alvin Toffler sobre el control del conocimiento como momento crucial en la lucha por el poder y la "guerra total" sobre las informaciones en las actuales condiciones de desarrollo mundial, en especial en el marco de las "economías supersimbólicas",[89] todo ello resulta ya muy ilustrativo para nuestro presente. Los países latinoamericanos no pueden aceptar condiciones legales rígidamente restrictivas en esta materia, porque sin incorporaciones y adecuaciones multiplicadoras de las riquezas del conocimiento y de las ciencias aplicadas, no tendrán posibilidades reales de mayor desarrollo tecnológico y productivo.

Con la supervisión de un comité tripartito que sigue todo el proyecto, formado por el BID, la CEPAL y la OEA, el Comité General de Negociaciones y nueve grupos de trabajo enfrentaron, desde la segunda mitad de 1998, muchos otros temas, que se suman a los de la eliminación progresiva de las barreras aplicadas en las fronteras al comercio de los bienes. La agenda incluye también, concretamente, las barreras no arancelarias (regímenes de compras gubernamentales), los llamados "nuevos temas" (regulación de la inversión extranjera directa, protección de la propiedad intelectual y comercio de servicios) y los "novísimos" (niveles laborales y ambientales, cláusula de democratización). Las tensiones, controversias y bloqueos que estos temas han provocado en los ámbitos de la negociación internacional, incentivan a los Estados Unidos a querer anticiparlos y prepararlos a un nivel multilateral-regional.

Dos asuntos candentes

Otros dos temas son también particularmente "sensibles" en el programa de las negociaciones estadounidense-latinoamericanas. El primero de ellos es el de la inmigración hispana a los Estados Unidos. En efecto, casi la mitad de los inmigrantes legales en los Estados Unidos, durante los últimos 20 años, ha procedido de América Latina, especialmente de México, Centroamérica y el Caribe, unidos a muchos otros indocumentados. Los latinoamericanos ya no llegan a los Estados Unidos en oleadas aisladas y temporales, sino en flujo continuo que borra los límites existentes entre la América Latina y la América sajona, sobre todo en Florida, Texas y el sur de California, y que tenderá a seguir desarrollándose en la medida en que un vínculo adicional muy fuerte se vaya entrelazando entre los Estados Unidos y América Latina. La frontera más sensible es la del Río Grande, que actúa de extensísimo puente entre dos sociedades y economías que son más bien complementarias y en la que se da una fortísima presión migratoria de mexicanos que quieren unirse a la fuerza en trabajo de los Estados Unidos. Las cifras indicativas de esa realidad son impresionantes: 300 mil ingresos clandestinos al año en los Estados Unidos, más de 200 mil ingresos legales al año para la recomposición de núcleos familiares de los "hispanos", más de 1.600 víctimas entre 2000 y 2003 en el intento de atravesar el desierto y el Río Grande.

En general se reconoce que la inmigración de un número limitado de trabajadores mexicanos, sobre todo para empleos agrícolas, beneficia a ambas partes. Pero Estados Unidos encontraría graves problemas para absorber un flujo continuo e incontrolado de inmigrantes. No por casualidad ha jugado la primera carta de la alianza estratégica con México, con un flujo importante de capitales y tecnología hacia este país, para suscitar en México aumento de empleos y reducción de la presión migratoria.

También fue promisorio que el presidente Bush demostrara disponibilidad y apertura, en su primera visita a México, para afrontar bilateralmente la cuestión de la emigración legal e ilegal de ciudadanos mexicanos a los Estados Unidos y para buscar soluciones a la situación precaria de tres millones de indocumentados. Ya en perspectiva electoral, volvió con propuestas sobre el tema. Sin embargo, los atentados terroristas del 11 de setiembre condujeron a mayores restricciones en materia de inmigración y ciudadanía. México continúa reclamando a Washington un pacto sobre la inmigración. Importante ha sido el primer documento común de los Episcopados católicos de México y de los Estados Unidos sobre los derechos de los migrantes, publicado en noviembre de 2002.

El otro tema ultrasensible es el de la producción y tráfico de narcóticos, la única gran "multinacional" extremadamente rentable de América Latina, con base central en Colombia, que se extiende hasta México por el norte y hacia Perú y Bolivia por el sur, pero cuyos mercados finales están fundamentalmente en los Estados Unidos y en Europa occidental.

Incorporada a la nueva agenda de seguridad estadounidense, la estrategia de contrainsurgencia se aplica ahora a este campo de batalla. En tal sentido, "si el intervencionismo estadounidense desde mediados de la década de 1950 tenía connotaciones antisoviéticas, anticomunistas —como la desestabilización de Jacobo Arbenz en Guatemala, las invasiones de Bahía de los Cochinos y de República Dominicana, la desestabilización del gobierno de Salvador Allende, el apoyo a la guerra de los "contras" en Nicaragua, la invasión en Grenada...—, los casos más recientes, como el derrocamiento y detención del general Noriega en Panamá y el 'Plan Colombia', están vinculados a la cuestión de las drogas".[90] Las acciones represivas de la Agencia Antidrogas de los Estados Unidos (DEA) no reconocen fronteras ni jurisdicciones estatales. El establecimiento de bases militares y el envío de destacamentos estadounidenses especializados a diversos países latinoamericanos, las rondas de patrullas en las rutas caribeñas, las presiones sobre los países latinoamericanos involucrados y la voluminosa ayuda financiero-militar a Colombia están suscitando una cadena de reacciones hipersensibles en América Latina, que teme una excesiva e incontrolable intromisión militar. Una cosa es la concertación y la ayuda pactada, que se revelan necesarias y oportunas, otra la intervención unilateral y fuera de toda jurisdicción y control.

El narcotráfico conlleva un enorme flujo de capitalización, capilarmente corruptor de la vida de las naciones. Es foco de destrucción que se hace endémica, brutal y cotidiana cuando se injerta en una tradición de violencia, como la que sufre Colombia desde hace décadas (en la última década ha dejado unos 40 mil muertos), y cuando se enlaza con la financiación de formaciones insurreccionales y guerrilleras y el consiguiente surgimiento de formaciones paramilitares, parapoliciales y de patrullas "privadas". Los intentos de pacificación se empantanan ante estrategias violentas, que siguen provocando una sucesión impresionante de atentados terroristas, muertes, destrucciones y más de dos millones de "desplazados", situaciones sufridas sobre todo por sectores campesinos y populares. Colombia tiene el récord absoluto de secuestros: en 2001 llegaron a ser 3.402 las víctimas de secuestros con fines de extorsión. La Iglesia está en primera fila en la condena de esta violencia, en la compañía del propio pueblo y en la propulsión de programas realistas de pacificación, pagando fuerte tributo de sangre, incluso de Pastores. El gobierno de Uribe, con fuerte consenso popular, ha logrado progresos en la lucha contra el narcotráfico, las guerrillas y el terrorismo, que proseguirá con una "segunda fase del Plan Colombia", pero la presión militar tendrá que combinarse con complejas negociaciones políticas para conducir gradualmente a cierta pacificación, asegurar condiciones civiles de mayor seguridad y garantizar mayor respeto de los derechos humanos.

Colombia, gran país que está en el corazón de América Latina, lugar de comunicación entre sus subregiones, que está llamada a ejercer un papel fundamental en la perspectiva de una Confederación Sudamericana, hoy día está como ensimismada en esta tragedia. Caminos de superación de las situaciones críticas de Colombia y la Argentina resultan esenciales para ir reforzando el mundo hispanoamericano como socio interlocutor de Brasil en esa perspectiva.

La condena y lucha contra el narcotráfico en los diversos países latinoamericanos no pasa mucho más allá de ser tan ineficaz como la incapacidad de los Estados Unidos para reducir y frenar la demanda de drogas, que lo convierte en el mercado principal. La guerra frontal a la droga no interrumpe sus flujos sino que los hace recomponer y desplazar. Tiene que combinar la eficaz represión de la red de la gran delincuencia organizada, incluida la red bancaria condescendiente en el "blanqueo" de los narcocapitales, con estímulos y ayudas suficientes a sectores campesinos para que se desplacen del cultivo de la coca a otros cultivos legales. La política de ataque a la oferta de la droga tiende a fracasar mientras exista y crezca una demanda en el mundo desarrollado. La "certificación anual" que Estados Unidos concede a los países latinoamericanos más directamente concernidos, en reconocimiento de una leal y eficaz colaboración en el combate contra la droga, y la amenaza de no otorgarla, con sanciones como la suspensión de ayudas y créditos, es ofensiva para los interlocutores y nada resuelve. Parece necesario y urgente un serio debate y una eficaz cooperación internacional para definir caminos educativos y legales que tiendan a reducir la demanda en los países desarrollados, a renovar un enfoque multilateral y a ir enfrentando con éxito, por todos los medios, esa gravísima situación de gran potencia destructiva y contaminante.

Hacia una Confederación Sudamericana

Si se previera la futura próxima implantación del ALCA en tiempos relativamente breves en todo el continente y el Mercosur se limitase a ser para entonces una zona imperfecta y diluida de libre comercio, ésta sería asimilada simplemente por el ALCA en cuanto área de libre comercio hemisférica, y el Mercosur se desintegraría (y con él toda perspectiva de Unión Sudamericana). La constitución misma del ALCA implicaría prácticamente la desaparición del Mercosur, ya que conduciría a la eliminación de fronteras aduaneras en todos los países de América, eliminando el arancel externo común, que es característico del Mercosur. En concreto, la cuestión se desplazaría a la comparación del arancel común hemisférico con el que se iniciaría la actuación del ALCA y el nivel de aranceles del Mercosur, de la Comunidad Andina y de otras formas de integración subregional. El dilema que se plantea es entre "la realización plena del proyecto integracionista original, o sea un mercado común (del Mercosur) o la disolución del Mercosur en una vasta zona de libre comercio hemisférica".[91]

Sin embargo, el hecho de que las negociaciones para el ALCA ya han superado el término fijado para comienzos de 2005, que actualmente estén como congeladas, que no se advierta en el horizonte próximo las posibilidades de un macroacuerdo y que su implementación tendría que requerir luego al menos unos diez o quince años más —en el caso de una efectiva voluntad política y viabilidad económica—, da un margen de tiempo breve, si bien decisivo, para la consolidación, intensificación y extensión del Mercosur y para un camino de convergencias en el sentido de la Unión Sudamericana. Las negociaciones contarían así con interlocutores de otra consistencia y conciencia.

En verdad, se puede afirmar más aún: hay que superar el Mercosur en el camino hacia la Unión Sudamericana. Le es capital una relación de integración con la Comunidad Andina y conformar un auténtico mercado común, que entonces podrá serlo de toda Sudamérica.

El ex presidente Fernando H. Cardoso fue categórico en su tiempo: "El Mercosur es para Brasil una prioridad absoluta, una conquista que vino para quedarse, y que no dejará de existir por la participación en esquemas de integración de mayor envergadura geográfica".[92] Se refería ciertamente al ALCA. Por eso, ya en 1993 lanzó la perspectiva exigente de la Asociación de Libre Comercio de Sudamérica (ALCSA), demostrando una vez más el papel de liderazgo que compete a Brasil, en alianza fraterna con la Argentina y los demás países hispanoamericanos de Sudámerica.

"Mojón hacia el ALCSA" o nueva "piedra fundacional" fue el acuerdo-marco de libre comercio entre los países del Mercosur y de la Comunidad Andina, el 16 de abril de 1998. El ejemplo del Mercosur desde comienzos de los años noventa trajo consigo la revitalización de la Comunidad Andina de Naciones (CAN) —el Pacto Andino se convirtió en la CAN en agosto de 1997—, subregión que reúne 111 millones de habitantes a lo largo de 4.718.322 kilómetros cuadrados, que entró en funcionamiento como zona de libre comercio en 1994, comenzó el proceso de su transformación en unión aduanera a partir de febrero de 1995 y fijó el año 2005 como fecha de lanzamiento del Mercado Común Andino. Ello ha hecho que los índices de comercio intrazonal hayan tenido un fuerte incremento. Entre 1991 y 2000, las exportaciones intraandinas crecieron en 177%, al pasar de 1.800 millones de dólares a 5 mil millones de dólares en ese período, lo que significa que el comercio en el interior de la Comunidad Andina creció entre 1990 y 2000 a tasas promedio superiores a 15% anual, mientras que el comercio mundial lo hizo a un ritmo de apenas 7%. Más aún: en 1990, la CAN exportó 3.700 millones de dólares en manufacturas al mundo, de los cuales casi el 14% tuvieron como destino su propio mercado, mientras que en 2000 cerca del 50% de las exportaciones de manufacturas se dirigen hacia ese mercado. Además, los países andinos han aprovechado la Ley de Promoción Comercial Andina y de Erradicación de la Droga, que convierte a los Estados Unidos en el primer socio comercial de la CAN: el 45% de las exportaciones andinas al mundo se destinan al mercado de los Estados Unidos y el 35% de las importaciones proceden de ese país.[93] El 52% del total de las exportaciones andinas para el mundo consisten en productos generadores de energía, como el petróleo, el carbón y el gas. Los países andinos poseen cuatro veces más reservas de petróleo que los Estados Unidos y ocho veces más que el Mercosur, 74% de las reservas de gas en América Latina y 75% de la producción de carbón en la región. En la reunión extraordinaria de los presidentes de estos países, realizada a fines de mayo de 2002 en Santa Cruz de la Sierra (Bolivia), la Comunidad Andina decidió completar la libre circulación de mercaderías entre los países miembros e ir consolidando la unión aduanera con una tarifa común para los productos provenientes del exterior. Los mismos países firmaron también un acuerdo para adoptar una política agrícola común y disponer de mecanismos para estabilizar los precios de los productos agrícolas, empeñándose en armonizar las respectivas políticas macroeconómicas y adoptar criterios de convergencia en el plazo de dos o tres años.

Si bien las exportaciones de los países del Mercosur a los de la Comunidad Andina representan sólo el 4,2% de sus exportaciones totales, y las de los de la CAN a los del Mercosur el 3,5%, el comercio recíproco a nivel de los dos bloques creció el 20% en el último lustro, lo que lo coloca en uno de los flujos más dinámicos del mundo.

La primera Cumbre Sudamericana de Presidentes de América del Sur, convocada por el presidente Cardoso con ocasión de las celebraciones de los 500 años de Brasil, que tuvo lugar el 31 de agosto y 1º de setiembre de 2000, apuntaba ya al Área de Libre Comercio Sud-Americana.[94] La decisión de acelerar la configuración de una Zona de Libre Comercio que incluya todos los países de América del Sur, con excepción de la Guyana llamada francesa, fue el principal acuerdo que alcanzaron los cancilleres de la Argentina, Bolivia, Brasil, Chile, Colombia, Ecuador, Guyana, Perú, Surinam, Uruguay, Venezuela y Paraguay, el 17 de julio de 2001, en la ciudad boliviana de La Paz. En la segunda reunión de Presidentes de América del Sur, que tuvo lugar en Guayaquil (Ecuador) a fines de julio de 2002, se firmó un documento, el "Consenso de Guayaquil", que establece lineamientos generales sobre integración, seguridad e infraestructura y fija como objetivo prioritario la integración plena de la Comunidad Andina de Naciones (CAN) —Colombia, Ecuador, Perú y Bolivia— y el Mercosur (Brasil, Paraguay, Argentina y Uruguay, con Chile y Bolivia como miembros asociados).

La incorporación de Perú, Ecuador, Colombia y Venezuela como miembros asociados del Mercosur, la asociación a su vez de los países del Mercosur a la Comunidad Andina (en camino de "ida y vuelta") y la participación de los países andinos en el desarrollo de la iniciativa para la Integración de la Infraestructura Regional Sud Americana (IIRSA) fueron pasos importantes que culminaron con un gran acontecimiento histórico: la firma en Cuzco (Perú), el 9 de diciembre de 2004, por parte de los presidentes de los países sudamericanos, de un tratado que crea una área de libre comercio, de integración física y de concertación política de toda Sudamérica, iniciando lo que será un largo proceso de desgravación de todo el universo arancelario y proyectándose dentro de diez a quince años hacia una total liberalización (cuyo protocolo ya fue acordado en Montevideo, en la sede de la ALADI, en noviembre de 2004) y hacia una unión aduanera. Más aún: en Cuzco los mismos presidentes firmaron también el acta de fundación de la Comunidad Sudamericana. En los primeros meses de 2005 ya se han dado pasos significativos con la entrada en vigencia de los acuerdos de liberalización comercial según las condiciones de desgravación, listado de productos y plazos acordados. En 15 años tendría que llegarse a la total liberalización de los intercambios sudamericanos.

Después de aquel organizado en Brasil por Fernando H. Cardoso en el año 2000, la Cumbre de Cuzco ha sido el segundo encuentro de todos los presidentes de América del Sur (en el que fue deplorable la ausencia de algunos pocos primeros mandatarios). Se trata de un área de 17,2 millones de kilómetros cuadrados, con 361 millones de habitantes y un producto bruto interno de 973 mil millones de dólares (superior al de Canadá y al de la Asociación de Naciones del Sudeste Asiático), con un gran potencial energético, de gas, petróleo, carbón y energía hidroeléctrica, de abundante variedad de riquezas minerales y que cuenta entre sus miembros a los primeros productores y exportadores agropecuarios y de alimentos del mundo. Eduardo Duhalde, presidente de la Comisión de Representantes Permanentes del Mercosur, habla también de, y son nombres más adecuados, Unión Sudamericana o Estados Unidos de Sudamérica.

No es por casualidad que los Estados Unidos esté intensificando las rondas de negociaciones con Colombia, Ecuador y Perú para la firma de un Tratado de Libre Comercio, para generar una cuña en esa perspectiva de la Unión Sudamericana. Juega con la fragilidad y las urgencias de los países latinoamericanos para acelerar acuerdos bilaterales o subregionales. Su intento divisionista resulta evidente. Después de firmado el NAFTA con México, ampliarlo con los acuerdos de libre comercio con Chile y Centroamérica y estar negociando con los países andinos, ahora rechaza en modo arrogante y discriminante la solicitud del Mercosur de iniciar negociaciones de libre comercio (4 más 1), afirmando no estar interesado (y demostrando una vez más su adversidad contra la configuración de un "poder intrínseco" en Sudamérica). Estados Unidos sabe bien que el Mercosur no está dispuesto a aceptar el modelo aplicado con Chile, en el que fueron incorporadas restricciones cuantitativas (cuotas) y mantenidos aranceles altos para los productos agrícolas, incluyendo reglas que van más allá de las aprobadas en la OMC sobre servicios, inversiones, compras gubernamentales y propiedad intelectual. Al contrario, Canadá acaba de emprender negociaciones de liberalización comercial con el Mercosur, considerándolas un paso importante hacia el ALCA.

Está emprendido el difícil pero decisivo camino hacia el Mercado Común Sudamericano. Sólo así se crean condiciones de desarrollo autosostenido y de relaciones dignas con las grandes potencias y sus megamercados. ¡Pero es mucho más que una cuestión de mercados! El camino hacia un mercado común implica y requiere, con vasta participación de pueblos y especialmente de sus juventudes, que se camine hacia una Confederación Sudamericana. Es una meta ineludible y decisiva, que encontrará en su camino fuertes resistencias, contradicciones y obstáculos, a la que se avanzará en medio de un zigzagueante caminar, en la que está en juego el destino futuro de nuestros pueblos. El horizonte se amplía aún y se fortalecen los pasos si se tienen presentes no sólo la voluntad de México de asociarse al Mercosur, sino también la actual negociación entre México y el Mercosur de un espacio común de libre comercio (México dice ya adherir idealmente a la Comunidad Sudamericana), así como las primeras conversaciones del Mercosur tanto con el Sistema de Integración Centroamericana y con la Comunidad del Caribe, en el ámbito de América Latina como "Patria Grande". La utopía "bolivariana" y de los grandes próceres de la primera independencia se puede convertir ahora concretamente en realidad. Está en el horizonte de nuestro presente. No por casualidad los presidentes sudamericanos concluyeron su segunda Cumbre en Ayacucho. Allí tuvo lugar la batalla conclusiva de la primera independencia sudamericana. Ahora se trata de generar la ardua y difícil pero decisiva tarea de generar las condiciones para una "segunda independencia".

AMÉRICA LATINA EN LA ESCENA MUNDIAL

La contigüidad con los Estados Unidos en el hemisferio americano y su relación con la potencia hegemónica del mundo occidental ha sido determinante para América Latina durante todo el siglo XX. Estas relaciones se hicieron aún más estrechas en la proyección mundial y hemisférica de los Estados Unidos desde fines del siglo XX, una vez derrumbado el imperio soviético. Hay quienes, encandilados por lo deslumbrante de una presunta alianza con el gigante mundial, han llegado a imaginarla como de "relaciones carnales". Es bueno darse la mano. Son otra cosa los abrazos sofocantes. A América Latina conviene no ser "monógama", sino cada vez más abierta y diversificada en cuanto a sus relaciones. Es regla de prudencia y sabiduría a nivel de las relaciones internacionales, sobre todo por parte de los más débiles.

En realidad, la región ha mantenido vínculos históricos, políticos y culturales mucho más intensos con Europa occidental que con los Estados Unidos. Es la zona más occidentalizada y europea de lo que otrora fue llamado "Tercer Mundo".

Más aún, no obstante la sustitución de la hegemonía inglesa por la estadounidense desde las primeras décadas del siglo XX, los países latinoamericanos continúan mirando a Europa como sede de un patrimonio cultural que les es común y que mucho admiran. La masiva inmigración europeo-mediterránea, sobre todo al Cono Sur americano, ha fortalecido todavía más tales vínculos. Para América Latina, y especialmente para el Mercosur, las relaciones presentes y futuras de colaboración con la Unión Europea resultan fundamentales.

Es importante para América Latina mantener relaciones proficuas con todos los megamercados actuales, y no sólo con aquellos noratlánticos. Por esta razón, América Latina mira hacia Asia como posibilidad para intensificar relaciones de intercambio y colaboración con diversos interlocutores que, si bien distantes geográfica y culturalmente, cuentan con una presencia cada vez más importante en la escena mundial. La nueva geografía política y económica, ya caracterizada por el desarrollo de los "tigres" y "dragones" asiáticos, está viviendo cambios muy intensos con el protagonismo mundial de China e India.

Existen también vínculos históricos con el África subsahariana, aunque mucho más tenues, originados por siglos de inicua "trata de negros" y de incorporación de la mano de obra esclava como componente étnico-cultural de las sociedades latinoamericanas. El Mercosur comparte hoy el vasto y estratégico espacio del Atlántico Sur con el litoral occidental del África y, especialmente, con Sudáfrica.

En fin, el Mercosur iniciará este año las negociaciones para acuerdos de reducción de tarifas de importación con Egipto y Marruecos, mientras que el 10 y el 11 de mayo de 2005 tuvo lugar en Brasilia la primera Cumbre de América del Sur y del mundo árabe, con la intención de atraer inversiones de países con elevado volumen de reservas internacionales, especialmente hacia proyectos de integración física y energética, y de aumentar significativamente el escaso comercio entre los interlocutores. Por más que los países árabes impusieran su agenda política y los resultados fueran mas bien retóricos y discutibles, esta reunión abre perspectivas interesantes en un mundo cada vez más multipolar. Un primer paso ha sido el acuerdo marco de cooperación entre el Mercosur y el Consejo de Cooperación del Golfo, constituido por Arabia Saudita, Kuwait, Emiratos Árabes Unidos, Qatar, Oman y Bahrein, en vista de un tratado común de libre comercio.

La presencia en Asunción para la XXVIII Cumbre del Mercosur, en junio de 2005, no sólo de los más altos representantes de los países miembros y asociados, sino también de delegaciones de Canadá, Corea, India, Trinidad y Tobago, Panamá, Honduras, Marruecos, España, Portugal, Egipto, Sudáfrica y Singapur, es signo elocuente de la envergadura y diversificación de las relaciones y negociaciones en curso.

La eventual realización del ALCA ganaría para los Estados Unidos condiciones ventajosas de competitividad hemisférica respecto de otros megamercados, sobre todo de la Unión Europea, afirmando su posición hegemónica. Sin embargo, difícilmente la Unión Europea podrá resignarse a quedar relegada a un segundo plano marginal, aceptando que América Latina sea considerada como gran área de reserva para los Estados Unidos, en los nuevos escenarios globales. Para América Latina es fundamental una relación más estrecha con la Unión Europea, en cuanto componente crucial de un conjunto más equilibrado de relaciones económicas, políticas y culturales.

Los vínculos políticos latinoamericanos con Europa occidental han sido también, al menos hasta la última década, tradicionalmente más intensos que los mantenidos con los Estados Unidos. Los gobiernos y partidos socialcristianos y socialdemócratas entroncan con los europeos a través de sus respectivas "internacionales" y "fundaciones". Esos vínculos políticos continuaron en la década de 1980 con el interés manifestado por gobiernos, partidos y sectores de opinión pública europeos por el proceso de democratización en América Latina. En especial se interesaron por la pacificación y democratización de América Central, apoyando al "Grupo de Contadora" y sosteniendo juntamente con los latinoamericanos una opción diferente de la de los Estados Unidos para la solución de la crisis subregional. Fue entonces cuando se anudó un nuevo diálogo político entre los Estados miembros de la Comunidad Europea —que actuaban a través de la Cooperación Política Europea— y el "Grupo de Río", que incluía la representación de los diez países más grandes de América Latina. Ese diálogo se institucionalizó en 1990 mediante la Declaración de Roma, comenzando luego una dinámica de reuniones anuales para conversar sobre temas multilaterales de interés común.

Desde un punto de vista latinoamericano, la Comunidad Europea es muy importante como socio comercial, fuente de inversiones extranjeras, contraparte financiera y proveedor de cooperación para el desarrollo.[1] Sin embargo, ante la depresión económica latinoamericana de los años ochenta y el viraje histórico mundial entre 1989 y 1992, hubo temores de un progresivo alejamiento y desinterés de Europa respecto de América Latina. La participación de esta región en el comercio, la inversión y el financiamiento europeos disminuyó continuamente durante esos años. América Latina parecía tener escasa prioridad en sus intereses económicos, políticos y de seguridad. El propósito de la Comunidad de diseñar la nueva arquitectura de la Unión representada por la implantación del Mercado Europeo Único, la adopción del Tratado de Maastricht y las difíciles reestructuraciones para su aplicación parecían concentrar el horizonte de las preocupaciones europeas. La caída del Muro de Berlín y el derrumbe de los regímenes comunistas de Europa oriental suscitaban, además, temores de un desvío considerable del interés y de los fondos, europeos y multilaterales, para la ingente transición democrática y reestructuración económica que requerían los ex países del "socialismo real". Se trató de temores coyunturales, que hoy día parecen en cierta medida superados por la sucesión de los acontecimientos.

Desde mediados de la década de 1980, el continente europeo se convirtió en la fuente principal de las inversiones extranjeras tan requeridas en América Latina. América Latina y el Caribe representan el principal destino de las inversiones fuera de la OCDE, en especial para Alemania (60%), Países Bajos (55%) y Reino Unido (44%). Desde 1994 los mayores flujos de inversiones provienen de España y el Reino Unido. La mayor parte de las inversiones se registran en las industrias manufactureras; compañías multinacionales que tienen su origen en diversos países europeos han extendido sus bases de presencia y acción en los países latinoamericanos. Muy importantes son también las inversiones en el área de servicios. Bancos británicos, holandeses y españoles aprovecharon los programas de conversión de la deuda y compraron instituciones locales en crisis o se asociaron con ellas. Numerosas privatizaciones de grandes empresas públicas en los campos de la electricidad y telecomunicaciones, petrolíferos y gasíferos, de líneas aéreas, etc., dentro de los programas de "ajuste estructural", e importantes obras de infraestructura, han atraído un flujo creciente de capitales europeos. El 70% de la inversión directa europea en América Latina se dirige al Mercosur, con importante presencia de empresas europeas en los sectores industriales, financieros y de servicios. Representa casi el 50% de los flujos externos de capital al subcontinente, mientras que el 42% corresponde a los Estados Unidos y el 11% a Japón.[2] La Unión Europea, como principal inversor en Latinoamérica, se hizo presente con 38 mil millones de euros en el año 2002, si bien estas inversiones disminuyeron considerablemente por efecto de la crisis de la Argentina y por el compás de espera después de las elecciones presidenciales en Brasil. Tienden a crecer nuevamente en la actualidad.

La cooperación europea para el desarrollo latinoamericano ha sido en las últimas décadas de mayor cuantía que la estadounidense. Dirigida durante los años sesenta a sostener los modelos "desarrollistas" entonces en curso, privilegió en los años setenta la promoción de sectores populares de bajos ingresos y la acción de organizaciones no gubernamentales, sobre todo por medio del desarrollo rural y comunitario, la ayuda alimentaria, la capacitación de base, etc. En los años ochenta incorporó también formas de cooperación industrial y económica, dirigidas al establecimiento de empresas conjuntas y a la movilización de recursos para el sector privado. La Unión Europea ha destinado entre 300 y 400 millones de euros anuales como asistencia financiera y técnica en favor de América Latina para el período 2002-2006, dedicados a proyectos encaminados a apoyar la integración comercial e institucional, al desarrollo de las infraestructuras transfronterizas y energéticas y a programas de "cohesión social" en sectores como la sanidad, educación, políticas de empleo, etc.

El comercio bilateral de Europa con América Latina no pasa actualmente por un óptimo momento. Entre 1965 y 1970, 56% de las exportaciones de América Latina se dirigían a Europa occidental, de donde provenían el 57% de sus importaciones, mientras que en ese mismo período Estados Unidos recibía 19% de las exportaciones latinoamericanas y era el origen del 35% de sus importaciones. Esto ha variado sustancialmente. Hubo una disminución notoria de intercambios comerciales de Europa con América Latina, sobre todo durante los años ochenta. Las exportaciones europeas a América Latina volvieron a crecer en los años noventa: pasaron de 17 mil millones de euros en 1990 a 54.500 en el 2000, y las latinoamericanas a Europa occidental de 27 mil millones a 48.600 (20% de ellas por productos agrícolas). Sin embargo, desde un punto de vista comparativo, en el período 1995-2000, la Unión Europea significó solamente el 15% de las exportaciones y el 14% de las importaciones, frente a 55% y 51%, respectivamente, de los Estados Unidos. Estos porcentajes globales requieren algunas precisiones. Mientras el área de México, Centroamérica y el Caribe entra de lleno en la expansión de la frontera norteamericana y de su economía (si bien México aumentó en los últimos años casi el 30% de volumen comercial con la Unión Europea, gracias al tratado de libre comercio firmado el 24 de noviembre de 1999), una situación muy diferente es la del Mercosur, que realiza la mayor parte de sus intercambios con la Unión Europea. Los intercambios comerciales entre la UE y el Mercosur duplicaron en diez años, pasando de 20 mil millones de dólares en 1991 a 40 mil en 2001. Europa representa más del 25% del comercio exterior del Mercosur. La Unión Europea es el principal socio comercial para el Mercosur: en 1998 fue la meta del 39% de sus exportaciones y el origen del 33% de sus importaciones. El 52% del total de las exportaciones de la UE hacia América Latina se concentra en el Mercosur, desde donde tienen origen el 49% de las importaciones comunitarias provenientes de América Latina. Lo que Argentina vende a Holanda y Alemania equivale a todo lo que vende a los Estados Unidos. El intercambio creció más del 250% entre 1991 y 1997.

Es cierto, sin embargo, que esas relaciones comerciales están sometidas a fuertes tendencias asimétricas. Mientras que para el Mercosur la Unión Europea es su principal socio comercial, para ésta el Mercosur representa menos del 5% del comercio extracomunitario. Y las exportaciones latinoamericanas a la UE tienen un índice de crecimiento mucho menor que el de las ventas "comunitarias" a la subregión. Además, las exportaciones de los países del Mercosur, especialmente de Brasil y la Argentina, a los Estados Unidos, son intensivas en manufacturas en comparación con los patrones de venta a la Unión Europea. De todos modos, América Latina en general, y el Mercosur en especial, constituyen un enorme mercado potencial en las relaciones con la Unión Europea.

Esas posibilidades se ven limitadas por el enorme, costoso e inicuo sistema de "proteccionismo" agrícola europeo que suscita, sobre todo entre los "mercosureños", especial irritación. La riqueza real y potencial de países con enormes y privilegiadas extensiones de tierras fértiles, sobre todo en el sector agropecuario, de grandes "ventajas comparativas", encuentra barreras muy altas en Europa e incluso competidores europeos en terceros mercados, por los fuertes subsidios a las producciones y exportaciones agrícolas. Porque como afirmó en declaraciones de prensa el entonces presidente Cardoso, "para mantener los intereses de un solo sector y en el intento de aislarlo de las reglas normales de competencia, fue creado el mayor aparato de proteccionismo y subsidio de que se tiene noticia".[3] La Política Agrícola Comunitaria (PAC), vigente desde el año 1960, prevé diversos mecanismos ultraproteccionistas: la compra de los excedentes de la producción, la protección frente a las importaciones de menor precio, los estímulos a las exportaciones, los apoyos directos e indirectos, las trabas burocráticas, etc. La Unión Europea destinó en 2001 40 mil millones de euros como contribución estatal, lo que representa el 35% del producto agrícola bruto. Ello supone el 44% de los gastos de la Unión. Quienes más se benefician son los agricultores europeos más prósperos (la mitad de las ayudas de la PAC se concentra en alrededor del 5%) y las grandes industrias de fertilizantes, máquinas agrícolas y otros servicios. Los *lobbies* agrícolas europeos y los temores políticos relativos a sus movilizaciones y presiones han bloqueado hasta ahora la urgencia, cada vez más evidente y necesaria, de modificar sustancialmente la política agrícola europea, con todo el complejo proceso de reconversiones que ello implica y las diversas fases de su aplicación gradual, con un proceso de diversificación productiva, orientándose hacia productos de alto valor agregado, promoviendo el cuidado del territorio y difundiendo el agroturismo, etc. La necesidad de asegurarse estratégicamente una base alimentaria propia y mantener una multifuncionalidad ecoambiental resulta un argumento falaz y endeble en tiempos de globalización, con tierras cada vez más desgastadas, agredidas y empobrecidas. Si se añaden los altos costos del proteccionismo a la industria textil y de la confección, se ha calculado que esta protección cuesta entre el 6 y el 7% del Producto Bruto Interno de la Unión Europea. De "fortalezas inexpugnables" habló el mensaje del Papa Juan Pablo II del 14 de mayo de 2002 dirigido al Congreso social de diálogo entre obispos latinoamericanos y europeos, que se reunió en Madrid precisamente a la vigilia de la Cumbre entre América Latina y la Unión Europea. La PAC es una "política multiforme", según la definición irónica del *Financial Times*: es "regresiva, desperdiciadora, nociva para la calidad de los alimentos y el ambiente, y un obstáculo para la libertad de comercio".

En el mes de junio de 2003, después de más de un año de duras negociaciones y de complejos compromisos, la Unión Europea procedió a una tibia y diluida reforma de la PAC, que entrará en vigencia en 2005 y durará hasta 2013. La reducción de las subvenciones directas a los agricultores será de 3% en 2005, 4% en 2006 y después de 5% cada año. Se procederá ahora a través de una ayuda "complementaria" para las empresas por parte de la PAC, la que podrá ser aumentada en 25% con ayuda integrada por parte de los Estados (esta ayuda podrá alcanzar el 40% en las zonas de producción tradicional del grano duro). Al menos se desvincularán las subvenciones a los agricultores de las cantidades producidas, lo que alentaba la superproducción, generando excedentes que podían ser almacenados y luego vendidos mediante exportaciones subvencionadas en competencia desleal respecto a los productos agrícolas de los países en vías desarrollo. Es un paso positivo el querer cortar el nexo entre el subsidio pagado a los granjeros europeos y su producción de alimentos, eliminando cualquier incentivo para crear excedentes de lagos de vino o montañas de manteca; en cambio, quiere vincular los pagos al cumplimiento de estándares de protección del medio ambiente y de calidad del producto. Y reducirlos gradualmente a un ritmo del 3% por año hasta el 20%. Se trata, en verdad, de sólo un tibio intento de reformar una política terriblemente onerosa para contribuyentes y consumidores, y una de las prácticas más distorsionantes del sistema multilateral de comercio. Se propone reorientar el gasto, sin eliminar la ayuda. Son reformas que no satisfacen los justos reclamos de los países en desarrollo, que difícilmente encontrarán consenso entre los países europeos, con una Francia especialmente recalcitrante, y que tendrán que enfrentar la incorporación de nuevos países, con vastas áreas agrícolas, en la Unión Europea. En la discusión del presupuesto 2007-2013 de la Unión Europea, que se ha empantanado en un bloqueo crítico, tiene razón el primer ministro inglés Blair cuando afirma que la Unión no puede permitirse un presupuesto que continúa a versar a la agricultura un monto siete veces superior a lo destinado a la investigación y desarrollo, a la ciencia y tecnología, a la formación e innovación.

Es cierto que aquí se juega un difícil equilibrio triangular: los europeos no pueden competir con la productividad agrícola de las dos Américas, de igual modo que los estadounidenses no pueden competir con algunas producciones agrícolas latinoamericanas. La cuestión agrícola entra de lleno, pues, en el paquete de tensiones comerciales más vastas que se debaten en el ámbito multilateral de la Organización Mundial de Comercio. Está claro, en todo caso, que en 1997 los países de la Organización para la Coooperación y el Desarrollo Económico (OCDE) otorgaron subsidios a los productores equivalentes a 151 mil millones de dólares, que representan, nada menos, que el 34% del valor de la producción agropecuaria; o sea, los productores agrícolas de la OCDE recibieron un incremento en sus precios de más del 50% respecto de los valores internacionales. De tal modo, el proteccionismo del "club de los ricos" afecta a centenares de millones de hombres que viven de la agricultura en los países subdesarrollados, muchas veces en condiciones de extrema pobreza.

La política agrícola europea constituye un grave obstáculo que muestra las dificultades de una política europea de amplio respiro, quita credibilidad a la Unión Europea en sus relaciones con los países en desarrollo y bloquea las negociaciones en sede de la OMC/WTO. En efecto, en Doha la Unión Europea quedó sola y aislada en la batalla por los subsidios a la agricultura. Los "Quince" estaban dispuestos a negociar una reducción gradual en tiempos y modos, pero el resto del mundo ha insistido sobre la eliminación total de los subsidios, aunque progresivamente, señalando que las ingentes ayudas a las exportaciones "verdes", las barreras comerciales y las ventas en "dumping" de los excedentes europeos de alimentos mantienen cerrados los mercados de la Unión a la mayor parte de los países subdesarrollados y emergentes. En la Cumbre de Cancún, la propuesta conjunta de la Unión Europea y de los Estados Unidos fue considerada muy insuficiente. Después de varias maniobras y contramaniobras, primero R. Zoellick (EE.UU.), en enero de 2004, y después Lamy y Fischer (entonces comisarios UE), en mayo de 2004, intentaron reanimar las moribundas negociaciones multilaterales de liberalización del comercio, proponiendo disminuir considerablemente los impuestos sobre varios "productos sensibles" para la agricultura en los países en desarrollo (del azúcar a la carne bovina) y cortar hasta el 70% de los propios subsidios a la producción y exportación. Naturalmente piden también algunas contrapartidas en forma de menores barreras tarifarias de los países en desarrollo sobre la propia importación de manufacturas, que son cinco o seis veces mayores que los impuestos análogos de Europa y los Estados Unidos. En realidad, estas tarifas son impuestas en el marco de grandes desigualdades de desarrollo para evitar competencias ruinosas por parte de los superindustrializados, sin hipotecar el propio desarrollo industrial y tecnológico y sin permanecer condenados a un comercio desigual.

Mientras tanto, prosigue la larga espera de actuación del importante y promisorio Acuerdo Marco Interregional de Cooperación Comercial y Económica firmado el 15 de diciembre de 1995 por las autoridades del Mercosur y de la Unión Europea. Se trata de un acuerdo de dos bloques (uniones aduaneras) que se comprometen a una liberalización progresiva y recíproca de los intercambios con vistas a la configuración de una gran área común de libre comercio, promoviendo las inversiones e incorporando un nivel de cooperación política e institucional. Fue un signo prometedor de revalorización de la región por parte de la Unión Europea. Fue también un significativo reconocimiento internacional para el Mercosur y una posibilidad de mayor equilibrio en relación con la perspectiva del ALCA y la mayor influencia de los Estados Unidos.

El Mercosur es un mercado emergente, al cual le resulta fundamental que los megamercados mundiales estén todos ellos interesados en él y en sus proyecciones. Malo sería que se quedara sólo en manos de los europeos, como sucedió en el siglo XIX, o en las de los Estados Unidos, como en el siglo XX. Hay que saber jugar todas las cartas. La actual dirigencia europea parece comenzar a darse cuenta de que América Latina es tan importante para Europa como la misma Europa para América Latina. Pero todavía hay bastante miopía al respecto. América Latina interesa económicamente a Europa, porque ésta no tiene otras posibilidades de contar con un mercado potencial de tales dimensiones y que, no obstante sus vaivenes, posee grandes posibilidades de crecimiento; y no se ha de olvidar que dicho mercado es "hijo" de la expansión europea, vinculado con raíces y afinidades históricas y culturales. América Latina necesita, a su vez, una intensa relación con la Unión Europea como interlocutor que apoye decididamente ese proceso de integración y se haga presente más intensamente en dicho mercado en expansión. A América Latina le interesa, en fin, un modelo de desarrollo económico con fuerte dimensión social, según el tipo de la economía social de mercado, o sea, un modelo europeo-continental culturalmente más cercano a América Latina y más adecuado para enfrentar los grandes problemas de justicia que se le plantean.

Para los latinoamericanos, sin embargo, Europa reserva

aún muchas incógnitas. Durante décadas en el mundo bipolar sufrió una tajante división. Europa occidental no estuvo ni entre los "señores" ni entre los "esclavos", sino en una situación de mayordomía opulenta y dependiente de los Estados Unidos mientras que Europa oriental quedaba bajo total dominio soviético. El proceso de su conformación como Unión Europea ha sido fundamental, pero la nueva situación mundial de "posYalta" requiere, de su parte, un protagonismo esclarecido que está tardando en emerger. Europa aparece vieja y cansada, sea de un punto de vista demográfico como económico, político y cultural. La "Agenda de Lisboa" para retomar una política económica y social todavía no demostró mayores resultados. Aún no cuenta con una auténtica política exterior. Su impotencia ante las tragedias de los Balcanes está a la vista de todos; aparece también dividida ante la guerra en Irak. La lealtad de la alianza con los Estados Unidos, potencia global y amiga, con la que comparte sustancialmente una tradición cultural y una afinidad político-institucional y económica, no la exime de revisar y replantear más a fondo su presencia y papel en la configuración de un nuevo orden mundial, aún en ciernes, surcado por grandes dosis de indeterminación.

Zbigniew Brzezinski, ferviente partidario de una fuerte alianza de los Estados Unidos con la Unión Europea, no deja de plantear un juicio sintético bastante crudo e interpelante: "Europa occidental es ya un mercado común, pero está lejos de ser una entidad política (...) continúa sustancialmente siendo un protectorado norteamericano, con aliados que recuerdan vagamente a los vasallos y tributarios de un tiempo (...). Pero lo peor es la progresiva pérdida de vitalidad de Europa (...). Ni siquiera está claro que la mayoría de los europeos augure a Europa llegar a ser una gran potencia y estén dispuestos a hacer lo que es necesario para que ello acaezca. También en lo que queda del antiamericanismo europeo, por otra parte en declive, se advierte algo cínico: los europeos condenan la hegemonía norteamericana pero se sienten resguardados bajo esta sombrilla". Para él, los tres motivos principales que, en su tiempo, dieron impulso a la unificación europea —el recuerdo de dos guerras ruinosas, la aspiración a una recuperación y reconstrucción económicas y la inseguridad generada por la amenaza soviética— ya no funcionan. Lo que ha sostenido en medida creciente la causa europea ha sido el activismo burocrático generado por la gran máquina institucional creada por la Comunidad Europea y heredada por la UE, que ha asumido su lugar. La idea de la unidad "goza todavía de consenso popular considerable, pero tiende a languidecer, está desprovista de pasión y del sentido de misión".[4] Ello no está exento de relación, dirá luego el mismo autor, con el proceso muy intenso y capilar de descristianización en Europa y con el pantano cultural en que se encuentra.

En verdad, no es muy diferente el juicio de no pocos observadores europeos. "No obstante el diluvio de siglas y organizaciones de la Unión Europea al Consejo de Europa, de la Organización para la Seguridad y la Cooperación en Europa a la Unión de Europa occidental —afirma Lucio Caracciolo—, no existe un sujeto de la política internacional llamado Europa."[5] Es conocida, por otra parte, la rotunda afirmación de un ministro europeo de que Europa es "un gigante económico, un enano político y un gusano militar". Es cierto que se ha ido superando el "europesimismo" de comienzos de la década de 1990. La afirmación de la moneda única ha sido un logro histórico considerable, aunque con rigideces y confusiones en su aplicación. La incorporación de los nuevos países miembros de Europa centrooriental es asunto de gran importancia y perspectiva, pero requiere una fase transitoria compleja de reglas y reajustes, y también de fuerzas articulantes y propulsoras a través de cooperaciones reforzadas en una Europa a diversas velocidades, para no caer en parálisis y suscitar nuevas tensiones. Sin embargo, todos los límites de la superburocracia de la Unión, y los rechazos que provoca, salen nuevamente a la luz. Hubo que congelar una "constitución" elaborada y promovida sin una real participación y consulta populares. Sobre todo, el proyecto europeo parece condicionado por el vacío de alma y cultura que ha ido corroyendo las fibras de Europa como prospectiva política real. Por eso, "exactamente en esta era de su máximo éxito —escribía el entonces cardenal J. Ratzinger—, Europa parece que se volvió vacía por dentro, paralizada en cierto sentido por una crisis de su sistema circulatorio, una crisis que pone a riesgo su vida (...). A este desfallecimiento interior de las fuerzas espirituales corresponde el hecho de que también étnicamente Europa parece en vías de extinción".[7] Su tendencia autodestructiva de raíces, fundamentos y tradiciones de la propia identidad, su dificultad de proyectarse en una estrategia de conjunto y su suicidio demográfico advienen de manera contemporánea a las continuas e intensas migraciones y al incremento significativo de la presencia islámica en tierras europeas.

El proceso complicado de construcción y trabazón de la Unión Europea, las resistencias que encuentra, las exigentes negociaciones y contribuciones que se le plantean con la prevista incorporación de los países europeos centroorientales, la vecindad y responsabilidad ineludible con el polvorín de los Balcanes siempre pronto a explotar, las fronteras mediterráneas con el Oriente Medio y el Magreb en los que se acumulan fuertes presiones migratorias, la alianza con los Estados Unidos en su lucha contra el terrorismo, son los principales factores que desplazan a América Latina de las preocupaciones mayores de los países europeos. Para los latinoamericanos no es tan útil saber en qué orden se encuentran en la lista de prioridades, sino cuál es la relevancia efectiva que tienen para los europeos.

Si Europa se decide a desempeñar un papel global, como corresponde a un gran espacio continental y de megamercado que extiende sus fronteras hasta las de la Federación Rusa, y puede apuntar a constituirse desde el Atlántico hasta los Urales, con tradicional vocación universal, no puede desentenderse de América Latina, o reconocerla sólo como zona de reserva, influencia y control estadounidense, aceptando en ella una presencia más o menos subsidiaria. Es a lo que apuntan las recientes observaciones críticas de Alain Touraine, cuando señala que "Europa no puede replegarse sobre sí misma", sino que tiene que jugar "en grande". No puede conformarse con la consolidación del euro. "No tiene futuro si se limita a trabajar por la integración, o a la sumo por la ampliación a los países del Este (...). Europa, para tener un futuro, tiene que redescubrir su capacidad de relacionarse con el resto del mundo", con un dinamismo propio. "Europa tendrá que hacerse cargo del Mediterráneo, de Israel a Marruecos —concluye el pensador francés—. Y luego de América Latina, que si no terminará dentro de tres o cuatro años en los brazos de América del Norte."[8] La fuerza de las cosas la llevará a entrar en una redefinición más decidida de la alianza efectiva con los Estados Unidos, en cuanto potencia aliada y amiga, sea en el nivel del conjunto multidimensional de las relaciones bilaterales, sea en cuanto a los desafíos y responsabilidades compartidos en el liderazgo mundial.[9] Pero, a la vez, se irán distinguiendo y confrontando estrategias diversificadas en la competencia mundial. En ese cuadro, el anudamiento de relaciones más intensas con los países latinoamericanos, privilegiando al Mercosur como interlocutor, es cuestión fundamental, de mutuo interés.

En años recientes, signo efectivo de ello ha sido la sucesión de visitas de jefes de Estado y de gobierno europeos, sobre todo de Alemania, Francia, Italia y España, a los países latinoamericanos, con preferencia a la Argentina y Brasil. La visita del presidente Jacques Chirac a Brasil, en marzo de 1997, fue particularmente importante porque repetidas veces elogió el ritmo de integración "mercosureño", indicó a la Unión Europea como interlocutor privilegiado y planteó la iniciativa de una Cumbre de Jefes de Estado y de Gobierno de la Unión Europea y de los países latinoamericanos. Ésta tuvo lugar el 28 y el 29 de junio de 1999 en Río de Janeiro. Los compromisos que entonces se asumieron han intensificado las relaciones recíprocas.

Desde noviembre de 1999 hasta hoy se han sucedido numerosas rondas de negociaciones entre la Unión Europea y el Mercosur. En la Cumbre de Madrid, que siguió a aquella de Río, que tuvo lugar en el mes de mayo de 2002, se sentaron las bases para una mayor cooperación en la lucha contra el terrorismo y el narcotráfico y se reafirmó la importancia de incrementar los recíprocos vínculos comerciales y culturales. Sin embargo, la distancia entre las buenas intenciones y los actos concretos continúa siendo grande. El único anuncio concreto fue entonces el acuerdo de asociación política, económica y de cooperación de la Unión Europea con Chile, liberando el 90% de sus intercambios recíprocos. Los importantes acuerdos con Chile y con México pueden ser considerados primeros pasos hacia el acuerdo con el Mercosur y con el resto de América Latina. Sin embargo, ha de tenerse en cuenta que en dichos acuerdos de liberalización comercial las pocas excepciones se refieren precisamente a productos agrícolas, sin enfrentar tampoco el tema de eliminación de los subsidios (lo mismo sucede con el acuerdo chileno-estadounidense, que no enfrenta tampoco lo que respecta a las medidas "antidumping" de protección del mercado norteamericano).

La rigidez del proteccionismo agrícola europeo suscita aún

mayor preocupación latinoamericana ante el ingreso de otros ocho países en la Unión, hecho legítimo y significativo, pero que aumenta el 40% de la superficie agrícola de la Unión, con la entrada de otros cien millones de consumidores, la obligación de aumentar su presupuesto para favorecer el desarrollo de sus áreas más atrasadas y conceder preferencias comerciales a los países que comercian con los de Europa oriental. Estos nuevos miembros de la Unión Europea pueden ahora beneficiarse del sistema de subsidios. Sin embargo, la ampliación de la Unión desde el 1º de mayo de 2004 representa también una oportunidad para América Latina, pues amplía el mercado y la demanda europeos, y porque, en general, los nuevos miembros exportan poco en materia agrícola o sus productos no compiten con los de Brasil y el Mercosur.[10]

Las negociaciones del ALCA y las de configuración de una zona de libre comercio y de cooperación entre la Unión Europea y el Mercosur, ambas provisoriamente en situación de *impasse*[11] y apenas retomándose, estarán en el futuro próximo en una previsión paralela de tiempos efectivos de realización, cuyos resultados tendrán una importancia decisiva. Caminarán paralelamente con las negociaciones multilaterales en el ámbito de la Organización Mundial de Comercio, de las que se esperan resoluciones importantes en 2006, y que serán las que dictarán en buena medida el ritmo de aquéllas y sus eventuales perspectivas. Mientras tanto, sucesivas fallas de la OMC han dado razón a los países reclamantes (entre ellos, varios latinoamericanos) contra los subsidios y barreras de la Unión Europea en el comercio del azúcar, de la banana y del pollo salado y congelado.

Latinoamérica, Iberoamérica

El destino de América Latina no puede pensarse ni proyectarse al margen de España y Portugal. Mucho más respecto de España, en tanto que España es un centro importante para Iberoamérica en su conjunto mientras Portugal se ha convertido en pequeño y marginal fragmento respecto del gigante Brasil. Hispania está en el origen, en la formación histórica, en el sustrato cultural y lingüístico,[12] en la tradición católica de los pueblos iberoamericanos; son raíces permanentes, vínculos que quedan para siempre. Por otra parte, tres siglos de dominación española y portuguesa en América no han dejado sentimientos anticolonialistas, ni antiespañoles ni antiportugueses. Es comprensible que los haya habido durante las guerras de emancipación —aunque muchos autores destacan que fueron sobre todo guerras civiles americanas— y en las primeras décadas de las repúblicas independientes, especialmente entre las elites políticas e intelectuales, ubicadas ya dentro de la órbita del imperio inglés, ante la postración de España y Portugal.

Estas cicatrices, sin embargo, no tardaron en cerrarse. Primero fue la inmigración masiva de españoles y portugueses a tierras americanas, desde la segunda mitad del siglo XIX. Después, fue la interrelación de elites intelectuales mediante la "Unión Latinoamericana" y la "Unión Iberoamericana" —que tendieron a fundirse— en torno a las celebraciones del cuarto centenario del descubrimiento de América. Ello se intensificó por el "redescubrimiento" de España, y, por eso, de las propias raíces y cultura, por parte de la generación latinoamericana de fines del siglo XIX, unida por lazos de amistad con exponentes de la "generación del 98" en España, que, a su vez, redescubría América. Miguel de Unamuno retomaba la conciencia y el destino de la "civilización ibérica", presente también en grandes portugueses como Camões y Oliveira Martins, incluyendo y prestando singular atención a los pueblos iberoamericanos. En su "Oda a Washington", Rubén Darío cantaba a los pueblos que son "sangre de Hispania fecunda", que "aún creen en Jesucristo y hablan en español". Más allá de las retóricas de la hispanidad, la tragedia de la Guerra Civil Española arrojó a las tierras de América Latina, sobre todo a Ciudad de México y Buenos Aires, una gran parte de la *intelligentsia* española, la cual tuvo muy fuertes y variados influjos culturales. El influjo más importante fue el de José Ortega y Gasset. Las editoriales peninsulares, en fin, se mostraron cada vez más decisivas desde entonces para una "información" de América Latina a la altura de los tiempos. Sin ellas no se hubiera dado tampoco el auge de la novelística latinoamericana a partir de los años sesenta.[13] Sin esta información, se tendría menos conciencia del Concilio Vaticano II en América Latina.

Hoy, sobre todo, es importante advertir que España vuelve a hacerse presente con un peso singular en la historia latinoamericana. La democratización en la península ibérica la colocó en óptimas condiciones para acompañar el proceso de democratización de América Latina. Su fuerte industrialización y crecimiento económico en las últimas décadas, así como su incorporación a la Comunidad Europea, han reavivado su interés por América Latina y favorecido sus posibilidades de manifestarlo concretamente. "Pese a nuestra incierta y a veces aberrante política decimonónica, oscilante entre el desinterés, la incomprensión y el intervencionismo, pese a nuestra actitud declamativa y retórica que llevó a la frecuente enunciación de grandilocuentes propósitos, sin ulteriores consecuencias; pese, en fin, a una acción persistentemente equívoca, errática, excesiva en la promesa e insuficiente en los medios —así recapitulaba Marcelino Oreja, en 1984—, a la hora de querer abordar en serio una cooperación eficaz, España sigue contando en aquel Continente con unas facilidades de entendimiento, unas posibilidades de participación y un potencial e ingente desafío, sin parangón con ningún otro escenario."[14] Esa perspectiva ha tomado cuerpo en la actualidad, manifestada por frecuentes viajes del rey Juan Carlos y de los jefes de gobierno español a los diversos países latinoamericanos. Gracias a Dios, ya no cabe repetir lo que escribía Gregorio Marañón: "América no es para los españoles un conocimiento, sino una emoción".

Las inversiones directas provenientes de España en América Latina adquirieron mayor volumen desde su incorporación a la Unión Europea, en 1986, y se intensificaron aún más entre los años 1996 y 2000. En 1997 alcanzaban ya 6.321 millones de dólares, caracterizadas por una expansión de las actividades financieras, un gran incremento en petróleo y telecomunicaciones, un auge en la energía eléctrica, mientras se veía reducida en la industria manufacturera.[15] Dichas inversiones han consistido, sobre todo, en la compra o ampliación de capital de sociedades ya existentes por parte de un reducido número de empresas españolas oligopólicas o estatales. Se participó activamente en las "privatizaciones". En algunos casos, se pretendió obtener excesivamente de dichas transacciones, sin tener presente las posibilidades derivadas de ser potencia media: la compra y gestión de Aerolíneas Argentinas y VIASA (aerolíneas venezolanas) terminaron en sendos fracasos. Ha habido, aquí y allá, avidez de recién llegados, en búsqueda de excesivas ganancias.

Grandes bancos españoles —el Bilbao Vizcaya, el Santander-Central Hispano— tienen actualmente una presencia relevante en los sistemas bancarios de los diversos países latinoamericanos, en cuanto bancos comerciales muy extendidos, que actúan también como bancos de inversión, de seguros, de participación en la administración de fondos de pensiones, y en el apoyo de otros inversores españoles en telecomunicaciones y energía. Bancos y empresas privatizadas sufrieron fuertes contragolpes con la crisis de la Argentina. Esta situación crítica llevó a la disminución en 2002 y los primeros meses de 2003 de las exportaciones e inversiones españolas en la Argentina. También disminuyeron en Brasil por causa de temores, que se demostraron infundados, respecto de la nueva presidencia de Lula, si bien España continuó ocupando el segundo lugar en las inversiones extranjeras directas en Brasil, después de los Estados Unidos. Las recientes y sucesivas visitas de los presidentes Lula y Kirchner en España encontraron óptima acogida a niveles políticos y empresariales. Ya las inversiones y exportaciones españolas han adquirido fuerte ritmo de incremento, mientras que no faltan tampoco crecientes inversiones portuguesas en Brasil.

Otros dos campos de iniciativa española son de especial significación para América Latina. El primero es el de cierta defensa de los intereses latinoamericanos en el ámbito de la Unión Europea. Está claro que la vocación española es primariamente europea. Por su geografía e historia, por su cultura e intereses, España está en Europa. Lo más determinante de su presencia en el mundo pasa por su condición de miembro de la Unión Europea. ¿Pero de qué europeísmo se trata? Su contribución singular para el enriquecimiento de la construcción europea no debe dejar de lado la realidad de su dimensión plural y transnacional, abierta por dentro y por fuera.[16] En esa perspectiva, España tiene no sólo que reiterar su prioridad efectiva por América Latina, sino también comprometerse eficazmente en la aceleración de la formación digna y equitativa de la zona de libre comercio acordada por el Mercosur y la Unión Europea. También tiene que comprometerse seriamente en abogar por una profunda reforma de la política agrícola europea. Eso sí, sin pretender "representar" oficiosamente ni al Mercosur, ni a los países de América Latina, que saben hacerlo por sí mismos.

Otra iniciativa importante es la de las Cumbres Iberoamericanas, las que, a partir de 1991, por convocación primero de España y México, reúnen anualmente a los jefes de Estado y de gobierno de todos los países latinoamericanaos, incluida Cuba por cierto, con los de España y Portugal. Al tener muy limitada institucionalización, operatividad y proyección, ha habido razonables dudas sobre su eficacia. No se trata de un nuevo organismo internacional ni de un proyecto de integración. La persistencia y perseverancia de sus reuniones indican, sin embargo, que son consideradas de utilidad. Las cumbres sirven como foro de encuentro y concertación política entre países que reconocen una base cultural que los mancomuna con vínculos de especial solidaridad. Ellas han promovido también algunos programas culturales y de cooperación que son positivos. No es a través de las Cumbres Iberoamericanas, sin embargo, que América Latina apuesta por su futuro. Importa mucho más el desarrollo del Mercosur, la ampliación hacia una zona de libre comercio sudamericana, las negociaciones por el ALCA y con la Unión Europea. De todos modos, las cumbres ofrecen beneficios recíprocos a sus participantes de un lado y otro del océano, sea en sus mutuas relaciones, sea para un mayor peso de España y Portugal en el ámbito de la Unión Europea, sea para una más amplia flexibilización de las relaciones multilaterales de América Latina.[17] En todo caso, es bueno que se haya decidido revisar seriamente y refundar esta experiencia de encuentros y concertaciones para tratar de aumentar su envergadura y eficacia.

Es paradójico que la división peninsular entre Castilla y Portugal haya dado lugar a la separación entre Brasil e Hispanoamérica en el "Nuevo Mundo", y que 500 años después el Mercosur, desde Iberoamérica, haya restablecido más fuertemente esos vínculos de pueblos hermanos. No hay que olvidar que el cenit del Imperio hispánico se dio entre 1580 y 1640, cuando la alianza dinástica de Castilla y Portugal hizo que tres reyes de la dinastía de los Habsburgo ciñeran, al mismo tiempo, las coronas de Castilla y Portugal. La posterior bifurcación de sus caminos acompaña su evolución como potencias subalternas, en distintos grados y formas. No es casualidad que, desde 1640 hasta 1870, fin de la guerra de la "Triple Alianza", la Cuenca del Plata haya sido un ámbito fronterizo conflictivo. Después se instala un statu quo rioplatense, a partir de la indiferencia e incomunicación entre la Argentina y Brasil. Hoy, la alianza del Mercosur —cuyo corazón es la alianza argentino-brasileña— y la perspectiva de la Confederación Sudamericana (con sus dos rostros, hispanoamericano y lusoamericano) dejan atrás rivalidades y recelos para construir, a la altura de nuestro tiempo, un destino común de pueblos hermanos. "La Hispania del origen, ahora se recrea y moderniza en nuestra tierra mestiza americana, abierta a todos los entendimientos de la ecúmene mundial."[18]

Mirando a África

"África... parece tan lejana, tan 'otra cosa', tan fuera de nuestras preocupaciones, quehaceres y proyectos (...). Se nos ha acostumbrado a aislarnos (...), barreras levantadas nos han mantenido sin conexión, sin importarnos mutuamente, porque nos ignoramos como si de ello nada resultase, ni positivo ni negativo."[19] Así escribía yo en años juveniles, en 1969, en un extenso *dossier* para la revista latinoamericana *Víspera*. Hoy día, ¿acaso interesa Africa sumida en desolante marginación de los dinamismos y escenarios de la globalización, dejada de lado en condiciones de miseria y violencia?

Los pueblos americanos y africanos están vinculados desde sus orígenes en tiempos del comienzo de la expansión universal de Europa. Hacia fines del siglo XV y las primeras décadas del XVI, los portugueses iniciaron el largo periplo de navegación del litoral atlántico de África, doblando el Cabo de Buena Esperanza y llegando por el Índico a las tierras del Asia meridional y oriental, esquivando así el control árabe-musulmán de los enclaves del Medio Oriente. Esta aventura marítima fue estímulo y base de lanzamiento hacia la navegación atlántica y el "descubrimiento" de las Indias occidentales.

Los pueblos americanos y africanos están también unidos por vínculos de sangre. El horrible tráfico de esclavos, practicado anteriormente por árabes, se desarrolló como empresa sumamente lucrativa de potencias europeas durante tres siglos. Introdujo alrededor de 4 millones de negros de diversos pueblos africanos en Brasil y tres millones en las colonias hispanoamericanas, aunque estas cifras sean sólo aproximativas y no incluyan a los varios millones que llegaron a las colonias inglesas del Norte y a las posesiones inglesas, holandesas y francesas de las Antillas y las Guayanas, ni tampoco al alto porcentaje de muertos durante la travesía atlántica. De tal modo se respondió a la escasez de mano de obra del Nuevo Mundo, sobre todo en las áreas tropicales de las grandes plantaciones de azúcar, cacao, algodón, tabaco y café, con fuerte presencia negro-africana en todo el gran litoral brasileño, en las Antillas mayores y en el litoral venezolano, colombiano y ecuatoriano. Menor fue esa presencia en los demás países hispanoamericanos. Los africanos violentamente desarraigados y trasplantados se incorporaron al mestizaje de los nuevos pueblos americanos como componente étnico-cultural sometido a condiciones de marginación.

Es bueno recordar también la ayuda determinante que Pétion, presidente de Haití, la isla de esclavos liberados y primer territorio independizado del dominio colonial en el Nuevo Mundo, prestó a Simón Bolívar, entonces exiliado en la isla de Jamaica, para recomenzar la gesta libertadora en el continente. Bolívar incorporó a sus filas a batallones de negros y decretó la libertad de los esclavos y la abolición de la esclavitud de los territorios liberados del poder español (la esclavitud como institución persistió en Brasil hasta finales del siglo XIX).

Existen actualmente hechos nuevos que marcan una dirección por recorrer en la perspectiva de las relaciones entre América Latina y África, por más que se trate de influencias marginales en los destinos de ambas. Los países miembros del Mercosur y numerosos países africanos de la costa occidental comparten el extenso ámbito del Atlántico Sur. Brasil se ha interesado por cultivar relaciones con las ex colonias portuguesas de Angola y Mozambique, aunque las situaciones de guerra interna padecidas por estos países han limitado los contactos y posibilidades. El presidente de Angola fue invitado a participar a la Cumbre del Mercosur en Montevideo, hacia fines de 2003, dado que se están intensificando las relaciones comerciales entre Angola y los países sudamericanos del Atlántico. Más importante es la emergencia de Sudáfrica como potencia regional.

Las disparidades económicas entre Sudáfrica y sus socios miembros de la Unión Aduanera Sudafricana y de la Comunidad de Desarrollo del Sur de África son tan grandes que éstos no pueden proporcionar a Sudáfrica mercados crecientes y sofisticados, ni suministrarle ninguna importación realmente importante (excepto petróleo de Angola). Sudáfrica es actualmente una gran potencia en el continente africano. Desde el año 2002 se ha convertido en el primer país inversor en este continente y sus exportaciones a todo el África pasaron en los últimos diez años de 4% a 20%. Las exportaciones sudafricanas a los Estados Unidos han ido creciendo considerablemente. En esa perspectiva, Sudáfrica se ha propuesto diversificar las relaciones comerciales, negociando en especial acuerdos de libre comercio con el Mercosur y la India. Brasil ha liderado, por parte del Mercosur, ese proceso de negociación. En 1998 el entonces presidente Mandela se convitió en el primer jefe de Estado extranjero en una cumbre del Mercosur. Durante otra cumbre del Mercosur, en Florianópolis (Brasil), este bloque firmó con Sudáfrica, representada por su presidente Tabo Mbeki, el 15 de setiembre de 2000, el acuerdo que establece los parámetros de un tratado de libre comercio entre las dos partes. El presidente Mbeki destacó en esa ocasión que "para tener éxito hay que involucrar nuestra gente, ayudándola a comprender el propósito a largo alcance de nuestras acciones", encontrando también la "formas innovadoras para incrementar los contactos en los campos de los negocios, la educación y la cultura". Se espera concluir las negociaciones de reducciones de aranceles aduaneros para una lista de 500 productos en el correr de 2005. Este acuerdo ha englobado también a los países de la Unión Aduanera Sudafricana (SACU, en inglés). El comercio entre las partes podría multiplicarse por tres en los próximos años. Vuelos y otros intercambios comerciales se han establecido, ya desde hace años, sobre todo entre Brasil y la Argentina con Sudáfrica. Sudáfrica mantiene también buenas relaciones con Cuba, que le presta servicios importantes de entrenamiento médico y de medicina rural.

Precisamente en Florianópolis, el presidente Cardoso comentó que el acuerdo marco con Sudáfrica era un primer paso en el proyecto de crear una zona de libre comercio en el Atlántico Sur. La alianza argentino-brasileña, manifestada también por maniobras navales conjuntas, se proyecta en este espacio estratégico, mira también hacia la Antártida —y la solución de la controversia austral entre Chile y la Argentina es también muy importante en ese sentido— y presta especial atención a las grandes reservas petrolíferas, pesqueras y de muchas otras riquezas naturales. Queda allí el cuño anacrónico, reminiscencia de viejo imperialismo, de la presencia inglesa en las islas Malvinas.

Recientemente, el viaje del presidente Luiz Inácio da Silva a Nigeria y otros países de África central ha suscitado las primeras manifestaciones de interés y apoyo a una futura cumbre entre África y América Latina.

Mirando a Asia

También interesa a América Latina su relación con los importantísimos mercados asiáticos, si bien la distancia geográfica y cultural y los tenues hilos de comunicación durante siglos la mantuvieron en un nivel inferior y bastante marginal.

Japón es actor importante para América Latina.[20] Para algunos de sus países llega a ser el segundo socio comercial, después de los Estados Unidos. Mantiene, sobre todo, fuertes relaciones con Brasil, donde existe una pequeña parte de su población, ya bien integrada y "mestizada", de origen japonés. Son también significativos sus lazos comerciales, de grados diversos, con México, Argentina, Perú, Bolivia, Paraguay y Panamá. Los bancos japoneses han figurado entre los mayores sostenedores de la deuda latinoamericana e inspiradores de modalidades de reestructuración (el "plan Brady", por ejemplo). Japón contribuye de modo importante a los fondos multilaterales referidos a América Latina, uniéndose, por lo general, a la iniciativa norteamericana. No faltan empresas japonesas instaladas en países latinoamericanos, asociadas con empresas locales, sobre todo en sectores productivos estratégicos como las telecomunicaciones y la energía. Sin embargo, Japón privilegia en especial una política preferentemente comercial, de apoyo a las propias exportaciones. Éstas incluyen una alta proporción de bienes de consumo (automotores, motos, audio y video...) y de equipos informáticos y de telecomunicaciones. La prioridad estratégica de sus relaciones asiáticas y norteamericanas, la ausencia de una "apuesta" por América Latina y la crisis bancaria y recesión que ha sufrido en los últimos años han hecho que sus relaciones económicas con América Latina se hayan ido estancando. La creciente importación japonesa de productos industriales ha sido prácticamente aprovechada por la irrupción de los mercados de Asia oriental.

En pleno auge de tigres y dragones, los países latinoamericanos del Pacífico, sobre todo Chile y Brasil, desarrollaron una intensa política de intercambios comerciales con sus vecinos del otro lado del enorme foso oceánico. La crisis de las bolsas y los mercados asiáticos tuvo efecto perjudicial, pero quedó establecida una corriente que crecerá ciertamente en el futuro. Corea del Sur y Taiwán han invertido capitales, especialmente en Brasil, México y Chile, en contacto en algunos casos con colonias nacionales de antigua inmigración, para la instalación de empresas industriales de mayor o menor *input* tecnológico. Una red de "maquilas" de origen asiático se ha instalado en diversos países centroamericanos y en México, para el ensamblaje final de artículos cuyos componentes manufacturados son, por lo general, producidos en otras partes y cuyo destino de exportación es preferencialmente los Estados Unidos. Además, los corredores bioceánicos facilitarán la salida de los productos de la América meridional al Pacífico. En este sentido, los países latinoamericanos con litoral en el Océano Pacífico participan en el foro de Cooperación Económica de Asia y del Pacífico (APEC, en inglés), apto para anudar contactos e intensificar intercambios. El acuerdo de liberalización comercial firmado por Chile y Corea del Sur, ya en vigencia desde febrero de 2004, es la primera asociación comercial trans-Pacífico y puente institucional de comercio e inversiones entre un país latinoamericano y uno asiático.[21]

Las relaciones de América Latina con China han adquirido en estos últimos años fuerte crecimiento, después que por siglos fueron casi inexistentes. Hubo contingentes de inmigrantes chinos que, desde fines del siglo XIX, en condiciones muy difíciles, se radicaron en algunos países latinoamericanos, como Panamá, Cuba, Perú, y actualmente están bien incorporados y "mezclados" en la vida de esos países. Después de muchas décadas de escasas comunicaciones, estas relaciones crecieron durante los años noventa; se inauguraron con el viaje del presidente chino Yang Shangkun a cinco países latinoamericanos y han visto un número creciente de líderes latinoamericanos de visita en China.[22]

El comercio de América Latina con China tuvo un crecimiento espectacular en 2003. Las exportaciones de la región para el mercado chino se incrementaron ese año en 72,1%, hasta alcanzar 10.870 millones de dólares. En 2003 las ventas de la Argentina a China aumentaron 143,4%, las de Brasil 79,9%, las de Chile 54,5%. El Mercosur aumentó sus exportaciones al mercado chino el 96,5%. China se convirtió en el segundo país de destino de las exportaciones brasileñas (entre enero y noviembre de 2004 las exportaciones brasileñas a China ascendieron a 11.300 millones de dólares, con un incremento del 56,2% respecto del mismo período del año anterior) y en el primero de los productos agrícolas argentinos, gracias a la soja. Brasil se ha convertido en el principal socio comercial de China, seguido por México, Chile, la Argentina y Panamá.[23] Además, más de 50 mil millones de dólares se volcarán en los países latinoamericanos en los próximos años por parte de China, como inversiones directas en los más diversos rubros de la producción primaria, industrial y energética, según las promesas del actual presidente de China, Hu Jintao, en su reciente visita a Brasil, Argentina, Chile y Cuba. Las grandes empresas chinas ya están comprando de todo en América Latina: petróleo de Venezuela, aluminio de Bolivia, cobre de Chile, hierro, bauxita, manganeso, madera y, sobre todo, muchísima soja. Recientemente se ha abierto el mercado chino a la exportación de carne bovina de la Argentina.[24]

No obstante todo ello, los efectos de esta intensificación de intercambios con China son diferentes para México, América Central y el Caribe, pues tuvieron que enfrentar el crecimiento agresivo de exportaciones chinas de bienes provenientes de su industria ligera (textiles, confecciones, calzados, juguetes, electrodomésticos, etc.) sea en el propio mercado interno, sea en el gran mercado del Norte. Si los países latinoamericanos no incorporan a sus ofertas de exportación productos con mayor grado de elaboración, encontrarán gradualmente una competencia creciente por parte de China. En efecto, la expansión comercial china en los Estados Unidos está desplazando, sobre todo en manufacturas ligeras, a la producción de maquiladoras mexicanas y centroamericanas. Por eso mismo, la obtención del reconocimiento de la economía china como "economía de mercado" por parte de los gobiernos de Brasil y la Argentina —y, por eso mismo, protegida ante las acciones "antidumping"— inquietó bastante a sectores industriales de ambos países.

De cualquier modo, hay grandes posibilidades en un intercambio interregional que podría beneficiar mucho a todos sus participantes. Se ha señalado que las economías de China y América Latina son, en cierta medida, complementarias. Las principales exportaciones de China a estos países incluyen textiles y confección, productos industriales ligeros, productos químicos, petróleo, maquinarias y equipos. Sus principales importaciones de América Latina son materias primas, como mineral de hierro, productos de cobre, nitroquilita, trigo, lana, azúcar, pulpa de papel, urea, harinas de pescado, fertilizantes y fibras químicas, que en su mayor parte no están disponibles entre sus socios del Sudeste asiático. Especialmente significativa es la cooperación científica y tecnológica que sobre todo la Argentina y Brasil han establecido con China. Brasil y China están desarrollando varios acuerdos en agricultura, energía hidroeléctrica, aviación, industria espacial, exploración, producción y refinamiento de petróleo, y energía nuclear (Brasil es el sexto exportador mundial de uranio y domina la tecnología de su enriquecimiento por ultracentrifugación), mientras que la Argentina y China han programado acuerdos, entre otros, en los campos de la geología y recursos naturales. El apoyo latinoamericano dado a China para su ingreso en la Organización Mundial de Comercio favoreció esta intensificación de las relaciones recíprocas. El enorme mercado interno de China ofrece perspectivas muy estimulantes a las exportaciones latinoamericanas que están adquiriendo volúmenes muy consistentes. Hay enormes posibilidades para el Mercosur agroalimentario ante la demanda internacional de alimentos que habrá de registrarse en los próximos años, sobre todo en los grandes países del área de Asia y del Pacífico, en particular en China e India, pues entre ambos reúnen más de un tercio de la población mundial. El intensísimo crecimiento industrial chino tiene mucha necesidad de las materias primas latinoamericanas. Las recientes y sucesivas visitas a China de los presidentes Lula, Kirchner y Batlle, con participación de muchos empresarios "mercosureños", abren perspectivas de grandes acuerdos de liberalización comercial y de cooperación técnica y económica entre China y el

Mercosur. China y Chile han firmado ya un acuerdo para la negociación de un área de libre comercio. Un capítulo aparte merecería la relación especial de Cuba con China; ésta no ha podido ni querido asumir la carga cubana abandonada por la antigua Unión Soviética, pero ha intensificado sus relaciones comerciales bilaterales para mutuo beneficio.

El intenso y persistente crecimiento económico de China, el volumen de inversiones en capitales y tecnologías extranjeras que recibe a través de las "multinacionales" americanas (con la contrapartida de la compra masiva por parte de China de los títulos de deuda pública norteamericanos, sosteniendo las tasas de cambio de la propia moneda y, a la vez, financiando el déficit estadounidense), el desarrollo cada vez más entrelazado de la Asociación de Naciones del Sudeste Asiático (ASEAN en inglés) como polo regional integrado y la extensión internacional del comercio chino a 360 grados están cambiando la articulación de la economía mundial. Y ello está comenzando a repercutir intensamente en América Latina. No por casualidad un reciente editorial de *The New York Times* advertía a Bush: "Washington no ha prestado recientemente mayor atención a América Latina, mientras ésta ha sido objeto de extraordinario interés de parte de Pekín. De vuelta del APEC (reunión de los países del Pacífico, que tuvo lugar en Santiago), Bush se detuvo sólo cuatro horas en Colombia; Hu pasó, en vez, doce días en la región. Washington haría bien en no dar por descontada su influencia".[25]

Además, se asoma también otro importante interlocutor. Se trata de la India, otro gigante subcontinental. La India y el Mercosur firmaron un Acuerdo de Comercio Preferencial en ocasión de la visita al país asiático del presidente brasileño Luiz Inácio da Silva, acompañado por el presidente de la Comisión de Representantes del Mercosur, Eduardo Duhalde. El acuerdo establece la supresión de los aranceles para favorecer el intercambio de 900 productos dentro de una lista que está actualmente sometida a negociaciones, cuya aplicación está vigente desde mayo de 2005. También Chile está en negociaciones con la India para un acuerdo de liberalización comercial. Grandes empresas de la India en el campo de la informática, la energía eléctrica y la química están aumentando sus inversiones en el Cono Sur americano.

El hecho de que Brasil y la Argentina se hayan encontrado

en posiciones convergentes, junto con China, Sudáfrica e India, entre otros países, en el llamado "G-21" de Cancún, está marcando nuevas vías de cooperación económica, comercial, tecnológica y política en la geografía de los escenarios mundiales.

"Paz estadounidense" o "Paz universal"

La conclusión del mundo bipolar dio lugar en un primer momento, y sobre todo luego de la primera Guerra del Golfo, a la configuración de un nuevo orden unipolar. En la ausencia de un contrapeso exterior, como era la Unión Soviética, y dada la potencia económica, tecnológica, política y militar de los Estados Unidos, se ha hecho referencia incluso a la *pax romana* para encontrar una situación similar de un mundo tan estratégicamente unipolar. Así lo manifestaban con cierto temor el mexicano Carlos Fuentes y otros latinoamericanos. Estados Unidos es ahora el único país del mundo —escribía Charles Krauthammer, en "The unipolar moment"— capaz de "ser un jugador decisivo en cualquier conflicto donde decida intervenir en cualquier parte del mundo".[26] Estados Unidos es "la nación indispensable", subrayaba también la ex secretaria de Estado (de la presidencia Clinton) Madeleine K. Albright.

Es ingenua y algo burda la imagen que presenta el compromiso político americano en los asuntos mundiales como un hecho esencialmente reactivo, contrario a su natural tendencia aislacionista. Es lo que de algún modo se critica a la vez y sigue expresándose en Richard N. Haass, cuando presenta en su libro la figura de "The reluctant Sheriff".[27] Los estadounidenses no pueden replegarse en el aislacionismo en estos tiempos de interdependencia y globalización, pero se resisten a las intervenciones militares y a arriesgar pérdidas humanas. En ese marco, el "sheriff" no es un policía; se ocupa sólo a tiempo parcial de "intervenciones humanitarias" que garanticen los derechos de los pueblos, en un mundo en el que hay que reducir el uso de la fuerza militar para resolver controversias y la cantidad existente de armas de destrucción masiva. La fuerza militar del "sheriff", con la colaboración de los "Estados voluntarios", se concentra especialmente contra los considerados "Estados paria" o "canallas". Necesariamente tiene que cumplir esa función ante la parálisis de las Naciones Unidas y las carencias europeas, si bien el objetivo mayor de su política internacional ha de ser el aliento a "una multipolaridad caracterizada más por la cooperación y el acuerdo que por la competición y el conflicto".[28] "Próximamente —escribe Irving Kristol—, el pueblo americano va a tomar conciencia del hecho (de haberse convertido) en una nación imperial", pero "eso ha ocurrido porque el mundo quería que ocurriese." "Una gran potencia —concluye— puede insensiblemente ser llevada a asumir responsabilidades sin estar explícitamente comprometida en ello."[29]

Más realista es el debate que se está desarrollando en los Estados Unidos, planteando explícitamente la cuestión del "Imperio americano" en las agendas de reflexiones tanto de pensadores de derecha como de izquierda. En la revista *Foreign Affairs* comienzan a abundar estudios con los títulos significativos de "America's Imperial Dilemma", "Hegemony or Empire?", etc.

Por el contrario, comentando la euforia del presidente George Bush (padre) al anunciar un "nuevo orden internacional", Henry Kissinger escribía así: "Por tercera vez en este siglo los Estados Unidos proclamaron (...) su intención de edificar un nuevo orden mundial aplicando sus valores propios a todo el mundo, y por tercera vez los Estados Unidos parecieron dominar el escenario internacional. En 1918, la sombra de Wilson había dominado una Conferencia de Paz en París (...) y hacia el fin de la Segunda Guerra Mundial Franklin Roosevelt y Truman parecían encontrarse en condiciones de reformar todo el orbe siguiendo el modelo norteamericano".[30] Después de la Guerra Fría, la tentación mayor fue la de convertirse en cruzados de la extensión, legitimación e imposición por doquier de la democracia y la economía liberales según los parámetros norteamericanos, desbordando el ámbito propio de su jurisdicción al constituirse en árbitro y gendarme internacional. La Guerra del Golfo lo puso de manifiesto, y no ha dejado de extenderse después de los atentados del 11 de setiembre y en plena guerra mundial contra el terrorismo.

Hay en ello el sentido providencialista y mesiánico, arraigado en la historia de los Estados Unidos, que hacía declarar a Woodrow Wilson que "Dios (ha) plantado en nosotros la visión de la libertad" y que los Estados Unidos han sido "escogidos" para "mostrar a las naciones del mundo cómo deberán caminar por las sendas de la libertad". Cuando se afirma esa misión y cualidad nacionales se autoarroga una superioridad moral que "justifica la pretensión nacional de ser legislador y árbitro de la humanidad". Esto ha sido muy criticado por uno de los padres del "realismo" político, Hans Morgenthau. Resuenan en tal sentido las agudas reflexiones de Reinhold Niebuhr criticando también el sueño americano de pretender orientar el drama de la historia según categorías y finalidades propias que, por más que sean legítimas y deseables, resultan sumamente inadecuadas para las grandes tramas de "sentido" (lo que requeriría aceptar el imperativo de la humildad). No hay lugar para "cruzadas". Estados Unidos no puede prescindir jamás de proyectar su experiencia de democracia y libertad en su política exterior, pero un sano realismo geopolítico es amortiguador, según dice Kissinger, de la arrogancia de quien impone su hegemonía sobre la base de principios universales con una especie de autolegitimación moral.

Otros pensadores norteamericanos han intentado corregir actualmente tales pretensiones con buenas dosis de realismo. En primer lugar se advierte que no hay condiciones ni intenciones para un "proyecto imperial" de los Estados Unidos. Este requeriría motivación teórica, empeño intelectual, gratificación del sentimiento patriótico, consenso popular, capacidad de sacrificio, que parecen lejanos. En cuanto democracia de masas y sociedad de alto consumo y bienestar, el pueblo norteamericano siente, por lo general, bastante poco interés por el resto del mundo. Varios estudios de opinión demostraron hacia finales del siglo XX que sólo una pequeña minoría de los estadounidenses se muestra favorable a la propuesta de que su país sea la única superpotencia que cargue con la responsabilidad de la resolución de los problemas mundiales, prefiriendo que hagan lo mejor posible por resolverlos en cooperación con otros países.[31] Como propósito deliberado, una perspectiva imperial provocaría en el pueblo norteamericano resistencias enraizadas en la conciencia de la historia del propio país y en su cultura política democrática. El *background* cultural de la democracia anglosajona (dignidad de la persona, igualdad entre los ciudadanos, imperio de la ley, rechazo de toda arbitrariedad, control del poder, etc.) suscita resistencias periódicas y olas de crítica contra todo lo que implica, sobre todo como "trabajo sucio", un ejercicio imperialista real y efectivo.

Por otra parte, se señala que la sociedad norteamericana debe afrontar algunas grandes cuestiones internas: el bienestar de una sociedad compleja, una población cada vez más fragmentada y grandes bolsones de pobreza. Su composición crecientemente multicultural no hace más que debilitar la posibilidad de fuertes consensos, coherencias y convergencias de su política exterior, que tiene a menudo que "venderse" a través de un repertorio de recursos de *marketing* y de imágenes, al vaivén de las emociones colectivas. Son signos de ello el rechazo que provoca cualquier forma de riesgo para la vida de los propios soldados, la hostilidad creciente a los gastos extraordinarios que supone esa responsabilidad mundial, la parte reducida que los medios de comunicación social dedican a la política exterior, las dificultades para suscitar una movilización nacional. Todo eso es cierto, pero actualmente lo es también, y mucho más notoriamente, que después de un hecho anómalo, inusitado y de tan fuerte impacto como los atentados en Nueva York y Washington, la conmoción colectiva norteamericana parece desmentir de plano todas estas afirmaciones. Todo parece cambiar cuando la colectividad estadounidense se siente amenazada. Entonces demuestra una gran cohesión patriótica, propensa al combate. La prioridad tan destacada de la guerra contra el terrorismo ha provocado mucho mayor atención de la opinión pública a la proyección internacional de la superpotencia. ¿Pero qué puede suceder si se prolongan mucho los tiempos y se verifican los sacrificios de una guerra de larga duración?

En segundo lugar, desde los Estados Unidos, voces competentes e iluminadas, como las de Henry Kissinger, Zbigniew Brzezinski, Samuel Huntington, aun con su diversidad de acentos y perspectivas, han señalado las dificultades, los peligros y perjuicios que podrían resultar de esa preeminencia unipolar, en la soledad de un protagonismo excesivo, con la imagen del gendarme mundial, con la sobrecarga de responsabilidades políticas, económicas y militares que eso implicaría. En 1987, en su estudio sobre el "Nacimiento y declive de las grandes potencias", Paul Kennedy ya señalaba los riesgos de una "sobreextensión imperial", dado que el mantenimiento del imperio lleva a descuidar la propia sociedad, el frente interno, base de su sustento (si bien esto se podría aplicar más bien a la crisis del imperio soviético). Huntington destaca el rechazo cada vez más difundido que provocaría en el mundo entero la imposición de un globalismo unipolar por parte de la superpotencia americana.[32] El temor mayor es que ello terminaría por suscitar uno o más polos resistentes y alternativos, a modo de coalición antinorteamericana (desde cualquiera de los dos extremos de la "isla continental" euroasiática), que agresivamente pondrían en cuestión tal supremacía. No en vano predomina continuamente en la estrategia geopolítica de los Estados Unidos la representación del mundo dada por el geopolítico Halford J. Mackinder a principios del siglo XX, retomada en 1943, cuando escribía en la revista *Foreign Affairs*: quien domina el *heartland* de Eurasia domina el mundo entero. Esa estrategia estuvo en la base del consenso presentado por Nicholas J. Spykman, "America's Strategy in World Politics". "Sin Europa —afirma Kissinger—, América correría el riesgo de transformarse en una isla entre los dos confines de Eurasia."[33]

Kissinger subraya sobre todo la necesidad de tener conciencia de cómo todo sistema internacional goza de vida precaria y se va configurando como reequilibrio de poderes, con un consistente entramado de alianzas, cooperaciones y comunes responsabilidades que pueda darle perdurabilidad, como el orden derivado de la "paz de Westfalia", que duró 150 años, o el resultante del Congreso de Viena, que duró cien. La gran novedad histórica es, sin embargo, que "anteriormente, nunca hubo que formar un nuevo orden mundial a partir de tantas y tan diversas percepciones, ni a escala tan global", ni teniendo que "combinar los atributos de los sistemas históricos de equilibrios de poderes con la opinión democrática global y con la formidable tecnología del período contemporáneo"[34]. Por eso concluye que Estados Unidos tiene en el presente la fuerza para ser hegemónico, pero no para determinar el orden mundial por sí solo. Debe autolimitarse a ser *primus inter pares*. Sólo puede regirlo y mantenerlo un "concierto de potencias" que administren el mundo globalizado, evitando así tanto su tendencia a la fragmentación y anarquía como la emergencia de nuevas bipolaridades contrapuestas. Ninguno de estos pensadores americanos duda de que deberá seguir siendo líder y árbitro mundial, ni que dejará de mantener una hegemonía global, pero ello habrá de orientarse y encuadrarse en un nuevo sistema multilateral de alianzas, corresponsabilidades y cooperaciones.

En esta perspectiva de cooperación entre las grandes potencias, en los albores del siglo XXI H. Kissinger enumera las siguientes. Pone como gran árbitro a los Estados Unidos junto con Europa (si logra unificarse), a Rusia (si se rehace en los próximos 10 o 15 años, pues tiene recursos para hacerlo), a la China emergente en el próximo futuro y probablemente, a la India. Son grandes "Estados continentales".[35] Japón es potencia regional que se mueve globalmente. A un nivel intermedio quedan las potencias de peso e influencia "regionales", que Robert Chase, Emily Hill y Paul Kennedy llaman "Estados pivotes",[36] como Ucrania, Turquía, Irán, Pakistán, Indonesia, Egipto e Israel, México y Brasil, Nigeria y Sudáfrica, Australia-Nueva Zelandia... En un nuevo concierto de grandes potencias, el brasileño Helio Jaguaribe prefiere pensar en un gran directorio, algo así como un G-15 o G-20, que incorpore las potencias regionales (Mercosur obviamente incluido), e incluye precisamente al Mercosur y no a Brasil, porque todo lo que aisle a Brasil es contrario a los intereses de Sudamérica, de toda América Latina... y del mismo Brasil.[37] Finalmente habría una gran cantidad de Estados sin condiciones reales para tener un propio protagonismo mundial o regional. Sin embargo, el escenario está cambiando a ritmo acelerado y adquiriendo mayor complejidad. Las relaciones "Sur-Sur", como por ejemplo entre China, India, Sudáfrica y el Mercosur o en la revitalización del hasta hace poco paralizado Sistema Global de Preferencias Comerciales del llamado "Grupo de los 77" (tal como se advirtió en la XI Reunión de la Conferencia de Naciones Unidas sobre Comercio y Desarrollo/ UNCTAD, que tuvo lugar en San Pablo, Brasil, a mediados de junio de 2004), se están entretejiendo como nunca antes.

La arquitectura de la "gobernabilidad" a nivel internacional será, sin duda, tema mayor para los años venideros.[38] Aunque después del atentado del 11 de setiembre, Estados Unidos pareció inclinarse hacia un amplio multilateralismo con la "alianza mundial" contra el terrorismo, a favor de prácticas consensuales y plurales, como en la guerra contra los "talibanes" en Afganistán, la decisión de la segunda intervención en Irak, si bien contra la odiosa tiranía de Saddam Hussein, provocó una variada gama de reticencias, resistencias y críticas abiertas, incluso de aliados europeos, así como de México y Chile en el Consejo de Seguridad de las Naciones Unidas. La muy violenta posguerra en Irak y las ingentes dificultades de su reconstrucción civil, material y política se presentan aún cargadas de incógnitas. El éxito significativo de las recientes elecciones en Irak y el comienzo del diálogo Sharon-Abu Mazen parecen abrir frágiles espirales de esperanza en la dramática pacificación del Medio Oriente, pero a la vez entran en tensión aguda las relaciones estadounidenses con Siria e Irán, considerados en el elenco de las tiranías "canallas".

Es difícil pronosticar el desarrollo de la estrategia mundial de los Estados Unidos en el nuevo período de la administración Bush. Parecía estar oscilando entre un multilateralismo *à la carte*, que acepta ciertos foros y acuerdos multilaterales si favorecen su interés nacional, y un unilateralismo asertivo de única potencia global (manifestado también en su rechazo del Protocolo de Kyoto y del Tribunal Penal Internacional). El documento de "Estrategia Militar Nacional para Estados Unidos" elaborado por el presidente Bush, con la colaboración de su consejera para la Seguridad Nacional, Condoleezza Rice (que hoy se ha convertido en secretaria de Estado del segundo mandato presidencial), presentado el 20 de setiembre de 2002 al Congreso, definió una nueva perspectiva estratégica respecto de la proyección mundial de la primera potencia global. Queda definitivamente superada la técnica de la disuasión propia de la Guerra Fría. Ahora el gran enemigo es una red terrorista mundial de grupos islámicos fanáticos, capaces de masacres abominables, con fuertes apoyos logísticos, políticos y financieros, y la supremacía militar de los Estados Unidos tiene que manejar su arma más eficaz, que es la del ataque preventivo. Si bien se afirma que en principio Estados Unidos buscará el consenso y sostén de la comunidad internacional, sobre todo proclama neta y crudamente que no dudará en actuar por propia iniciativa unilateral, si es necesario ejercer el derecho a la autodefensa, actuando de manera preventiva contra el terrorismo. Son en verdad inquietantes las consecuencias políticas y militares de este unilateralismo mundial, con gran dosis de imprevisibilidad, que no reconoce la necesidad de consensos y controles para el uso de la fuerza y que apunta contra un enemigo mundial, el terrorismo global, que puede llegar a ser de contornos bastante indefinibles. La represión y destrucción de esa red terrorista, que es amenaza por doquier, se ha vuelto objetivo compartido por la gran mayoría de la comunidad civil mundial, pero dicho unilateralismo, que no reconoce la necesidad de una legitimidad internacional, corre el riesgo de alargar desproporcionada, arbitraria e imprudentemente los teatros de la guerra global. Además, no basta la hegemonía política y militar de los Estados Unidos si, a la vez, se van debilitando sus alianzas internacionales y retoma difusión y agresividad cierto "antiamericanismo". La estrategia de los "neoconservadores" ("wilsonianos de derecha") y de los "jacksonianos unilateralistas" (adoptando los términos acuñados por el historiador W. Russell Mead) tiene que combinarse, por parte de la administración americana, con buenas dosis de "realismo". Ciertamente esto no significará un retorno al multilateralismo como reedición del equilibrio de fuerzas, según el *balance of power* operante hasta la Primera Guerra Mundial (mudando obviamente el nombre de las potencias). El peso militar norteamericano, solo o con la coordinación y colaboración en el seno de la OTAN, continuará sin duda las acciones de guerra contra un terrorismo que, por su parte, declaró la guerra a Occidente y que no proviene de un *raptus* de una banda de desesperados sino de una red internacional bien organizada en la clandestinidad, con potentes bases de apoyo y con un poder de violencia y destrucción que las tecnologías actuales convierten en mucho más amenazador. La estrategia de los Estados Unidos parece ahora retomar un renovado *mix* entre *hard power*, en cuanto proyección militar, y *soft power*, sobre todo como influencia comunicativa para ampliar las alianzas y los consensos.[39] El unilateralismo aventurado está dejando paso a un multilateralismo bajo liderazgo norteamericano y según sus propias condiciones, que resulta menos costoso en todo sentido y más capaz de soportar el impacto de la interconexión planetaria de los medios de comunicación sobre la política internacional.

En un orden efectivamente uni-multipolar (porque es imposible ignorar la superpotencia norteamericana y su papel determinante), crecería la importancia de las Naciones Unidas, pues tendría un espacio mayor de autonomía y protagonismo en cuanto concierto de naciones. Eso sí, será necesario acelerar la reforma de la Organización de las Naciones Unidas para salvar las Naciones Unidas, para adecuar sus estructuras decisorias a la nueva realidad internacional del período pos-Yalta, a fin de crear las condiciones aptas para dejar atrás su impotencia en la asunción de decisiones políticas vinculantes y sus fracasos en las situaciones más conflictivas y para dotarla de los instrumentos necesarios para nuevas tareas de cooperación y seguridad. Esa estructura internacional adecuadamente reformulada y desburocratizada en la medida de lo posible, sostenida por un directorio multipolar en el que deberían estar representados los diversos Estados-continentes o grandes bloques regionales, con la plena implicación de la superpotencia americana, podría funcionar como plataforma de paz mundial y de su especial preservación o restauración en las zonas críticas de conflicto, capaz también de regular y operar responsabilidades de injerencia humanitaria y de restablecimiento de condiciones civiles de convivencia y de gobernabilidad en zonas de guerra, de persistentes conflictos armados fuera de todo control, de caóticas situaciones de violencia derivadas del derrumbe de la autoridad y poder del Estado, de exterminios étnicos, persecuciones religiosas y otras violaciones de los derechos humanos de carácter masivo, de producción y exportación de armas de destrucción de masa, etc. Afrontaría también otras grandes cuestiones necesitadas de consideración y solución a escala universal, como la más justa y equitativa participación de las naciones en los logros económicos, tecnológicos y culturales de la globalización, el control nuclear y el desarme, la protección de la biosfera y toda la cuestión de los requerimientos ecológicos, así como los grandes temas de la salud y las comunicaciones, la educación básica y el desarrollo humano, la lucha contra la droga y la delincuencia organizada a nivel internacional, especialmente la terrible plaga del terrorismo, etc. La globalización requiere nuevas reglas y modalidades de custodia de algunos grandes bienes públicos internacionales. Es evidente —como lo ha señalado el extinto Juan Pablo II en su Mensaje para la Jornada Mundial de la Paz de 2004— que "la humanidad tiene necesidad de un grado superior de ordenamiento internacional", si bien parece lejana su propuesta profética de elevar la ONU de la frialdad de "institución de tipo administrativo al de centro moral, en el que las naciones se sientan en casa desarrollando la conciencia de ser familia de naciones (...), sustituyendo a la fuerza material de las armas la forma moral del derecho".[40]

Téngase presente, en fin, la eclosión y creciente influencia de las organizaciones no gubernamentales que, a nivel internacional, son hoy más de 26 mil (6 mil eran en 1990), sin contar las "nacionales" y "locales", con objetivos y competencias diversísimas, y cuyas agendas, formas de comunicación, campañas de opinión y presión y uso de recursos son cada vez más globales. Son nuevos "gladiadores" en el circo mundial, al decir de Alvin Toffler (algunos de ellos, bien armados de recursos, sea al servicio del "imperio", sea ideológicamente comprometidos en el combate contra la globalización, y los más, desperdigados en una extrema variedad de objetivos y servicios con frecuencia muy laudables).

Es necesaria una mayor y conjunta presencia "mercosureña" y latinoamericana en la escena internacional. Las posiciones convergentes en las negociaciones con los megamercados, el seguimiento de las relaciones establecidas con el "G-21" desde Cancún, los nuevos acuerdos de cooperación y liberalización a niveles "Sur-Sur", una mayor concertación y solidaridad en las negociaciones con el Fondo Monetario Internacional y en el tratamiento de la cuestión de la deuda externa, la intervención para la resolución de conflictos intralatinoamericanos, la injerencia militar en favor de la pacificación de Haití con la legitimación de las Naciones Unidas y la cooperación en actividades de seguridad internacional y combate al terrorismo, son algunas vías efectivas en ese sentido. Lamentablemente Brasil y la Argentina manifiestan posiciones opuestas respecto de la reforma del Consejo de Seguridad de la Naciones Unidas y crece un cierto celo argentino ante lo que se consideran "ambiciones excesivas" de liderazgo subcontinental y de protagonismo internacional de Brasil. La débil institucionalidad del Mercosur complica estas situaciones. Lo que es claro es que se requieren consultas bilaterales desde el comienzo de cualquier iniciativa diplomática significativa.

Ahora bien, si el ALCA se limitara a ser mera asimilación de América Latina como región "provincial" del "imperio global" de los Estados Unidos, reforzaría las tendencias hacia la configuración de una "paz estadounidense" para las próximas décadas, cooperando en la consolidación y ampliación de su hegemonía mundial y de su proyección unipolar. No en vano se conformaría en la "isla continental" la plataforma del más grande megamercado del planeta. Por el contrario, la afirmación del

Mercosur y su desarrollo hacia un Mercado Común Sudamericano, en relación con el TLC/NAFTA, en negociaciones para la configuración del ALCA, intensificando sus vínculos políticos y económicos con la Unión Europea, abriendo caminos de mayores relaciones de cooperación con los países de Asia oriental, serían un aporte importante para la conformación de un orden multipolar, a despecho de su modesto peso relativo. "América Latina comprende perfectamente que su interés no se cifra en cerrarse en una integración regional exclusiva —afirmó el presidente Jacques Chirac en el Palacio del Eliseo, el 29 de agosto de 1996, antes de iniciar una visita a la región—. Su vocación no es ser un trozo del TLC norteamericano, sino que consiste en estar presente en el mundo, abierta al mundo, contribuyendo a la emergencia de un mundo multipolar." Así, "la batalla por América Latina va más allá de América Latina. Integra una lucha por el equilibrio en el mundo globalizado, por el asentamiento de la multipolaridad",[41] en la que el Mercosur —y mejor aún, la Unión Sudamericana— tenga un real aunque discreto protagonismo propio.

IMPLICACIONES Y RETOS CULTURALES

El choque de culturas

Las relaciones entre los Estados Unidos y América Latina no se resuelven sólo a nivel de intereses, negociaciones y perspectivas económicas, sino que, en la bipolaridad del ALCA y del Mercosur, se juegan también más que nunca a nivel cultural.

La clausura en medio de gran perplejidad de la fase de lucha ideológica del mundo bipolar significó en un primer momento la difusión predominante de un "economicismo" que parecía arrasar historia, culturas, naciones, filosofías y visiones del mundo, como si sólo quedara un mundo de puros mecanismos y competencias de fuerzas económicas.[1] El filósofo italiano Augusto Del Noce así lo había vaticinado hace más de un cuarto de siglo, cuando sostenía que la sociedad tecnológica del consumo habría de digerir el marxismo vaciándolo de su contenido mesiánico-revolucionario, reduciéndolo a materialismo histórico e integrándolo como un momento más de la construcción de esa sociedad tecnológica y opulenta.[2] No en vano Michel Camdessus llegó a decir que la globalización "se aplica a los bienes, a los servicios y a los capitales pero implica a los hombres de modo muy desigual", lo cual hace que "muchos de nuestros contemporáneos" la vivan "como un universo que se construye sin ellos".[3] Es como si funcionara a toda velocidad, arrolladoramente, una gran maquinaria de intereses y mecanismos que crecen y se entrelazan independizados de toda voluntad humana. El aparato tecnológico-financiero tiende a reproducirse con automatismo, como un enorme poder sin rostro. La Encíclica de Juan Pablo II *Centesimus Annus* (1991) percibía ya esa "absolutización de la economía".[4] Más tarde, Ignacio Ramonet, en *Le Monde Diplomatique*, acuñó la referencia al "pensamiento único".

Un cosmopolitismo abstracto e instrumental de supermercado global, autorregulador, parecía proyectarse hacia un "MacWorld" como conformación de un "parque global" de diversiones , un MacMundo amarrado por las comunicaciones, la información, el entretenimiento y el comercio, como, desde los Estados Unidos, insiste en presentarlo Benjamin R. Barber. Pero no basta señalar genéricas tendencias de homogeneización cultural. Hay que contar con una visión comprensiva de más amplio alcance, que incluya, por una parte, las tendencias a la segmentación y subjetivización de los mercados, y, por otra, la explosión, a veces en formas tumultuosas y violentas, de las más diversas identificaciones étnicas y nacionales, lingüísticas, culturales y religiosas, sea a modo de reacción y resistencia defensivas para no verse arrastradas por las altas mareas de cierta homologación cultural, sea como realidades propulsivas y desbordantes respecto de enfoques reduccionistas, unidimensionales.

En efecto, la "globalización" lleva consigo enormes implicaciones y repercusiones culturales. La revolución tecnológica, la economía de mercado, las modalidades de integración económica, los modelos y estrategias de desarrollo, no forman parte de circuitos cerrados, sino que se enraízan en el "humus", en los presupuestos culturales donde se despliegan en íntima interacción. Se impone su carácter multidimensional, en el que los aspectos de identificación personal y societaria, de educación y cultura, de tradiciones y costumbres, de metamorfosis sociales, de resurgimientos religiosos, están involucrados junto con los aspectos económicos y políticos.

Correspondió a Samuel Huntington cuestionar radicalmente esa perspectiva economicista de la comprensión histórica del "Nuevo Mundo" emergente desde finales del milenio, con su famoso artículo en *Foreign Affairs*, luego ampliado en un libro con el título de *El choque de las civilizaciones* (1996), entendiendo por civilización la más amplia entidad cultural en cuanto gran síntesis abarcadora. La bien conocida hipótesis de Huntington es que las grandes divisiones de la humanidad y la fuente dominante de conflictos en las condiciones del mundo emergente, en las primeras décadas del tercer milenio, no serían primariamente ideológicas, ni políticas, ni económicas, sino ante todo culturales. Los conflictos, primero entre monarquías absolutas, luego entre Estados-naciones, después como luchas "ideológicas" universalistas, habían sido, según Huntington, "guerras civiles de Occidente", aunque hubieran involucrado al mundo entero. Ahora esto ha cambiado. Ahora el eje de la política mundial tiende a estar caracterizado por una nueva bipolaridad en la interacción entre la civilización occidental, aún hegemónica, y las civilizaciones no occidentales. Más precisamente, este autor percibe el conflicto principal en clave estratégica, en una alianza islámico-confuciana que pone en jaque la declinante hegemonía de Occidente.[5]

Para Huntington existen en la actualidad siete grandes civilizaciones: la occidental (Europa, Estados Unidos, Canadá, Australia, Nueva Zelandia...), la confuciana (principalmente China), la japonesa, la hindú, la islámica, la eslavo-ortodoxa y la latinoamericana. "Posiblemente" podría hablarse también de una "africana".[6] No interesa entrar ahora en la crítica general de esta teoría, sometida ya a innumerables e ilustrativas discusiones. Samuel Huntington es expresión de un pesimismo histórico, de depresión postotalitaria y crisis del optimismo neoliberal, cuando el "fin de la historia" y el "nuevo orden mundial" anunciados parecen puras utopías. La situación actual, después de los atentados terroristas del 11 de setiembre, da resonancia a sus escritos, especialmente cuando afirma que, a nivel mundial, la civilización cede en muchos aspectos a "una edad global de tinieblas" que amenaza descender sobre la humanidad. Los elementos de verdad que animan los errores del planteamiento general de Huntington han dado de nuevo gran actualidad a su obra. Los más notorios protagonistas y abanderados de un choque frontal y violento de civilizaciones son los grupos terroristas que se agrupan en torno a "Al Qaeda"; basta leer sus proclamas.

Interesa destacar lo sorprendente que resulta que Huntington considere la "latinoamericana" como "otra" civilización, diversa de la "occidental". En su artículo ni se molesta en justificar la exclusión de América Latina de la "cultura occidental", dejándola en un limbo indeterminado, lo que no resiste el menor análisis cultural, ni siquiera desde sus propias premisas y categorías. Posteriormente, para recoger muchas críticas, ha querido corregir el tiro en su libro, afirmando que "Latinoamérica podría considerarse, o una subcivilización dentro de la civilización occidental, o una civilización aparte, íntimamente emparentada con Occidente y dividida en cuanto a su pertenencia a éste"; esta segunda opción es la que considera "más adecuada y útil". El carácter muy aproximativo de su "opción" sigue demostrando, por lo menos, su superficialidad en cuanto a su consideración de la gestación, filiación y personalidad culturales de América Latina. Eso sí, Huntington afirma algo que es obvio y reconocido: el continente americano se divide en dos áreas culturales distintas. Esa bipolaridad cultural se pone singularmente en movimiento en el entrelazamiento de las perspectivas del ALCA y el Mercosur.

Latina y anglosajona

El nuevo mundo americano es hijo de la civilización occidental. Pero la dramática escisión vivida por la cristiandad europea latina con la "reforma protestante" al alba de la modernidad, precisamente en tiempos del inicio de su expansión universal, se prolongó en una realidad histórica diversificada desde el origen de las distintas áreas americanas. La América latina y la América anglosajona son dos versiones distintas de la expansión europea y de ese legado civilizador que les es común. Por ahora baste apuntar a sus "sustratos culturales", a sus originalidades, o sea, a la novedad que yace en sus respectivos orígenes y desarrollos ulteriores.

En efecto, esquemáticamente, la originalidad histórico-cultural que llamamos América Latina (más allá de toda pluralidad intrínseca) reside en un grandioso, dramático y complejo encuentro constituyente de los más variados hombres y pueblos, etnias y culturas, como no ha habido otro igual en la era cristiana. De ello procede el mestizaje original, fundacional, complejo y desigual, indo-afro-hispánico, con predominio de lo hispánico (en el sentido de "Hispania", que incluye lo español y lo lusitano). Nace en el crepúsculo de la modernidad, sin acabar de ser moderna. Su sedimentación social y cultural se conjuga, en formas heterogéneas y complejas, con estratos de pasados superpuestos, de conglomerados de pueblos, sea de Hispania, sea de las civilizaciones indígenas. Nacen "pueblos nuevos".[7] Vive la epopeya dramática de movimientos expansivos, entrelazados y críticos de "conquista" y "misión" (evangelización). Su sustrato cultural, el más profundo cimiento de unidad, será su catolicismo barroco.[8] El barroco representó para América Latina una cosmovisión en la que cabían todos los pueblos y todas las particularidades del entorno natural, sustentada en una experiencia real de encuentro y comunicación de tradiciones culturales distintas, aun en el caso de que algunas de ellas hayan sido debilitadas o destruidas, o que el encuentro haya sido difícil para sus protagonistas. Ello está expresado muy claramente en el documento de la III Conferencia General del Episcopado Latinoamericano, celebrada en Puebla (México), en enero-febrero de 1979 (Documento de Puebla).[9] En ese catolicismo barroco confluyen los dones y corrientes de la "reforma católica" con vigorosa y fecunda proyección misionera y las pautas consolidadas de la "contrarreforma". La dimensión mistérica de la fe (dramática y festiva a la vez), con un hondo sentido de trascendencia, convergente con la dramaticidad de cosmogonías y mitologías indígenas, se expresa en la ritualidad y prevalece sobre su dimensión moral. La expectativa de lo inesperado, del milagro, del acontecimiento, sigue siendo un factor social más relevante que el cálculo puritano de una determinada conducta ética o ascética. El barroco americano, exuberante y desmedido, se expresa sobre todo en la vasta piedad popular, con un sentido de cercanía de Dios y una densa red de mediaciones visibles entre Dios y los hombres; y esto no sólo por la fuerte implantación institucional de la Iglesia y por su sacramentalización sino también porque está pletórica de devociones a los Cristos sufrientes y a su Madre, la Santísima Virgen María, en las más variadas invocaciones, a los santos y difuntos, con ritos floridos y complejos que generan un *continuum* entre fe y cultura.

El *ethos* del barroco es inseparable de la experiencia del mestizaje como identidad originaria y constituyente y, a la vez, desgarrada, en una nueva morada común. "El señor barroco americano —decía el novelista cubano Lezama Lima—, a quien hemos llamado auténtico primer instalado en lo nuestro, participa, vigila y cuida las grandes síntesis que están en la raíz del barroco americano, la hispano-indígena y la hispano-negroide."[10] Su carácter religioso se expresa en el "gran teatro del mundo" también por medio de las artes y letras. Es el "barroquismo creado por la necesidad de nombrar las cosas", afirma otro novelista cubano, Alejo Carpentier, que se expresa "desde su geografía hasta en la mejor novelística actual de nuestro continente".[11]

Símbolos mayores de esos pueblos nuevos son la imagen mestiza de Nuestra Señora de Guadalupe, el mulato San Martín de Porres, el europeo Pedro Claver que se hace "esclavo de los esclavos", el Inca Garcilaso de la Vega, la síntesis profética del Aleijadinho y sus magníficas esculturas (hijo de una esclava negra y un arquitecto portugués a fines del siglo XVIII), la nueva civilización frustrada de las reducciones guaraníes. Lo son también la coexistencia de los grandes palacios señoriales con la opresión del indio plegado al terruño pedregoso o comido por las minas, así como el conglomerado humano de la "fazenda" patriarcal de las plantaciones tropicales y esclavistas. Allí donde no existían ni grandes civilizaciones indígenas ni metales preciosos, la colonización fue tardía y modesta; y la repoblación de territorios de escasísima densidad demográfica se dio por medio de las corrientes migratorias europeas de la segunda mitad del siglo XIX.

"La expresión religiosa privilegiada del mestizaje iberoamericano es el culto mariano —escribe Pedro Morandé—. En él se contiene la verdadera clave de interpretación del barroco (...). La imagen de la Pachamama o madre tierra y la de Tonantzin o madre de todos los hombres, para mencionar sólo los ejemplos de la tradición cultural de los mayores centros amerindios, encontraron en María la posibilidad de comprenderse, de integrarse y de valorizar la experiencia real del encuentro que estaba aconteciendo entre pueblos que comenzaban a conocerse. El mestizaje encontró también en el culto mariano su puerta de inserción en la historia de Iberoamérica y de la ecúmene mundial que comenzaba a constituirse, puesto que la imagen venerada de María no representaba un límite jurisdiccional, un principio de diferenciación étnica o estamental, sino la posibilidad de reconocerse y expresar la unicidad de la condición humana, más allá de sus particulares circunstancias históricas. En María —prosigue el pensador chileno— se venera y descubre el significado global de la experiencia entre hijos de distintas historias que reconocen un mismo origen y entre peregrinos que, a pesar de la diversidad de caminos, descubren un idéntico destino. En ella se venera también el encuentro entre Dios y el hombre, y se descubre en sus brazos la Palabra encarnada que se hace pan, que congrega a todos sin exclusión, y satisface las necesidades de los hombres."[12] El acontecimiento histórico del Tepeyac es el símbolo primordial y regenerador de ese encuentro.

Tal es el sustrato o matriz cultural que permite afirmar a los obispos reunidos en Puebla que "el Evangelio encarnado en nuestros pueblos los congrega en una originalidad histórico-cultural que llamamos América Latina", (...) marcando su identidad histórica esencial" y enraizando "un acervo de valores que responde con sabiduría cristiana a los grandes interrogantes de la existencia".[13]

El largo ciclo de las guerras de emancipación desmanteló las estructuras sociales, productivas y eclesiásticas y se resolvió en la fragmentación de América Latina en una veintena de Estados, progresivamente conformados como "polis oligárquicas", en las que se ahondó la brecha social y el cisma cultural entre elites racionalistas y secularizantes y pueblos portadores de aquel legado cultural bajo erosión y reformulación. Sin embargo, quedó viva la herencia popular, católica, barroca, latinoamericana, como reconocimiento, esperanza y tarea.

De modo muy sintético y esquemático, puede afirmarse que la originalidad histórico-cultural de los Estados Unidos es la de un pueblo "trasplantado", un retoño de la civilización europea insertado en el continente, que vive desde el principio una sorprendente experiencia de libertad, considerada similar a la historia del pueblo escogido; éste, a través del Éxodo, llega a la tierra prometida, cuna de una nueva civilización. Similar "providencialidad" fue vivida también por los pioneros y misioneros en Canadá, sobre todo en su colonización francesa. Las nuevas colonias no viven la dramaticidad y complejidad del mestizaje fundacional como los nuevos pueblos ibero-indoamericanos. No encontraron grandes civilizaciones indígenas, y cierto puritanismo colonizador acuñó la expresión y puso en práctica aquello de que "no hay indio bueno sino muerto" (los recluyó, al menos, en "reservas"), mientras que la incorporación masiva de mano de obra esclava, de origen africano, en las plantaciones, será mantenida en condiciones de *apartheid*. Sus pioneros peregrinos no son tanto hijos de un pasado cuanto inauguradores de un tiempo nuevo; comienzan una tradición política y religiosa. Lo hacen bajo el ímpetu de los individuos, sus familias y comunidades locales, sin la presencia englobante, el aparato majestuoso y el peso burocrático de grandes estructuras imperiales y eclesiásticas como en América Latina. El *self made man* indica esa confianza emprendedora en la capacidad individual, diferentemente de los pueblos del sur que están más apegados a formas institucionales y legales o se confían a la Providencia. Su hábitat de enormes y libres espacios abiertos, colonizados por la epopeya de "pioneros", atrajo posteriormente impresionantes inmigraciones de europeos (primero irlandeses y alemanes, luego mediterráneos pobres en busca de "la América", y después de Europa central y oriental como colonias de refugiados en busca de la libertad). Parecería que allí se dieron cita todos los pueblos europeos, semejantes y afines por ser de un mismo círculo cultural. Más tarde, llegarán masivamente (y será cuestión más compleja...) los latinoamericanos y asiáticos. La gran nación acogió generosamente a todos en la unidad de un gran Estado-continente, consolidado después de la Guerra de Secesión.

En ese gran calderón, la síntesis cultural dominante fue cristiano-protestante-puritana, en sus raíces y vigencias. Los primeros colonizadores fueron austeros calvinistas, los cuales darán forma a la matriz religiosa que quedará como fundamento de la experiencia misma de los americanos, de su historia y su destino, aun a través de sus formas secularizadas en el *american way of life*.[14] Le influyó, a la vez, el iluminismo anglosajón (¡John Locke es un "padre fundador"!), no el barroco. Para los Estados Unidos la Ilustración integra su propio ser; para América Latina, en cambio, lo integra sólo parcial y conflictivamente, desgarradoramente en el cisma entre elites y pueblos. Lejos del iluminismo ideológico y anticlerical de impronta europea-continental, la vida privada y pública de los norteamericanos tiene un cierto fundamento religioso, bajo la forma de religión civil, amalgama de creencias y de normas más allá de las distintas denominaciones pero nutriéndose de ellas (algunos la consideran prolongación del sentido de la alianza, otros del deísmo de los padres fundadores y otros del entrelazamiento inseparable entre religiosidad y secularización en América).[15] Mientras la fiesta y la tertulia son características latinoamericanas —expresiones de comunión, de un encuentro vital ante la amenaza de la muerte, de un mundo "otro"—, en la América anglosajona, donde el puritanismo carecía de signos visibles y ciertos de salvación (a diferencia de la sacramentalidad católica), prevalece el sentido del trabajo y la riqueza, o sea, el éxito en las empresas terrenas como señales de bendición divina. ¿Cómo no traer a colación la ética protestante y el capitalismo de Max Weber? La secularización del puritanismo fundacional estructura la cultura de la nación. Creado por la burguesía, como sociedad liberal, Estados Unidos ha crecido como sistema abierto de clases, economía capitalista y régimen democrático, cuyo desarrollo fue indicado por Talcott Parsons como "sociedad guía" de la modernización.

En la actualidad ambas áreas culturales americanas, la latina y la anglosajona, que desde finales del siglo XIX se encuentran, chocan y se distinguen recíprocamente, entran en una dialéctica de muy intensa compenetración.

Mundialización de la cultura norteamericana

En cuanto gran zona de libre comercio, el ALCA parece moverse en una óptica meramente económica, con el fin de facilitar la circulación de mercancías, tecnologías y capitales. Excluye la circulación de personas y la compenetración de los pueblos. Más aún, uno de los objetivos declarados del Tratado de Libre Comercio, a nivel de las relaciones entre los Estados Unidos y México —tal como ya se ha dicho—, ha sido sostener el desarrollo de este país de frontera en cuanto barrera para contener y desalentar el flujo permanente de su inmigración. En una perspectiva diferente, el Mercosur no sólo tiene lugar por motivos de contigüidad territorial y de integración económica sino que se funda y proyecta en una comunidad de cultura. "El uno responde al ámbito natural de nuestra cultura e historia —afirma Leopoldo Zea—; el otro, al ámbito que la globalización ha impuesto a todos los pueblos."[16] Vale repetir aquí la expresión de Fernando H. Cardoso, desde Brasil: para nosotros "el ALCA es una opción, pero el Mercosur es nuestro destino".

En realidad, las cosas son más complejas. La posible realización del "Área de libre comercio de las Américas" impulsará aún más la arrolladora expansión cultural estadounidense en el continente, potenciada y difundida capilarmente por el primado tecnológico revolucionario de los Estados Unidos en el campo de las comunicaciones.

Desde la segunda mitad del siglo pasado, la cultura estadounidense ya se ha convertido en cultura mundializada, y América Latina no está, por supuesto, ajena a ese proceso. Así lo escribía ya en 1941 el director de la revista *Life*, Henry Luce, en su famoso artículo "The american century": "El jazz americano, los filmes de Hollywood, las máquinas y los productos americanos son las únicas cosas que todas las comunidades del mundo, de Zanzíbar a Hamburgo, reconocen en común. Ciegamente, de manera no intencional sino accidental, y en realidad a pesar de nosotros mismos, somos ya una potencia mundial en todas las formas banales y muy humanas. América ya es la capital intelectual, científica y artística del mundo".[17]

"El dominio cultural ha sido un aspecto subestimado del prestigio mundial americano", ha destacado especialmente Brzezinski: "cualquiera que sea el juicio sobre sus valores estéticos, la cultura de masa americana ejerce un fuerte atractivo en los jóvenes de todos los países".[18] No hay mayores diferencias de estilos de vida entre vastos sectores juveniles de Nueva York, Río de Janeiro, Buenos Aires, Santiago de Chile o Caracas. Los programas televisivos y los filmes estadounidenses cubren tres cuartas partes del mercado mundial. Música popular, modas, hábitos alimenticios, vestimentas, atuendos, entretenimientos, son objeto de propagación e imitación por doquier. La gestión y la difusión globales de imágenes, informaciones, publicidad y entretenimientos, tecnologías y mitos, difunden las pautas culturales de los Estados Unidos más allá de toda frontera. Es lo que Joseph Nye ha llamado *soft power*. Si el poder militar y económico constituyen el *hard power*, el *soft power* es la capacidad de la cultura norteamericana, que se ha vuelto mundial, de persuadir, atraer y seducir, suscitando una adhesión y emulación de gran extensión y profundidad. Valores como la democracia, la libertad personal, la movilidad social y la apertura cultural, que se manifiestan en la instrucción superior, en las imágenes mediáticas y en la política exterior de los Estados Unidos, aparecen como factores fundamentales, si adecuadamente combinados con el *hard power*, sobre todo en esta era de información global en la que el poder aparece menos tangible y coercitivo y el impacto de los *media* resulta decisivo en la política mundial.[19]

El modelo estadounidense, en cuanto síntesis de capitalismo, sistema democrático-liberal, derechos individuales, en el *american way of life* ha conocido un resurgimiento espectacular después de los duros y difundidos factores de autocrítica, y hasta de deslegitimación, que acompañaron a la guerra de Vietnam, el Watergate y la fase de recesión. El largo ciclo de oro de la economía estadounidense durante toda la década de 1990, sin alternativas viables ni atractivas a nivel mundial, dio al país un poder de configuración y determinación de las estructuras de la economía política global, de la seguridad internacional, de los parámetros culturales dominantes. "América" resulta la única que propone un modelo global de modernización, esquemas de comportamientos y valores universales, a través de la industria cultural y la comunicación, y también mediante sus nuevas técnicas, prácticas de organización y métodos de gestión. La suya es cultura global no sólo porque alcanza a todos los sectores de la sociedad, sino porque penetra tanto en la conciencia personal como en la colectiva y conforma cada vez más actitudes, comportamientos y estilos de vida. En cuanto área cultural, América Latina está bajo esa influencia potente, capilar, permanente, persuasiva, remodeladora y, por lo tanto, bastante "americanizada".

Ahora bien, la revolución tecnológica implica un ritmo impresionante de innovaciones, sobre todo en el campo de la informática, relacionando el mundo entero por la circulación inmediata de informaciones, imágenes y publicidad. Abre una nueva fase cultural que algunos han llamado "era de la información". Las grandes autopistas mundiales de la información, la generalización de la telefonía móvil y de Internet, el desarrollo de la "multimedialidad" y la comunicación interactiva tendrán cada vez más repercusión capilar por doquier, transformando los modos de pensar, consumir, comprar y vender, dirigir una empresa, conquistar nuevos mercados, enseñar, organizar campañas de consenso, hacer la guerra, relacionarse. Dos importantes libros avizoraron los caminos hacia esa mundialización cultural de nuestro tiempo, donde la comunicación se ha instalado como paradigma mayor de la sociedad global. Uno fue *War and Peace in the global village*, de Marshall McLuhan (en colaboración con

Quentin Fiore), publicado en 1969; el otro, el de Zbigniew Brzezinski, *Between two ages. American's role in the Technotronic Era*, publicado en el mismo año;[20] Brzezinski prefería hablar de la "ciudad global". Actualmente es muy ilustrativo en esta materia el libro de Manuel Castells, actual profesor en la Universidad de California (Berkeley), sobre *La era de la información*, en una trilogía que comprende también *El poder de la identidad* y *Fin de milenio*.

Estados Unidos está a la vanguardia en ese campo decisivo de las industrias de la cultura, la información y la comunicación. Veinte años después de la aparición de aquella obra, en tiempos de posguerra fría, Brzezinski afirma con mucho realismo que "la base de la potencia americana consiste, en gran parte, en su dominación del mercado mundial de las comunicaciones (...). Esto crea una cultura de masas que tiene una fuerza de imitación política".[21] ¿Acaso puede extrañar que grandes batallas políticas y empresariales se jueguen hoy día en la expansión, fusiones y competencias entre grandes complejos tecnológico-financieros en el campo de las comunicaciones? En 1984, en la primera edición de *The Media Monopoly*, Ben Bagdikian señalaba que en Estados Unidos sólo cincuenta sociedades controlaban más de la mitad de los medios de comunicación.[22] En 1997 ya eran sólo diez, con un enorme poder de control sobre la información y la imagen.

Clausurado por agotamiento ideológico e impracticabilidad política el debate sobre el "Nuevo Orden de la Información y la Comunicación" en la UNESCO, ahora el tema se plantea con extrema sensibilidad en el ámbito de la Organización Mundial de Comercio. No en vano, David Rothkopf, consejero del presidente Clinton, en esa perspectiva escribía un artículo con el título "In praise of cultural imperialism?": "Para Estados Unidos, el objetivo central de una política extranjera en la era de la información debe ser ganar la batalla de los flujos de la información mundial, dominando las ondas, como Gran Brataña reinaba en otros tiempos sobre los mares (...). Inevitablemente, Estados Unidos (es) la 'nación indispensable' para la conducción de los asuntos mundiales y el principal abastecedor de productos de la información en estos primeros años de la era de la información (...). De aquí el interés económico y político de Estados Unidos por estar atento para que, si el mundo adopta una lengua común, ésta sea el inglés; si se orienta hacia normas comunes en materia de telecomunicaciones, de seguridad y calidad, esas normas sean americanas; si sus diferentes partes están interconectadas por la televisión, la radio y la música, los programas sean americanos; y si se elaboran valores comunes, éstos sean valores en los que los americanos se reconozcan".[23] Afirmaciones similares se encuentran en un artículo de Joseph S. Nye y William A. Owens, en el que se destaca "la ventaja decisiva de América en materia de información", señalando que "la supremacía nuclear era la condición *sine qua non* para dirigir las coaliciones de ayer", pero "en la era de la información, la supremacía en materia de información jugará ese papel".[24]

Pues bien, 65% del conjunto de las comunicaciones mundiales tienen su punto de partida en los Estados Unidos. La televisión es un ejemplo evidente. Más de 420 millones de hogares en aproximadamente 140 países reciben la CNN, la cadena de Ted Turner; y la MTV llega a más de 210 millones de hogares en 71 países. La utilización de Internet se multiplica de año en año; y a comienzos del tercer milenio hay más de 120 millones de ordenadores, y el 90% de ellos preequipados por el sistema de exploración "Windows", conectados a la gran red universal, lo que significa más de 300 millones de usuarios. La lengua de Internet es ciertamente el inglés y gran parte de las informaciones y "conversaciones" que circulan por esá red tienen su fuente en los Estados Unidos. Se trata de un poder ínmenso que impone al mundo entero las mismas imágenes, los mismos sonidos, los mismos "logos", las mismas películas, los mismos productos de *software* para los ordenadores. La reciente fusión entre VIACOM-CBS —que une los estudios cinematográficos de Hollywood con la mayor red televisiva, una red de estaciones de radio, la cadena de alquiler de videos Blockbuster, la casa editora Simon&Schuster y una serie de TV vía cable— y la compra por parte de America on Line (la mayor vía de acceso a Internet en el mundo) de la Time Warner (cuyo portafolio tiene, entre otras cosas, a la CNN, Time Magazine, Warner Brothers, casas editoras y discográficas, cadenas de negocios, redes televisivas vía cable) han sido pasos ilustrativos hacia la composición de una oligarquía "megacomunicadora" con un poder inmenso para cubrir todo el "tiempo libre" de las personas y remodelar la cultura de los pueblos.

No obstante ese poder avasallante, la otra cara de la moneda, destacada entre otros por B. Bagdikian, es que ese mismo desarrollo acelerado de las nuevas tecnologías de la comunicación, abaratando costos y multiplicando circuitos, está introduciendo nuevas dinámicas y posibilidades de liberalización y participación, de descentralización, de segmentación y selección, de variedad de mensajes e informaciones disponibles, sea en las comunicaciones interpersonales, sea en sus niveles "macro". A la vez, se está dando a la vez una democratización de la tecnología y de la información, entendida como posibilidad de acceso mucho mayor que la del pasado. Cuando se afirma que las innovaciones en la computarización, en la miniaturización, en la telecomunicación y en la digitalización democratizan la tecnología, se quiere decir que están permitiendo a centenares de millones de personas en el mundo entero conectarse entre ellas, intercambiar informaciones, conocimientos, dinero, música, televisión, organizar campañas de presión, suscitar convocatorias y movilizaciones, etc., en modos, cantidades y tiempos inconcebibles en el pasado.

Imperios y culturas

Es cierto, en general, que la difusión y hasta imposición de la propia cultura ha sido uno de los factores aglutinantes con los que se han construido y afianzado los grandes imperios. Los portadores de una cultura dominante imponen a los pueblos conquistados los elementos que contribuyen a consolidar su hegemonía sin tener que recurrir permanentemente a la fuerza para sostenerla. Deslumbrarse por esa cultura, renegar de la propia tradición, asimilarse y conformarse, son las modalidades más interiorizadas del dominio imperial en la conciencia y vida de los súbditos. Si las formas de dominación de "baja calidad" son las basadas en el uso de la violencia y las de "media calidad" las establecidas mediante el poder del dinero, las de más "alta calidad" son las impuestas por medio de la cultura.

El incaico logró conformarse y consolidarse como imperio sobre una cantidad increíble de pequeñas y grandes tribus, de usanzas y lenguas diversísimas, en una enorme extensión de más de 560 mil millas cuadradas, desde el sur de la actual Colombia hasta el norte argentino-chileno, pasando por Ecuador,

Perú, Bolivia y contando con Cuzco (¡los cuatro extremos del mundo!) como epicentro. Su modalidad de edificación imperial enlazó las conquistas con una progresiva y completa asimilación de los pueblos vencidos, imponiéndoles el quechua. Cuando se trataba de pueblos irreductibles a tal asimilación, se procedía a su emigración en masa y se los sustituía con los *mitimaes*, pueblos de lengua quechua fieles al Inca. La integración de los Andes y de la costa que se encontraba dentro de las fronteras del imperio incaico fue tan completa, que su estilo se imprimió indeleblemente en la región. Apenas después de un siglo de dominio incaico (1400-1500) fue modificado completamente el curso de la historia cultural andina. Por eso mismo, el idioma quechua todavía es hablado en la actualidad por más de 5 millones de personas y perduran los nombres incaicos en toda la geografía de tales territorios, mientras se esfumó incluso el recuerdo de los estados y las lenguas más antiguas.

Muy diferente fue la consistencia de la dominación azteca, de feroz militarismo, respecto de muchos pueblos subyugados. No le interesaba su asimilación, sino mantenerlos sometidos por el terror y convertirlos en tributarios y proveedores de carne humana para masivos sacrificios a las divinidades. No llegó nunca a consolidarse y estructurarse como efectivo imperio. "Cortés tomó Tenochtitlán —escribe Alberto Methol Ferré, en un artículo sobre 'El fracaso del Quinto Centenario'— no por sus 900 españoles, sino por sus 150 mil indios aliados. Sólo así puede comprenderse la conquista de una ciudad tan grande como Venecia, la mayor de Europa de entonces. La razón: el poder de Cortés residía en que levantó a los pueblos indígenas oprimidos por los aztecas. Casi hubo un holocausto infligido a los aztecas, pero fue por parte de los indios y no de los españoles, que eran demasiado pocos para poder impedir tal venganza, aunque lo intentaron. Así lo cuentan las crónicas. La famosa Malinche (que se une con Cortés y lo guía en la conquista) era una princesa de los pueblos oprimidos por los aztecas, que, además, le habían comido a su hermano (...). De ahí que actualmente en México haya un dicho popular: 'La conquista la hicieron los indios y la independencia los españoles'. Lo último se refiere a que la independencia fue obra de los criollos descendientes de los conquistadores."[25] No es casualidad que la lengua quechua mantenga aquella vigencia hasta hoy, mientras que el náhuatl sea hablado (con muchas variantes) sólo por escasas comunidades indígenas y que a nivel de la escritura subsista poco más que como tema de estudiosos de arqueología y lingüística.

Amor y violencia están en la gestación de todos los pueblos. También tuvieron génesis dramática los nuevos pueblos americanos a partir de la expansión ibérica. Se destruyeron violentamente los imperios mesoamericanos, como el inca y el azteca que, como todos los imperios, también se habían construido por la violencia. Está claro que la dinámica de la cultura de Europa occidental, en su expresión hispano-lusitana y en plena efervescencia renacentista, en muchos aspectos era inevitablemente superior a las culturas indígenas. "Si las creaciones plásticas y religiosas de sus altas culturas emulaban las de Oriente —escribe un gran estudioso como Mariano Picón Salas—, en otras formas de vida no se superaba todavía enteramente la época neolítica."[26] Las culturas indígenas carecían de recursos internos, espirituales, culturales y tecnológicos, para afrontar el tremendo reto histórico de la expansión europea. Pero esa fragilidad se agudizó muchísimo durante la conquista con el exterminio de las castas sacerdotales, depositarias de modo exclusivo de la tradición erudita de las altas culturas indígenas, que monopolizaban las formas superiores de la cultura y sus procedimientos rituales de transmisión e iniciación. Desaparecieron así, como tradición y creación, la religión, astronomía, artes plásticas, enseñanza, poesía, escritura... Persistió sólo la parte casera y menuda a niveles populares. Los indígenas quedaron reducidos a "fuerza bruta" de trabajo en campos y minas. Misioneros intransigentes completaron esa obra, quemando documentos y destruyendo templos que consideraban repugnantes formas de idolatría.

Destruyendo las civilizaciones amerindias, pulverizando su organización política y militar, aniquilando sus elites, la reformulación de la cultura de los nuevos pueblos que fueron sedimentándose por el mestizaje se logró por difusión e imposición de sus formas hispánicas dominantes. Agréguese a ello el violento desarraigo de los negros africanos en la esclavitud, llegados en su mayoría a Brasil e incorporados generalmente a las áreas de plantaciones tropicales. Sin embargo, "se verá entonces el caso, único en la historia universal, de una gran potencia colonial que consagrará gran parte del esfuerzo intelectual de sus hombres superiores no a resolver el problema de cómo explotar con mayor eficacia a los nativos de sus dominios, sino de cómo defender —de sus propios súbditos— a los naturales de las tierras conquistadas".[27] ¡La espada y la cruz!: la primera pretendiendo servirse de la segunda y condicionarla para sus fines, y la segunda desatando toda su potencia de compasión, dignificación y liberación con los oprimidos. Todo lo que pudo sobrevivir de comunidades y culturas indígenas, cuanto pudo valorarse y recuperarse, e incluso desarrollarse, de las tradiciones culturales y lenguas indígenas, fue fruto de la pasión e inteligencia de los misioneros, sobre todo expresadas en su compañía y diálogo con los pueblos indígenas. El punto más alto de una nueva experiencia civilizadora fue el de los pueblos misioneros organizados por los jesuitas en las "reducciones", sobre todo de Paraguay, en la Cuenca del Plata. Su desmantelamiento fue una de las mayores frustraciones de un auténtico desarrollo indoiberoamericano. Conquista, o sea, opresión y violencia, desigualdad y explotación, y evangelización, o sea, buena noticia de la dignidad y destino de la persona, conviven íntimanente en la cultura de los pueblos latinoamericanos desde su gestación.

Es justo y oportuno recordar que "en todos lados, la Independencia estuvo marcada por un brutal y peligroso agravamiento de la suerte de los indios", como escribe Pierre Chaunu.[28] "Todavía viven los indios en esclavitud efectiva —lo confirma Salvador de Madariaga al considerar el orden social de las nuevas repúblicas—, pero ya sin apelación posible, ni protector, ni frailes, ni audiencia, ni Consejo de Indias."[29] Las repúblicas oligárquicas despojaron a los indígenas de protecciones legales, de sus tierras comunales, de la vasta red de asistencia social que prestaban los bienes eclesiásticos ahora sometidos a la desamortización y destinados a engrosar el latifundismo, con campañas de exterminio país por país, con desplazamiento de los sobrevivientes a las tierras heladas del Sur, a las áridas de las altas montañas o hacia el refugio y repliegue en la selva tropical. Se pasaba entonces del folklore romántico del "buen salvaje" al desprecio de las razas en involución o degeneración, según los parámetros del positivismo racista en la era de las "polis oligárquicas" bajo la síntesis de Spencer, apoteosis de la era victoriana.

En la incorporación de los países latinoamericanos al mercado mundial del capitalismo en expansión, a finales del siglo XIX, por la intensificación de los transportes, flujos comerciales y culturales y nuevos medios de modernización, de confort y consumo, sus oligarquías "doctorales" y comerciales beneficiarias se deslumbraron ante los modelos europeos, los de Inglaterra y Francia especialmente. Asimilaron y difundieron un europeísmo de salón, meramente emulativo, desde sus capitales y ciudades-puertos, a espaldas del propio pueblo.[30] Adoptaron también la dialéctica "civilización contra barbarie" para releer la situación de las propias naciones y actuar en consecuencia; su expresión literaria es *Facundo* (1845) de Domingo F. Sarmiento. Civilizar era adoptar el modelo cultural metropolitano, necesaria y violentamente opuesto a la "barbarie" del interior de los campos, del populacho, de las masas campesinas e indígenas, del caudillismo rebelde, del oscurantismo clerical. Es la tarea emprendida por el monopolio del "Estado docente".

Desde entonces, la historia de los países latinoamericanos está llena de "modernizadores" interesados y entusiastas, que despreciaron la propia tradición cultural, ibérica y católica, y más aún, las grandes mayorías populares del mestizaje, cuya emulación de la cultura metropolitana no hizo más que acentuar dramáticamente la invertebración nacional, el atraso y la desigualdad sociales, la conflictividad política. Similar reflejo, aunque más refinado, se proyectó durante el itinerario de la Guerra Fría, en la que las sociologías de la modernización y teorías de la dependencia, programas de desarrollo y estrategias revolucionarias, teologías de la secularización y teologías de la liberación, pagaron fuerte tributo a toda clase de préstamos ideológicos según los parámetros dominantes de las vigencias iluministas, liberales o marxistas, hasta dejar hoy un vacío patético o un aburrimiento tan repetitivo como anacrónico.

Por el contrario, hacia mediados del siglo XIX, el notable científico barón de Humboldt, en sus *Vues des cordillères*, escribía: "No estamos dispuestos a admitir las distinciones tajantes entre naciones bárbaras y naciones civilizadas". Luego José E. Rodó respondió al argentino Sarmiento, que exclamaba "Seamos Estados Unidos", con su crítica a la "nordomanía" y su propuesta de la figura de *Ariel* como el modelo más cercano y auténtico de la herencia cultural recibida. Comenzaba entonces la crítica de la "leyenda negra" sobre los orígenes de América Latina, sobre la acción de España en América, sobre la misión católica.

La leyenda negra fue obra de ingleses y holandeses, en su fase emergente de conquista de la hegemonía mundial contra el imperio español en crisis. A ellos se agregaron caudales de desprecio de toda una serie de escritores europeos como Voltaire, Raynal, el mismo Hegel, quien consideraba a los pueblos hispanoamericanos como no aptos para la vida del espíritu, mientras que Engels y Marx se felicitaban por la conquista de México por los Estados Unidos para sacar por la violencia a ese pueblo "bárbaro" de su atraso histórico e incorporarlo así al desarrollo de la civilización.

Es sabido que en la historia no basta vencer. Para acabar con el vencido hay que transformarlo en malvado. España no fue sólo imperio en descomposición, sino también envuelto en esa leyenda negra que rodea siempre a los vencidos. La historia del nacimiento y desarrollo de los nuevos pueblos hispanoamericanos quedaba así resumida en una serie interminable de violencias y barbaries, que deja con las propias raíces podridas. Así, los vencidos, decadentes, tienen gran dificultad en autocomprenderse sintéticamente. Pierden hasta su propia historia. Las primeras décadas de la independencia de las nuevas repúblicas coincidieron con esa máxima postración de España y el consiguiente rechazo de los tres primeros siglos de la propia historia, de sus raíces culturales y religiosas. Es la política de la emancipación mental de las oligarquías doctorales. ¡Era como un sudario para los derrotados!

Si la historia del arraigo de *La leyenda negra en Inglaterra* está bien relatada por William Maltby, también hay estudios valiosos sobre su difusión en los Estados Unidos. Sobre el fondo difuso y generalizado de una gran indiferencia y hasta un desdén ignorante hacia los pueblos del sur, es notorio que en los Estados Unidos sigue prevaleciendo también esa "leyenda negra", que considera a aquellos pueblos condenados al atraso, al desorden y la violencia, a cierta barbarie, en los que se mezclan difusamente los motivos de ser de colonización hispánica, católicos, frutos del mestizaje y tropicales.[31]

¿Es la completa asimilación cultural con la arrolladora expansión de la supremacía tecnológica y mediática de la cultura norteamericana hoy día, acaso, el único camino de modernización latinoamericana? ¿Habrá que barrer con la resistencia de la tradición católica para que puedan desarrollarse de hecho actitudes y comportamientos aptos para una triunfante y eficaz economía de mercado? ¿Se deberá reformular radicalmente el sustrato cultural de sus gentes?

Esto ha sido tradición implícita o explícita en la proyección política e intelectual norteamericana hacia América Latina. Hay innumerables testimonios de ello desde finales del siglo XIX. La indicación contemporánea más clara, para comienzos del siglo XXI, la ha dado S. Huntington cuando afirma que México (nada menos que el Estado-nación más importante del sector hispanoamericano de América), al incorporarse al TLC/NAFTA, se propone abandonar su identidad cultural, salir de América Latina y adoptar la identidad norteamericana. Es más que elocuente la anécdota que cuenta de un diálogo mantenido con un consejero del presidente Salinas de Gortari; luego de escuchar los programas mexicanos propuestos por dicho consejero, Huntington se aventuró a decirle: "Me parece que usted lo que quiere básicamente es el cambio de México, de país de América Latina a país de Norteamérica". El consejero le respondió que eso era exacto, pero que no podía decirse públicamente porque encontraría grandes resistencias. "Las reformas de Salinas —insiste Huntington en *El choque de civilizaciones* y precisamente en su capítulo titulado "Países en ruptura"[32]— se proponían transformar a México, país latinoamericano, en un país norteamericano." No en vano ese realineamiento y redefinición culturales (cuestión de grave magnitud, en la que está en juego el destino mismo de la nación), entrelazados con las reformas económicas, la incorporación al TLC/NAFTA y el proceso de democratización, han provocado en los últimos diez años mexicanos un oleaje de tensiones y violencias, de turbulentos movimientos contradictorios, en los que las tormentas a veces impiden a los mismos protagonistas, captar y centrar los retos cruciales.

Lo que afirma Leopoldo Zea ensancha y radicaliza esa perspectiva problemática: "En ese sentido, lo que suceda a México (dice, en general, de la experiencia del área de libre comercio) como primer socio, le pasará a toda América Latina".[33] A lo que hace eco nuevamente Huntington cuando afirma que la situación latinoamericana se complica, por el hecho de que México ha intentado redefinirse, dejando su identidad latinoamericana por otra norteamericana, y Chile y otros Estados podrían seguirlo. ¿Es ésa la necesaria desembocadura del ALCA para todo el continente?

En el marco de una gigantesca crisis cultural

A primera vista, el partido parece casi perdido para los latinoamericanos... ¿estarán destinados a ser sólo "americanos"? El cambio de las matrices esenciales de un pueblo, de sus creencias, comportamientos y valores fundamentales, implica una desgarradora crisis de identidad y la reformulación de una nueva identidad por asimilación (con toda la mezcla que siempre supone). La cultura mundial del Imperio global parece arrolladora y necesariamente remodeladora y conformadora, con gran dinamismo de innovación y expansión. Sin embargo, hay que tener en cuenta algunos factores que marcan a fuego sus puntos críticos de fragilidad y vulnerabilidad.

Hoy todo el Occidente sufre una gigantesca crisis cultural. Conviene, al respecto, una disquisición intelectual, aunque se presente con un juicio sintético que requeriría muchos desarrollos e inflexiones. Nuestra actualidad está caracterizada —ya se dijo— por la crisis de los modelos, las vigencias culturales y las utopías de raíz iluminista. Horkheimer y Adorno, en su *Dialéctica de la Ilustración*, ya señalaban la bancarrota moral e intelectual de la tradición iluminista, la pérdida de su potencial de humanización inserta en la lógica de la razón instrumental. Pero el derrumbe de los regímenes comunistas fue el mayor signo y el detonador explosivo de esa crisis de larga incubación. Media tradición intelectual de Occidente en los últimos dos siglos parece haber desembocado en la nada. ¿Quién no ha hecho la experiencia de desplazar al último de los estantes de la biblioteca muchos libros que poco antes se necesitaba tener al alcance de la mano? Se asiste a una "pérdida de certezas totalizadoras", a una crisis y rechazo de los "discursos narrativos generales", a la deconstrucción de instituciones, instancias y credos.

Paradójicamente, la victoria del liberal-capitalismo sobre el comunismo ha traído a la luz y ha radicalizado a la vez una "crisis de sentido". El desfonde de las utopías mesiánicas y de los racionalismos cientificistas e ideológicos desemboca en la desconfianza de la razón y en los "pensamientos débiles", en la incapacidad "de pasar de los fenómenos a los fundamentos",[34] en el "antifundacionismo" de un capitalismo que se dice maduro y complejo, en la disolución de la densidad ontológica de la realidad y la confusión entre lo real y lo virtual, en la reducción de lo real según parámetros de funcionalidad y eficiencia interactivas compensados por una imagen estetizante del mundo a modo de lúdico ornamento espiritual.[35]

Ahora bien, esta crisis y desconcierto culturales sacuden sobre todo a Europa occidental. Allí tiene su epicentro. Menos ideológico y más pragmático, más "protegido" de todas las grandes tragedias que han acaecido en tierras europeas en el siglo XX, Estados Unidos parece no sufrirlos tan radicalmente. Por otra parte, la victoria contra el comunismo, el hecho de haberse transformado en única y predominante potencia mundial, así como el resurgimiento del "credo americano" en relación también con el ciclo benéfico de la economía norteamericana, han podido detener mejor los efectos corrosivos de esta crisis. Pero ella no deja de actuar en profundidad. No es casualidad que la adviertan muchos pensadores norteamericanos.

El "final de la historia universal" sería el Estado de Derecho, democrático-liberal y de economía de mercado, con gran desarrollo científico-técnico, de predominio de clases medias, tal como aparece en los centros metropolitanos capitalistas y, paradigmáticamente, en los Estados Unidos. Tal es el esquema básico del conocido libro de Francis Fukuyama. Pero ¿qué pasa con los hombres que viven ya en la introducción poshistórica? ¿Es acaso un final satisfactorio? Las malas lecturas de Fukuyama han ignorado o eludido su patética reflexión final: él piensa que las sociedades opulentas han desembocado en el "callejón sin salida" del "relativismo moderno" y que la "crisis de sentido" deja a sus ciudadanos sumidos en el tedio del espectáculo y de la banalidad.[36] Mucho se ha discutido sobre el "fin de la historia", pero se ha ignorado la segunda parte del título —"...y el último hombre"—, donde reaparecen Friedrich Nietzsche y su voluntad de poder.

Proféticamente en su prólogo a *El Anticristo* (1888), Nietzsche había sentenciado: "Tan sólo el pasado mañana me pertenece; algunos nacemos póstumos". Nietzsche quería sacar del "Dios ha muerto" todas las consecuencias, vivir el ateísmo en su exigencia radical: no se puede ser ateo y seguir profesando implícitamente valores cristianos, que es cuanto sucede, a modo de ejemplo, al liberal Benedetto Croce cuando afirma: "No podemos no decirnos cristianos". Por el contrario, exige una "transmutación de todos los valores". Por eso, Nietzsche individualizaba en el cristianismo su enemigo principal; no arremetía sólo contra el credo y la metafísica, sino que quería deshacer también el cristianismo latente que prosigue en mentalidades, instituciones, movimientos políticos, etc. Por eso, criticaba también al racionalismo ilustrado, en cuanto dependiente de raíces y tradiciones cristianas secularizadas. Su lucha fue tremenda, desgarradora: el ateísmo no soporta su abismo pero, al mismo tiempo, lo exige.[37]

Pues bien, Nietzsche ha derrotado a Marx, pero tiende a derrotar también a Locke y Smith. A la larga fase de los ateísmos mesiánicos suceden ahora las modalidades cada vez más difundidas de ateísmo nihilista y libertino. Del Noce lo percibió claramente. Ya no se trata de aquel nihilismo trágico, aristocrático, programático, que quería sustituir el vacío dejado por el abandono de toda moralidad mediante la voluntad de poder, desde la dramaticidad del héroe que desafía al Señor de la historia, declarándolo muerto, superfluo. "El nihilismo que estaba en la base de las ideologías totalitarias —explica bien Pedro Morandé— se disfrazaba de optimismo avasallador, de conquista de nuevas metas. Era capaz de proclamar, como en España, ¡viva la muerte!, y presentarse en los distintos escenarios del mundo como la ideología de la 'gran marcha', del gran salto hacia adelante, en el plano económico no menos que en el político, en el científico no menos que en el vanguardismo cultural. Su último estertor de muerte fue la guerrilla urbana, el terrorismo, la embriaguez de la violencia sin otro propósito que la propia violencia."[38] Una cara del nihilismo actual se manifiesta en el terrorismo islámico que exalta la violencia y la muerte. Su otra cara es la de un nihilismo que se ha vuelto predominantemente agnóstico, placentero, conformista; proclama y promueve la trivialización de la existencia, su desdramatización. Se trata de "ver si logramos vivir sin neurosis —escribe Gianni Vattimo— en un mundo en que 'Dios ha muerto'";[39] y en el que han muerto también todas las pretensiones ideológicas, idolátricas, de divinizar al hombre (porque también él ha muerto, diría Foucault).

Se trata ahora de un nihilismo en su versión *light*, que no deja de tener un núcleo duro: la negación de la verdad del ser y un consiguiente paradigma antirrealista, la disolución de todo fundamento, la negación de toda finalidad del hombre y del cosmos, la invalidez de todo juicio de valor, pero que se propaga por medio de una serie de "pesos livianos", en conformidad con una sociedad masivamente organizada para el consumo. Se conjuga con el resurgimiento del libertinismo[173], que estuvo en los orígenes de la modernidad como propio de las clases aristocráticas, y que ahora se difunde a nivel de consumo de masas. Después del optimismo humanista, del progresismo modernizador, de la revolución mesiánica, hoy es tiempo de vacío nihilista: ningún valor ni esperanza fundados, ninguna ética obligatoria, ningún ideal, sino el de gozar inmediatamente a cualquier precio, la mayor cantidad posible de placer, de emociones.[40] Rorty es representante típico de esa utopía de lo banal en sociedades liberales "maduras": la actitud responsable es adaptarse pragmáticamente al orden dominante y rechazar la crítica.

Es muy significativo que Ted Turner, dueño de la CNN, se haya declarado en diversas oportunidades "hijo de Nietzsche" y que la información de su cadena televisiva esté orientada de modo sistemático contra la Iglesia católica. Pero son estos "micronietzscheanos" privilegiados, conformistas y demoledores a la vez, los que cuecen, desde la industria de la cultura, los caldos de cultivo de nuevos rebrotes de nihilismo instintivo, violento, de quienes se sienten excluidos, amenazados y confusos por la globalización, tal como se expresa con frecuencia y virulencia en franjas significativas del movimiento "no global".

Ahora bien, el ateísmo nihilista y libertino se propaga como ácido corrosivo y demoledor, pero no ofrece ni cimientos ni energías para la construcción de la persona y de la sociedad. Menos aún de un imperio. A la larga es imposible vivirlo en lo personal; es disgregador, no constructivo ni revolucionario a nivel social, sólo parasitario, conformista. Termina socavando los cimientos de la democracia que se asientan en la dignidad de la persona humana, el orden de la convivencia y la búsqueda del bien común. Resulta derrotista e impotente ante los embates del fundamentalismo terrorista. Nada peor para América Latina que difundir y acoger acríticamente estos *trends* culturales decadentes de las sociedades de la abundancia, del neoconformismo y el tedio, bajo las máscaras de "progreso" de "sociedades avanzadas".

Democracia y derechos humanos: crisis de fundamentos

Ésta es la primera vez en la historia de la humanidad en que la mayoría de la población del planeta tiene gobiernos democráticamente elegidos. Según *The New York Times*, 3.100 millones de personas viven en regímenes democráticos, mientras que 2.660 millones están sometidas a regímenes autoritarios de diferentes grados y formas. Se calcula que 118 de los 193 países del mundo actual tienen regímenes democráticos, con un sensible aumento en los últimos 15 años. En el curso de los últimos 20 años el número de países que ha tenido elecciones se ha más que duplicado, llegando a 140, aunque menos del 60% de los gobiernos nominalmente elegidos pueden ser considerados plenamente democráticos. ¿Quién puede dudar de aquel famoso dicho de que la democracia es el menos malo de los regímenes políticos conocidos, a la luz de un siglo de ideologías y sistemas totalitarios, de guerras mundiales, de políticas genocidas como la "Shoa" de los nazis para el exterminio de los hebreos y de las decenas de millones de víctimas del comunismo soviético, chino y camboyano? ¿Quién puede dudarlo ante persecuciones y violencias liberticidas, tiranías brutalmente represivas, terrorismos y "guerras sucias", violencias guerrilleras, conculcación de los derechos humanos, prácticas aberrantes de "desaparición" y torturas? El actual proceso de consolidación de la democracia en América Latina, aun con todas sus insuficiencias, es un bien que hay que custodiar. No es posible ignorar que la democratización es todavía un trabajo arduo y abierto a nivel mundial. El interrogante sobre el futuro de China depende de ello. No faltan muchas "zonas grises" de "democracias incompletas".[41] También son evidentes las graves dificultades para promover (¡y mucho más exportar!) la democracia en naciones con el sustrato cultural de un Islam que todavía no ha ajustado sus cuentas con la distinción entre comunidad política y comunidad religiosa ni ha pasado a través de las instancias críticas modernas de la razón y la libertad. Arthur Schlesinger (hijo) considera que, si en el siglo XXI la democracia liberal fracasa en construir un mundo humano, próspero y pacífico, abrirá las puertas nuevamente al totalitarismo.

Estados Unidos cuenta con una tradición democrática ejemplar a nivel mundial. Es una gran democracia moderna. Por eso mismo, asombra que, sobre todo desde Estados Unidos, se advierta que los fundamentos de la democracia nunca aparecieron tan carcomidos como en la era de su universalización. No se trata sólo de los profundos replanteamientos en cuanto a la teoría y praxis de la democracia, que están provocados por el desarrollo de sociedades multiculturales, la autorregulación de las innovaciones y dinamismos tecnológicos, la extensión de lo privado y de las privatizaciones, los influjos de la "revolución de las comunicaciones", el despliegue de la globalización y de las formas de integración regional/continental, entre otros factores. Abundan los estudios en esa perspectiva. Más aún: están en cuestión los fundamentos de la democracia.

Es elocuente el gran ensayo de John Rawls, *Una teoría de la justicia* (1971), en cuanto intento de desplazar la cuestión de los fundamentos de la democracia en beneficio de una cuestión de acuerdo mutuo, generalizando y actualizando a alto nivel de abstracción con ciertas inflexiones la tradición contractualista de Locke, Rousseau y Kant.[42] La preocupación de Rawls es la de diseñar instituciones políticas que puedan ser reconocidas como legítimas por individuos que se identifican con una variedad muy plural de convicciones morales, metafísicas y religiosas. En este sentido, la democracia ha de fundarse sólo sobre un tejido permanente y perseverante, extendido lo más posible, de intercambio de opiniones, respetuosas y tolerantes las unas con las otras, que vayan decantando los intereses generalizables, sin pretender jamás hacer referencia a cualquier verdad ajena o exterior al libre intercambio social. El voto, la decisión política y legislativa, pues, no hacen más que expresar de manera provisional lo que es generalmente conveniente para una sociedad en un determinado momento de su historia, a la luz de intuiciones razonables de justicia. Las "ataduras" éticas, ideológicas, religiosas, consideradas de naturaleza estrictamente privada, no susceptibles de universalización, son consideradas así fuente de conflictos insanables e incluso de violencias cuando pretenden tener dimensión pública. Al contrario, deben quedar a nivel de libres opiniones, preferencias subjetivas y opciones individuales coexistentes en el mercado de productos "espirituales" de la sociedad liberal y multicultural.

Esta posición parte muchas veces del presupuesto de que los credos religiosos, las verdades proclamadas y las narraciones ideológicas son, en su proyección política, amenazas latentes y potentes de fanatismo, intolerancia y violencia. ¿Acaso no hemos asistido históricamente a las más diversas formas milenarias de sacralización del poder, a la simbiosis aunque crítica entre la espada y la cruz, a la desembocadura de un estatismo "jacobinista", a regímenes de totalitarismo confesionalmente ateo, a la actual mezcla explosiva de confusión entre el poder del Estado y la ley religiosa en el Islam y los llamamientos a la "guerra santa"? Todo Estado ético, ideológico, religioso, lleva consigo un dinamismo de violencia contra la libertad. Lo que de por sí es relativo, como la instauración de una ordenada convivencia sobre bases liberales, no puede convertirse en absoluto.

Esto es advertencia importante para los latinoamericanos propensos a la "inflación ideológica": "La tendencia a sacralizar los principios políticos como verdades absolutas y a guiar la acción política sobre planificaciones globales de la sociedad".[43] No debe vivirse la política como redención. Es bueno, pues, que exista una auténtica secularización de la democracia. Pero el error que está detrás de esa verdad se proyecta hacia una democracia vaciada de todo fundamento, de todo cemento e ideal cohesionadores, en la que el marco estatal es mero entorno aséptico para la libre satisfacción de los intereses individuales. Además, las presuntas reglas razonables de convivencia a las que pretende atenerse esa "república procedimental" de hecho quedan determinadas por los poderes fuertes y la cultura dominante, mediante sus medios legales y tecnológicos de presión y conformación de la opinión pública, también sobre las cuestiones éticas consideradas discutibles, problemáticas y, por eso, presuntamente dejadas a la "libertad" individual. Confiarse sólo a los acuerdos provisionales de legalidad y funcionalidad y a las reglas de procedimiento, deja a la democracia asentada en un terreno movedizo. La alianza entre democracia liberal y relativismo socava la misma democracia[44] y la deja sumida en una gran fragilidad. En efecto, por una parte, una democracia que no sepa fundarse y estar animada por algunos grandes criterios que distingan lo justo de lo injusto, lo bueno de lo malo, lo verdadero de lo falso, y por grandes ideales compartidos, no pueden suscitar auténticas conciencias de pertenencia; tampoco promover convergencias solidarias y constructivas ni hacer aceptar los sacrificios inevitables que ello comporta; no genera anticuerpos para moderar la prepotencia de los más fuertes, y es caldo de cultivo para la corrupción. No sirve, pues, para enfrentar grandes tareas históricas. Por otra parte, la paradoja de una democracia basada en el relativismo ético niega en vía teórica una verdad ontológica del hombre, pero permite al poder dictar prácticamente, a través de leyes y estructuras, una propia ontología, antropología y ética, incluso contrabandeando como "libertad" leyes contra la persona humana.

La tradición iluminista reconocía en los derechos humanos el sustento anterior e interior de la democracia, en cuanto derechos naturales, universales, porque están radicados en la común naturaleza humana. Ello procedía de la secularización "jusnaturalista" de la tradición cristiana. La bancarrota del iluminismo cuestiona ahora radicalmente los fundamentos mismos de los derechos humanos. ¿De qué "dignidad humana" se habla, para que no quede en retórica y abstracción? Si no se asientan en una naturaleza humana común, universal, en una dignidad ontológica y ética, los derechos humanos quedan sometidos a la arbitrariedad del poder. Si se "desfundan"...¡se "desfondan"![45] Hay una fuerte inclinación al *pick and choose* en materia de derechos humanos.[46]

No es casualidad que, precisamente en nuestro tiempo, se pretenda difundir e imponer nuevos, confusos e instrumentales "derechos individuales": la legitimación del aborto, la fertilización asistida, la eugenesia, la eutanasia, el matrimonio de homosexuales y la posible adopción de hijos por parte de ellos, pretenden invocar derechos y ampararse bajo la protección de la ley. Tales presuntos derechos individuales atentan contra el fundamental e inviolable derecho a la vida, desde la concepción hasta la muerte natural, contra el derecho a la individualidad, irreductibiliad y libertad de cada persona humana (amenazada por toda suerte de manipulaciones biogenéticas y culturales), contra la célula natural y básica del tejido social, que es el matrimonio-familia, incluyendo la procreación y la educación de los hijos. *Lobbies* poderosos promueven sistemáticas agresiones ideológicas y legislativas favorecidas por una cultura dominante caracterizada por modalidades de relativismo moral y político. De este modo, todo parece resolverse según las preferencias del consumidor: el mercado regula no sólo el intercambio de las cosas sino también todas las demás dimensiones de la existencia personal y convivencia social (política, cultura y religión, e incluso la misma procreación humana).

Es sorprendente que sectores de gobierno e intelectuales en América Latina que se pronuncian muy críticos del ultraliberalismo económico, presentándose como abanderados y defensores de sus pueblos, se vuelvan a la vez propugnadores de los pésimos subproductos del ultraliberalismo cultural, contrarios al ethos cultural de sus pueblos. Cuanto más se demuestran incapaces de definir y promover alternativas factibles respecto a las estrategias económicas neoliberales, tanto más buscan arrogarse patentes de "progresistas" en el ámbito de legislaciones y propuestas caracterizadas por un individualismo salvaje y un liberalismo disgregador del tejido familiar, social y cultural de los pueblos.

Tal es la paradoja de las sociedades liberales de nuestro tiempo: si tienen una ideología oficialmente sancionada por el Estado se vuelven autoritarias o totalitarias; en cambio, si no tienen ninguna ideología, entonces no producen los valores que necesitan para subsistir y caen en la descomposición y disgregación. Por eso, Bockenforde afirma que al actual Estado liberal y secularizado no es una *societas perfecta* (autosuficiente): para su fundamentación y conservación debe referirse a otras fuerzas y potencias, pues vive de presupuestos que él mismo no puede garantizar.[47] Esto significa que existe algo "irrenunciable" para la democracia pluralista que no se funda en el plano político; hay una base de verdad que no está sometida al consenso político sino que lo anticipa, lo hace posible y lo preside. La democracia pluralista y tolerante no está meramente garantida por las reglas y estructuras políticas, sino que necesita un fuerte arraigo ético y religioso del tejido social. Tal es la tradicional enseñanza de Tocqueville; la democracia no hace referencia primariamente a un racionalismo abstracto sino que el Estado está al servicio de una concreta sociedad, que es el resultado de un proceso histórico y de una cristalización cultural de base ético-religiosa, de donde proceden los valores compartidos que le dan fundamento, solidez y vigor. En los Estados Unidos, ello se expresa en la simbiosis entre "religión civil" y "credo americano", que no obstante todas sus ambigüedades, tiene un poder aglutinador mucho más fuerte que el de las democracias europeas en plena crisis de autorreconocimiento cultural.

En América Latina, por su parte, resulta fundamental el desarrollo y maduración de una cultura política democrática, que no puede ser disociada de la tradición católica de sus pueblos. El vivo sentido de dignidad, fraternidad y justicia que late en el corazón de los latinoamericanos proviene de esta tradición. No fue casualidad que la neoescolástica, sobre todo en el pensamiento de Suárez, donde el pueblo es la mediación legitimadora de la autoridad que viene de Dios, haya influido mucho en la motivación intelectual e ideal de los procesos de emancipación de los países hispanoamericanos. La democracia en América Latina se consolida, profundiza y amplía cuando está enraizada en el sustrato y *ethos* culturales de los pueblos, capaz así de movilizar sus fibras íntimas y de suscitar una auténtica participación popular (que no sea meramente episódica y emocional). No puede tener lugar en América Latina el laicismo relativista que se afirma agresivamente en la vida pública europea —basta pensar en la arremetida del gobierno de Rodríguez Zapatero—, por el que se pretende que la religión, y especialmente la tradición cristiana tan fundamental en la configuración histórica y cultural de los pueblos, quede limitada a afición privada de algunos ciudadanos, tolerable sólo en la medida en que no se proponga ni sea tenida en cuenta en esa vida pública, en las leyes, en la cultura, en los usos y costumbres, en los criterios morales y normativos de la conducta.

Desde los años ochenta la democratización de América Latina ha sido una conquista de gran valor, que parece ir dejando atrás las perniciosas tradiciones de autoritarismo militar, "providencialismo" político, caudillismo y violencia civil. La Iglesia desempeñó un papel muy importante en ese proceso de transición democrática, y puede ser considerada como garantía de su consolidación y desarrollo gracias a su autoridad ideal y a la mediación popular que expresa. Sin embargo, hay señales de alerta respecto a la fragilidad y vulnerabilidad del tejido democrático en América Latina. Son causas de preocupación el persistir dramático de la violencia en Colombia, las turbulencias periódicas de Paraguay, la endémica inestabilidad boliviana y la profunda crisis ecuatoriana, la fragilidad de la base democrática en varios países centroamericanos, la tragedia haitiana, la incapacidad de Cuba de emprender su transición democrática, y los bajos índices de consenso que en general tienen la mayoría de los gobiernos nacionales. La más detonante (amplificada por declaraciones altisonantes, insultos e histrionismos y sostenida por las cuantiosas rentas petroleras) es la amenaza de una deriva autocrática en Venezuela y su proyección turbulenta en las políticas andinas.

Además, en muchas situaciones parece ensancharse el foso entre la corporación y la maquinaria política, por una parte, y la sociedad civil, por otra. Varios estratos de población continúan viviendo excluidos de la cosa pública, mientras crecen enormemente las redes espontáneas de solidaridad, las formas de la economía y la sociedad "informales" y, al mismo tiempo, los espacios de ilegalidad, las redes de delincuencia y la proliferación de la violencia urbana. A menudo el Estado de derecho parece estar perdiendo el monopolio de la violencia, que se despliega a través de guerrillas endémicas, del crimen organizado, de la violencia narcotraficante, de variadas formas de delincuencia juvenil y de los aparatos tolerados de policías privadas y paramilitares. Asegurar el orden público se ha convertido en requerimiento fundamental para no socavar la democracia con su debilidad y las reacciones escépticas consigüientes. Pesa también la herencia cultural de Estados patrimoniales, muy burocratizados, asistencialistas, clientelistas, con muy difundida conmixtión de la gestión estatal con intereses privados y altos índices de corrupción.

Los partidos tradicionales de América Latina (conservadores y liberales en el siglo XIX, nacionales y populares, socialcristianos, socialdemocráticos, radicales, socialistas y comunistas en el siglo XX) no han vivido una auténtica renovación; muchas veces languidecen, aparecen disgregados y desconcertados, acusan una fuerte crisis de representatividad, no están a la altura de las necesidades y exigencias actuales. No hay grandes corrientes, movimientos y partidos de recambio y proyección a nivel latinoamericano. Hay gran dosis de indeterminación en las políticas nacionales. Sobre todo hoy día hay que superar las tentaciones pendulares del desencanto (ausencia de fundamento e ideales, pragmatismo, corrupción y falta de credibilidad de la "política") y de la utopía o construcción imaginaria que violenta la realidad. El agotamiento de las estrategias neoliberales tal como fueron implementadas en los años noventa y la marea de desequilibrios y desconciertos en la actual situación crítica por la que atraviesa América Latina han dado lugar a la génesis y desarrollo de movimientos políticos muy diversos entre sí, por lo general de rasgos populistas porque representan válvulas de desahogo de vastos sectores sociales empobrecidos y descontentos, si no excluidos, con connotaciones políticas e ideológicas de perfil ambiguo y difícil definición. Hay mucha verborragia que no sirve para nada, sino para exasperar y polarizar los ánimos y quizá para conducir a situaciones de violencia. Subsiste también el ideologismo de los esquemas del marxismo vulgar, que no pasaron a través de una seria crítica y autocrítica ni revieron sus fundamentos, posibilidades y horizontes después del derrumbe de las experiencias históricas del socialismo real. Positivas son, al contrario, la democratización prolongada y la continuidad institucional en la gran mayoría de los países (como nunca en su historia política), no obstante los desequilibrios sociales, el impacto de los planes de ajuste y las fases muy críticas de comienzos del siglo XXI. Lo son, en especial, la madurez de reconciliación y consolidación democráticas en Chile, la tradición ejemplar de Costa Rica, su sólido restablecimiento en Uruguay, los procesos electorales transparentes y la creciente base popular de la democracia en Brasil, etc.

El virus del individualismo radical

Es ciertamente un signo de democracia la libertad con la que muchos pensadores norteamericanos de los *think tanks* del *establishment*, se muestran lúcidos y a veces duramente autocríticos respecto de los grandes problemas de la propia sociedad, con ópticas muy diversas de quienes desde el extranjero ven sólo "agua de rosas" y siguen cultivando, acríticamente, el "mito americano". La democracia vive y también mejora gracias al coraje de admitir sus necesarias imperfecciones y peligros, más allá de la pretensión de construir "mundos perfectos".

Daniel Bell habla de "era del hedonismo". Tanto Huntington como Brzezinski, entre muchos otros, critican a fondo ese hedonismo que socava la tradición cristiana y las bases de la moralidad social, y señalan su carácter de signo y amenaza de declive social y hasta "imperial". Ambos encuentran sorprendentes analogías con la decadencia de otros sistemas imperiales. "No es exagerado afirmar que en los sectores más conscientes de la sociedad occidental va difundiéndose —escribe Brzezinski en su obra reciente *El gran tablero de ajedrez*— un clima de angustia y pesimismo, planteando la necesidad de hacer renacer en Occidente un 'optimismo histórico'." Para Huntington hoy es la disgregación interior el mayor peligro, que por lo general sigue a la fase del "imperio universal". Los deslumbrantes logros tecnológicos, económicos y políticos se dan juntamente con "problemas de decadencia moral, suicidio cultural y desunión política en Occidente", entre cuyas manifestaciones Huntington cita el aumento de las conductas antisociales (crímenes, drogadicción y violencia en general), la decadencia familiar (que incluye mayores tasas de divorcio, ilegitimidad, embarazos de adolescentes, familias monoparentales), el descenso vertiginoso de la natalidad y el envejecimiento de la población, el resquebrajamiento de la ética del trabajo, los niveles más bajos de rendimiento escolar con depreciación del estudio y la actividad intelectual, y la erosión del cimiento sustentador de la sociedad occidental, el cristianismo.[48]

Francis Fukuyama es aún más radical en su libro *La gran destrucción*, donde destaca los procesos de desintegración de la sociedad norteamericana, comenzando por la crisis del matrimonio y la familia, bajo el influjo de un individualismo y utilitarismo exasperados.[49] La gran destrucción que, según Fukuyama, tuvo su ciclo más virulento entre los años 1960 y 1990, y luego se ha ido agotando en sus impulsos propulsores, si bien se manifiesta todavía en sus efectos disgregantes. La sociedad liberal vive de la fuerza de los individuos e incuba la fragilidad del individualismo.

La confianza en la autosuficiencia del individuo está originariamente en el sustrato puritano, reafirmada por la tradición iluminista y "liberada" por la secularización de los contrapesos del juicio divino y del congregacionalismo de las comunidades locales. Ya lo señalaba el Papa León XIII, en su encíclica *Testem Benevolentiae*, en 1899, cuando condenaba la herejía del "americanismo", por la "sobrestima de las virtudes naturales" del individuo, sin tener en cuenta el pecado original como ruptura, desorden y extrañamiento de sí. El pragmatismo de William James elabora filosóficamente esa tendencia "americanista". Se tiende así a proyectar el mal fuera de sí, en los otros, de modo moralista y maniqueo. En ese marco cultural no puede extrañar que se destaque, por el contrario, el realismo con el que escritores cristianos norteamericanos, como Reinhold Niebuhr y Flannery O'Connor, afrontan la naturaleza y condición humanas, a la luz teológica y existencial del pecado original y de la súplica y mediación de la gracia. En la década de 1960 esa tradición individualista se prolongó y transformó en un individualismo radical que es ahora el nietzscheano "crearse a sí mismo", de quien "quiere su propia voluntad", sin aceptar ninguna medida objetiva de bien, ningún criterio fundado de juicio, en la total afirmación de la propia autosuficiencia y autonomía, en la afirmación de la libertad como instintividad y preferencia arbitraria.

La progresiva individualización del mercado y del consumo, la desintegración familiar, la precariedad difusa en las relaciones de trabajo, la ruptura de los vínculos sociales y culturales con los que se identifica esa presunta afirmación de libertad, la sustitución de las relaciones primarias por las conexiones virtuales, van resquebrajando el "capital social" que, según Fukuyama, Putnam y muchos otros, es fundamental para el desarrollo auténticamente humano de una sociedad. La pérdida del sentido de pertenencia comunitaria, de una tradición de valores, reglas y experiencias compartidas, hace que la sociedad sufra una creciente desorganización y atomización, incapaz de suscitar convergencias duraderas de energías hacia grandes empresas y objetivos comunes.

Sin embargo, cabe preguntarse si tales tendencias no han ido disminuyendo su vigor crítico y desintegrador en la sociedad estadounidense ya desde mediados de la década de 1980, y si la conmoción suscitada por los atentados terroristas de Washington y Nueva York no demuestra la fuerza con la que el "credo americano" resurge como arraigada expresión patriótica, no obstante toda esa erosión. Alan Wolf y Joseph Nye, entre otros, consideran que un patriotismo maduro y tolerante ha ido reemplazando a las ásperas divisiones de los años sesenta y setenta, que indicadores culturales como los índices de criminalidad, divorcio, embarazos de menores, uso de drogas, han mejorado sensiblemente, y que los altos niveles de pertenencia y participación en organizaciones religiosas y en asociaciones de voluntariado indican también el vigor del tejido social del país.[50] En efecto, Estados Unidos aparece a los visitantes con una imagen de dinamismo, energía, agresividad y movimiento hacia el futuro. ¿Pero ese sentimiento común en condiciones excepcionales puede ser efectivamente duradero y sólidamente constructivo para una auténtica *endurance freedom* de las personas y la nación? La casi instintiva e inmediata movilización popular en la defensa de las "verdades evidentes por sí mismas" —derechos naturales sobre la vida, la libertad y la búsqueda de la felicidad— ¿traerá consigo una auténtica actualización de los fundamentos y valores sobre los que quiso construirse la nación, o se limitará a diluirse en un genérico y maniqueo "excepcionalismo" en cuanto percepción de los Estados Unidos como tierra de una "nueva alianza", combatiente contra el "mal" que contamina al resto del mundo? ¡Es un reto decisivo!

En efecto, la guerra al terrorismo no se combate sólo con las armas. Requiere la exigencia de una mayor comprensión de otros ámbitos culturales, religiosos, de civilización. Exige, a la vez, un radical replanteamiento cultural en Occidente. El Occidente opulento logra encantar y atraer al mundo entero con sus prodigios técnicos, sus niveles de convivencia y bienestar, pero eso no basta. Al mismo tiempo que seduce, provoca viscerales rechazos, porque en su expansión mundial es privilegio de minorías, destruye los vínculos y tejidos tradicionales y difunde un desarraigo y una desacralización que deja desamparados. Más aún: si queda atrapado en el relativismo cultural y libertinismo, no ofrece factores de consistencia y "significado" para que las personas y comunidades afronten su vida en medio de la tremenda transición civilizadora que el mismo Occidente promueve por doquier. Paradójicamente, la cultura occidental es la única en verdad mundializada, con una fuerza, rapidez y profundidad inauditas; pero es una cultura dominante que no logra asimilar hasta el fondo no sólo a los que le están distantes, extraños y lejanos, sino también a sus propios miembros, que deja más o menos privados de raíces y referencias identificadoras en relación con su misma tradición.[51]

Problemas de multiculturalismo

La cultura americana no tiene toda la fortaleza que aparenta, ni tampoco la homogeneidad que expresaba el lema *e pluribus unum* escogido por un Comité del Congreso Continental formado por Benjamin Franklin, Thomas Jefferson y John Adams, "padres fundadores". El único modo absolutamente seguro de llevar a esta nación a la ruina, de impedirle toda posibilidad de conciencia como nación —advertía luego Theodore Roosevelt—, sería permitir que se convirtiera en una "maraña de nacionalidades enfrentadas".

El credo americano, como amalgama ideológica de democracia, individualismo, igualdad ante la ley, constitucionalismo y propiedad privada, inspirado por una especie de religión civil, proporcionaba el cimiento asimilador, patriótico, para tal conjugación de la pluralidad en la unidad y para la integración de todos los americanos en una comunidad moral. Estos componentes de la identidad norteamericana han sido sometidos a una virulenta crítica de deslegitimación, sobre todo desde el gran trauma nacional provocado por la guerra de Vietnam, crítica que sigue expresándose, aunque con menor virulencia, por sectores influyentes de una nueva elite de intelectuales y publicistas liberales y radicales, agudamente analizada en los escritos de Peter L. Berger. Pero esa *civil religion*, como la definió Robert Bellah en los años sesenta, tiene todavía una gran capacidad de arraigo, de amalgama y movilización, como lo demuestra la reacción a los atentados terroristas.

Observadores atentos señalan, sin embargo, que, junto con los sentimientos patrióticos, tiende a manifestarse cada vez con más vigor la importancia dada a los derechos de los grupos definidos desde el punto de vista de la raza, etnia, sexo y "preferencia sexual", la propia región, la corporación, respecto de un núcleo cultural común y de valores fundamentales compartidos. Aumenta por doquier la afirmación de intereses y reivindicaciones particularistas y las formas de "segregación voluntaria" según tales afinidades. Ahora resulta muy difícil definir un consenso nacional ante esa presión multicultural, si no es por la reemergencia coyuntural de una conmoción patriótica. Estudiosos del multiculturalismo americano sostienen que las instituciones que en muchos campos operaban como unificadoras de la ciudadanía contribuyen cada vez menos a ese objetivo, y no se entiende qué nuevas instituciones pueden funcionar en el futuro como cemento o tejido de integración de la sociedad americana. La ideología del multiculturalismo, afirmando que todas las culturas tienen la misma dignidad, que no hay culturas superiores e inferiores y que cada uno tiene derecho a sus propios espacios, convicciones, lengua, etc., lleva a fundamentar y propugnar esa tendencia a la disgregación. Si el mundo de los hombres y mujeres, de los homosexuales y heterosexuales, de los jóvenes y ancianos, de los blancos, negros o indios, el mundo cristiano o el islámico, no reconocen valores objetivamente fundados al afirmar sus diferencias incomunicables, es difícil evitar que ese relativismo cultural no lleve necesariamente a la segregación. De esta manera, la multiculturalidad se transforma en un politeísmo cultural acrítico: no somete a evaluación las diversas experiencias culturales y religiosas, no permite a la razón examinar si éstas son buenas y justas para construir una vida y una convivencia más humanas. La *deregulation* sin límites de los comportamientos identitarios, en la que todo está permitido siempre que no se moleste a los vecinos, es factor de disgregación social y termina por ser incapaz de voluntad colectiva, de elección, de movilización en torno a contenidos ideales y estratégicos. En la base y en el resultado se halla esa extrema fragmentación de la moral y la diáspora de los lenguajes más dispares que Alasdair MacIntyre describe como "la torre de Babel".[52]

Interesa aquí destacar la fuerte y creciente repercusión del desplazamiento de las recientes y masivas inmigraciones a los Estados Unidos. Como escribe Michael Walzer, Estados Unidos es un país de inmigrantes; la mayor parte de los estadounidenses son "americanos" con una inmediata especificación: angloamericanos, italoamericanos, afroamericanos, hebreoamericanos, hispanoamericanos.[53] Es como un caleidoscopio de la variedad de pueblos y culturas, propia de una gran potencia global. Pero la cuestión se complica mucho cuando, de ser atlánticas y predominantemente europeas, las migraciones pasaron a ser del Pacífico, asiáticas, y del sur continental, latinoamericanas. Esto refleja no sólo la multiculturalidad propia del mayor Imperio mundial, sino que implica un desplazamiento notorio de sus bases tradicionales *WASP*, que habían logrado incorporar muy diversos contingentes de europeos procedentes de un círculo cultural común. El famoso campeón de golf, Tiger Woods, que es en cuarta parte tailandés, en otra cuarta parte chino, en otra negro, y en un octavo blanco y otro octavo indio, quizá prefigure —como lo señala algo provocadoramente Arthur M. Schlesinger (hijo)— el futuro del hombre americano.[54] Evidentemente se está dando un intenso proceso de deseuropeización. Se escribe y discute sobre el fin del *melting pot*.

Más que este calderón, funciona ahora el *collage* como forma nueva de civilización. No hay una sola sino varias culturas en el mismo lugar. Así se describía aproximadamente en un reciente artículo periodístico de Los Ángeles: es un lugar vasto, ruidoso, gigantesco, un conjunto de fragmentos, un *collage* de coches, casas, calles, razas, culturas, lenguas. Todos los valores y todas las reglas han sido desmantelados. Todo se ha hecho pedazos, y se ha acumulado en un mismo lugar. Y cuando tratamos de reconstruir estas cosas y poner de nuevo en su orden original, nos damos cuenta de que no podemos. El resultado de este esfuerzo por reconstruir la realidad que se rompió es el *collage*. En cambio, Alvin Toffler prefiere la imagen de la "ensaladera", y nuevamente toma a Los Ángeles como microcosmos: "Los Ángeles, con su Koreatown, sus suburbios vietnamitas, su masiva población de chicanos, su aproximado 75% de publicaciones étnicamente orientadas, por no citar a los judíos, afroamericanos, japoneses, chinos y la vasta población iraní, brinda un ejemplo de la nueva diversidad". Si "el ideal de la sociedad industrial era la asimilación —afirma en *Powershift*— , por la exigencia de disponer de una fuerza de trabajo homogénea (...), el nuevo ideal es la diversidad, en línea con la heterogeneidad del nuevo sistema de creación de la riqueza (...)".[55] En efecto, se tiende a la segmentación de mercados y a la individualización de productos; se multiplican los medios de comunicación y se fragmenta la audiencia (gracias también a la televisión vía cable) por estar dirigidos a segmentos definidos de población que reciben una distinta configuración de programas y mensajes cada uno; se reafirma y alimenta la propia cultura como referencia, preferencia y ensamblaje comunitario, sin que exista un cierto consenso ciudadano sobre las finalidades de la existencia humana y metas de la convivencia social.

Además, si se acepta la tesis sostenida por algunos estudiosos norteamericanos, como el historiador Joyce O. Appleby, de que los sucesivos *revivals* evangélicos desde comienzos del siglo XVIII y la acogida de las Iglesias ayudaron a romper barreras ante las masas de inmigrantes (ya no los "otros" sino los "hermanos y hermanas") y a americanizarlos al trasplantar esa moralidad a la vida privada y pública de la nación, las fuertes tendencias a la descristianización y al pluralismo "religioso" difícilmente permitirían cumplir un papel similar en la actualidad. Quizás algo de eso se dé en el paso de un sector significativo de hispanos a las Iglesias del protestantismo tradicional y a las comunidades evangélicas. Incluso la tesis tradicional de que la cultura estadounidense traduce en formas secularizadas la matriz fundamental de su puritanismo originario, comienza a entrar fuertemente en crisis por la llegada de numerosos inmigrantes no cristianos de Asia y Medio Oriente, por la influencia del Islam entre los afroamericanos y por el enorme flujo de inmigrantes, legales o ilegales, venidos de la católica América Latina.

Está en proceso, pues, una redefinición cultural profunda de los Estados Unidos. Tal es la materia de la dura polémica que separa, en los Estados Unidos, a los universalistas y a los comunitaristas. Los primeros hacen referencia a principios universales e impersonales de ciudadanía, dejando sólo al individuo la decisión de lo que es bueno para él. Pero este universalismo racionalista, afirmado por K. Apel, J. Habermas y J. Rawls, descubre sus límites cuando pretende fundar la comunicación y el consenso ciudadanos sobre reglas trascendentales y formales, una especie de "metajuego" o de contrato, incapaz de dar respuesta a las exigencias de identidad personal y colectiva que el mismo proceso de globalización posmoderna suscita. Los segundos, entre los cuales con muchas variantes se encuentran A. Etzioni, R. Bellah, A. MacIntyre, M. Sandel, C. Taylor, M. Walzer, R. Putnam, destacan la importancia de los vínculos que mantienen unidos a individuos y grupos sociales y componen un "capital social" a favor de una vida más humana, pero encuentran dificultades en armonizar la pertenencia comunitaria con la universalidad de los derechos humanos y de las reglas de convivencia.[56]

Hay quienes hablan de refundación de América —como observa el portorriqueño-americano Lorenzo Albacete—, dado que "la naturaleza de la unidad americana está en discusión a todos los niveles y más aún de lo que ocurrió durante la Guerra Civil".[57]

¿Hacia una latinización de los Estados Unidos?

América Latina penetra en el corazón de la democracia y del imperio norteamericanos a través de los hispanos. El mexicano Carlos Fuentes dice que Estados Unidos se "latinoamericaniza". El fenómeno de la hispanización es sin duda relevante.

Los últimos datos del Censo de población de los Estados Unidos revelan la presencia de 35,3 millones de hispanos, lo que corresponde al 12% de la población, primera minoría que ha superado ya la de los afroamericanos. Uno de cada ocho de los habitantes del país es hispano, sin tener en cuenta a los inmigrantes ilegales, "indocumentados". El Censo oficial de 1985 daba 16.940.000 hispanos ciudadanos de los Estados Unidos o con permiso de residencia permanente; el de 1990 registró oficialmente unos 23 millones de hispanos; de 1990 a 2000 ha habido un aumento del 58%.

De su total actual, 25,7% tienen menos de 18 años, mientras que 30% de todos los hispanos no han nacido en los Estados Unidos. El 60% de los hispanos está compuesto de mexicanos, 9% de portorriqueños, 4% de cubanos y los restante de los otros países latinoamericanos, sobre todo centroamericanos y del Caribe. El crecimiento hispano en los últimos diez años ha sido de 39%, cinco veces más rápido que el del resto de la población. A partir del año 2030, se calcula que los hispanos contribuirán a un 60% del crecimiento poblacional de los Estados Unidos, mientras que la población blanca no hispana no aportará nada en ese sentido y tenderá aceleradamente a decrecer. De este modo Estados Unidos se ha convertido en el quinto país de hispanohablantes (después de México, España, la Argentina y Colombia) y Los Ángeles ha pasado a ser la primera ciudad de hispanohablantes del mundo entero. Se da hoy la paradoja de que la pregunta de Rubén Darío, desde América Latina, a finales del siglo XIX, "¿Tantos millones de hombres hablaremos inglés?", se encuentre hoy con el hecho de que Estados Unidos se está convirtiendo rápidamente en un país bilingüe (inglés y español). Si bien 70% de los hispanos está concentrado en los Estados más poblados —California, Texas, Nueva York y Florida—, hoy se trata de una población presente en todo el territorio nacional. El periodismo hispano se ha multiplicado por doquier. Grandes redes televisivas, como Univisión, TV hispana, Televisa y Telemundo, transmiten en lengua española para una audiencia en aumento en todo el territorio nacional. El *hispanic business* sensibiliza cada vez más al mundo de las empresas y de la publicidad, dado su dinámico mercado emergente.

También a nivel político se buscan los medios para comunicarse con la población hispana. Signos ilustrativos de ello son el primer discurso en lengua española pronunciado por un presidente de los Estados Unidos, George Bush (hijo), así como la disponibilidad que manifestó para regularizar la situación de tres millones de indocumentados, pero 55% de los estadounidenses se declara contrario a un arreglo y sólo 33% está a favor... y son datos anteriores al 11 de setiembre de 2001. Recientemente el presidente Bush ha reiterado que durante su segundo mandato se propone enfrentar esta cuestión, pero por ahora son sólo declaraciones de intención. Demócratas y republicanos saben muy bien que de la captación del voto hispano (no obstante la todavía baja afluencia electoral) dependerán en buena medida las futuras elecciones, aunque encuentren dificultades para afrontar esa nueva realidad según las líneas ideológicas que los distinguen: los hispanos son el 23% de la población pobre del país y de arraigo católico.

Sin embargo, crece su nivel económico-social: el 10% posee ya título universitario, hay en la actualidad 16% matriculados en la universidad y 54% ha concluido los estudios universitarios. Emerge una nueva clase media y profesional entre los hispanos. Monseñor David Arias, obispo auxiliar de Newark, aporta datos interesantes: son 4 mil los hispanos elegidos para cargos públicos, hay 20 mil abogados hispanos, son 863 mil las empresas cuyos propietarios son hispanos.[58] Una encuesta muy reciente señala que el 72,6% de los hispanos que viven en los Estados Unidos se considera católico; hay 22 obispos, más de 2.220 sacerdotes, 352 seminaristas y 1.450 diáconos permanentes de ascendencia hispana; en 13 diócesis, más del 50% de los católicos son hispanos y en otras 27 oscilan entre el 25 y el 50%. Hacia mediados del siglo actual se prevé que la mayoría de los católicos estadounidenses será de origen hispano. Poco tiempo atrás, la revista *Time* titulaba irónicamente en sus páginas el nuevo nombre de "Améxica".

En verdad, los hispanos pueden reclamar para sí el título de ser los primeros colonizadores de los grandes territorios que componen actualmente los Estados Unidos. Desde que en el año 1513 los españoles llegaron a Florida, los posteriores nombres de Tejas, Nuevo Méjico, Colorado, Nevada, Arizona y California ponen de manifiesto su origen hispánico, incorporados al virreinato de Nueva España, que tenía a la ciudad de México por capital. Santa Bárbara, San Diego, San Francisco, Santa Cruz... fueron el rosario de centros misioneros y de colonización que, principalmente los franciscanos, jesuitas y dominicos, fundaron en el litoral pacífico de California. Los Ángeles fue fundada por 20 personas, dos españoles y 18 hispanizados (2 negros, 6 mulatos, 9 indios y 1 mestizo). Grandes figuras misioneras, civilizadoras y defensoras de los indígenas se destacan en esa epopeya inicial, como Junípero Serra y Eusebio Kino. Fue la retirada del Imperio español en crisis la que dio lugar a la expansión de los Estados Unidos entre los dos océanos. La posterior conquista de la mitad del territorio mexicano por los Estados Unidos en la década de 1840, culminó con el Tratado Guadalupe-Hidalgo firmado en 1848, por el que los Estados Unidos se comprometieron a respetar propiedades, lengua y religión de los residentes mexicanos, si bien esto no tuvo real aplicación. "Los hispanos se encontraron, de momento, como extranjeros en su propia tierra", afirma el obispo David Arias, al presentar una visión histórica de conjunto de la presencia hispana en los Estados Unidos.[59]

Cubanos y portorriqueños eminentes, como el P. Félix Varela y José Martí, Luis Muñoz Rivera y J. Albizu Campos, vivieron un tiempo en Nueva York, vinculados a las luchas por la independencia de sus países.

El crecimiento demográfico de los hispanos se afianza en la primera mitad del siglo XX, sobre todo a causa de la turbulencia política de México y por la necesidad de mano de obra en los Estados Unidos, principalmente de braceros para las cosechas agrícolas (éstos encontrarán en César Chávez, décadas después, el líder histórico para sus legítimas reivindicaciones) y de obreros para las grandes industrias del acero, de ferrocarriles, empacadoras de alimentos y otras. Fueron tiempos de fuertes discriminaciones sociales y religiosas; el acceso a la justicia, la escuela, la protección sanitaria, no era ciertamente equitativo. Su catolicismo era considerado intrusión extranjera retrógrada. La "Jones Act" que declaró a los portorriqueños ciudadanos americanos (hay que tener presente que Puerto Rico quedó anexado a los Estados Unidos en 1898), la permanencia en los Estados Unidos de muchos soldados que volvían de la Primera Guerra Mundial y la afluencia de buen número de cubanos a las costas atlánticas dieron nuevo impulso a esa presencia. Pero este crecimiento del pueblo hispano resulta espectacular desde la segunda mitad del siglo XX. La oleada de exiliados cubanos en los primeros años de la Revolución Cubana se mezcla con millones de inmigrantes que buscan un futuro mejor en la gran nación norteamericana.[60]

Desde esta perspectiva se plantea frecuentemente la pregunta de por qué los hispanos no se han fundido rápidamente en el crisol de razas y culturas como muchos otros contingentes de inmigrantes. Desde hace mucho tiempo se ha considerado la inserción de minorías en una sociedad en cuanto mecanismo de asimilación: la primera generación participa en la actividad económica, pero permanece aislada culturalmente; la segunda vive el desarraigo y, a menudo, una doble des-socialización; y, finalmente, la tercera consigue su integración social y cultural e incluso logra ascender socialmente por el afán de tomar la revancha de las discriminaciones sufridas. Esto tiene mucho de cierto en su aplicación al caso de los hispanos, pero hay diferencias profundas que se advierten en la actualidad y han de tenerse muy presentes. Por una parte, existe una tremenda presión asimiladora de la cultura dominante que se encuentra con el ansia y voluntad de muchos hispanos de integrarse, mejorar socialmente y ser reconocidos para lograr superar los confines de los *ghettos* y la marginalidad. La segunda y tercera generación de los hispanos tienden a tal asimilación. Pero, por otra parte, alimentan la identidad hispana el alto porcentaje de hispanos en las ciudades norteamericanas, su concentración en barrios y zonas donde constituyen la gran mayoría, la implantación de una red de medios de comunicación de lengua española y de comercios y servicios que responden a su tradición cultural, los vínculos que mantienen con las familias y los pueblos de origen, los viajes cada vez más frecuentes, los nuevos y continuos flujos de inmigrantes de esos países. Esta afirmación de la propia cultura hispana se produce en una nación a la que no logran considerar como su propia casa, que les es aún algo extraña, en la que todavía padecen situaciones de discriminación y de cierto racismo. Conservan vivas su música, los bailes y las comidas, cosas cada vez más difundidas y de moda en muchos otros sectores del país... e incluso a nivel internacional. Las tendencias multiculturalistas influyen también en ese proceso. "Americanización" ya no significa ni requiere el abandono de las diversidades culturales sino que éstas tienden a ser revalorizadas y hasta acentuadas.

Más profundos y decisivos resultan aún los estratos identificadores que derivan de la lengua y la religión. "Estados Unidos acabará siendo un país bilingüe —afirmaba el entonces presidente de la Real Academia Española, Lázaro Carreter—, aunque entre tanto asistiremos a una enorme acción política para impedirlo."[61] La lengua española es la más elegida y seguida en los currículos de estudios de bachillerato y universitarios por parte incluso de los estadounidenses que no son de ascendencia hispana. Pero es cierto que en los últimos años ha aumentado todo tipo de resistencias y obstáculos a la educación bilingüe en las escuelas (*english only*) y a las perpectivas multiculturales, reafirmándose la lengua inglesa como lengua nacional oficial, aunque la Constitución no diga nada explícitamente sobre ello.

A la vez, en Puerto Rico, "Estado asociado", la batalla por el idioma existe desde la inauguración del "protectorado" americano, por el continuo intento de los representantes de la administración norteamericana de imponer el inglés, así como el protestantismo, con una política general de asimilación y no obstante la resistencia generalizada de grandes mayorías que defienden su lengua española y su confesión católica. Dicha batalla ha sido muy dura en la última década en esta isla a golpes de legislación y plebiscitos.[62] Actualmente se reconocen el español y el inglés como dos lenguas oficiales del Estado. Pero aun cuando los partidarios de conservar el *statu quo* de "Estado asociado", a modo de *commonwealth*, resulten escasa mayoría sobre los que pretenden que se convierta en un estado más de la Unión ("anexionistas" o "asimilistas"), y sea muy exigua la minoría de los "independentistas", recientes encuestas reflejan una resistencia muy mayoritaria contra la imposición de la lengua inglesa en la vida nacional. Ésta es una situación que no puede parangonarse completamente con la de Filipinas, donde la imposición del idioma inglés desalojó un español que era hablado sólo por las elites, en medio de una gran variedad de lenguas y dialectos.

Es fundamental la cuestión del arraigo de la tradición católica en la vida de los hispanos. Más del 70% profesa el catolicismo, se sienten pertenecientes a un pueblo por ser hijos de esa tradición. Como ya se dijo, dentro de poco tiempo más de la mitad de los católicos de los Estados Unidos será de origen hispano; 64,3% de los hispanos, según esa reciente encuesta, participa normalmente en actos de culto o de oración (15,8% más de una vez a la semana, 32,4% una vez a la semana y 14,2% dos veces al mes). La vivencia comunitaria religiosa mantiene esa identificación en las formas rituales festivas de la piedad popular. Pero para la gran mayoría, el nivel de instrucción religiosa no pasa de lo que las madres y abuelos pudieron transmitirles a su modo. En el cambio de "mundo" que implica el desarraigo de la inmigración y la nueva implantación, son muchos los que mantienen escaso contacto con las estructuras eclesiásticas. Muchas veces no se sienten "en casa" en ámbitos parroquiales de los Estados Unidos en los que predomina (y en algunos casos, si bien muy decrecientes, pretende imponerse) una inculturación de la tradición católica que no se compagina con las formas de su piedad popular, y hasta se sienten criticados, despreciados o marginados por causa de ella. No es de extrañar, pues, que alrededor del 15% de los hispanos hayan sido atraídos por Iglesias protestantes tradicionales, signo de integración y reconocimiento, por el activo proselitismo de las comunidades evangélicas, pentecostales y bautistas, y aun por otras comunidades religiosas como los adventistas, mormones, testigos de Jehová, etc.[63]

La Iglesia católica en los Estados Unidos, los obispos y la Conferencia Episcopal en especial, han estado muy atentos a la acogida y acompañamiento espiritual y Pastoral de los hispanos; se han establecido delegaciones de Pastoral hispana en casi todas las diócesis, han organizado la celebración de misas dominicales en lengua española, han convertido al bilingüismo a un significativo y creciente número de sus agentes pastorales, han creado un secretariado de Pastoral hispana en la misma Conferencia Episcopal y centros de coordinación de esa pastoral en las diversas regiones del país, han constituido institutos de formación para los líderes hispanos, han estimulado movimientos eclesiales como los Cursillos de Cristiandad, la Renovación carismática, diversos movimientos familiares, entre los hispanos; y han celebrado cuatro Encuentros Nacionales de Pastoral hispana en el país. El último tuvo lugar del 13 al 16 de julio de 2001. En efecto, si no hay movimientos de crecimiento en la fe entre los hispanos, que conviertan su tradición católica en una nueva conciencia de la persona, en nuevas actitudes y comportamientos, en una renovada inteligencia de la realidad, y si no se multiplican los liderazgos católicos hispanos..., dicha tradición se irá necesariamente diluyendo y esfumando. Un renovado ímpetu de evangelización y atención misionera y pastoral de los hispanos tendría que provenir de la colaboración más decidida y creativa por parte de las Iglesias latinoamericanas, y de la mexicana en primer lugar, con la Iglesia católica de los Estados Unidos. Así lo propusieron y alentaron la Asamblea para América del Sínodo de los obispos, reunida en el Vaticano en noviembre de 1997, y la Exhortación apostólica postsinodal de Juan Pablo II, *Ecclesia in America*. Este es un "banco de prueba" de la deseada comunión y colaboración entre las Iglesias locales de la catolicidad del entero continente.

La presencia hispana en los Estados Unidos está destinada a crecer, a suscitar muchos debates y a tener profundas implicaciones y consecuencias en diversos sectores y niveles. Señal expresiva de la resistencia que esta presencia suscita y de los problemas que deberá afrontar, es el nuevo libro de Samuel Huntington, en el que afirma que "el más inmediato y grave peligro para la identidad tradicional americana proviene de la inmensa e incesante inmigración de América Latina, sobre todo de México". Huntington plantea la necesidad de reforzar la identidad nacional en tiempos de globalización, no sólo por medio de la ideología política tradicional (los principios del "Credo americano"), sino por la revitalización de los elementos básicos de la cultura angloprotestante (cristianismo, lengua inglesa, ética del trabajo, moralismo, imperio de la ley...). El "peligro hispánico", que llega incluso a ser comparado con el de una invasión y ocupación militares, se plantea, según Huntington, porque a diferencia de otros contingentes inmigratorios "americanizados", la inmigración mexicana encuentra fuerte apoyo para mantenerse arraigada en su identidad, gracias a seis factores que así enumera: la contigüidad territorial; su crecimiento en volumen gracias a su alta tasa de fertilidad; las continuas corrientes de inmigración clandestina que la alimentan; su concentración en regiones, ciudades y barrios (sin la dispersión que favorece la asimilación); su persistencia y su presencia histórica. Esta última parece constituir el "peligro mayor": "Los mexicanos se establecieron en un área de Estados Unidos que, en el pasado, formaba parte de su territorio" y podrían comenzar a reivindicarlo.[64] Estados Unidos corre el riesgo de llegar a ser una comunidad dividida. Pobre Huntington, que escribía, en su *El choque de civilizaciones*, que todos los mexicanos estaban destinados a convertirse en norteamericanos y angloprotestantes, a través del NAFTA, aferrado aún a la "leyenda negra" antilatinoamericana.

La cuestión de los hispanos, como presencia y proyección, es asunto capital en las relaciones entre América Latina y los Estados Unidos. El 9 de junio de 1987, Octavio Paz escribía en un editorial del diario español *ABC*, que "éste es un hecho preñado de futuro" y que "la comunicación entre la memoria hispana y las naciones latinoamericanas ha sido y es continua, y no es presumible que se rompa. Es una verdadera comunidad —concluía—, no étnica ni política ni económica sino cultural".[65] Volvía después sobre el argumento para destacar que "la misión histórica y espiritual de la minoría hispana en la democracia americana consiste en expresar la 'visión otra' del mundo y del hombre que representa nuestra cultura y nuestra lengua".[66] Es ilusorio pensar que no habrá una fuerte tendencia a una especie de asimilación entre los hispanos..., pero dado el debate cultural en los Estados Unidos, Lorenzo Albacete se pregunta agudamente: "¿...pero asimilación a qué?".[67] Se irá dando progresivamente, y no por cierto a través de un proyecto preconstituido, una nueva simbiosis cultural, una nueva cultura que tienda a sintetizar elementos que hoy parecen incompatibles. En ello está en juego el futuro de las relaciones entre las Américas...y también el de los Estados Unidos.

Afirmación y desarrollo de la identidad cultural latinoamericana

Las culturas y tradiciones cambian más lentamente que las técnicas. Los lazos culturales, lingüísticos e históricos, a menudo intangibles, son más resistentes y perdurables que los políticos y económicos. Hay mucho arraigo, poder de recuperación y viscosidad de la cultura de los pueblos latinoamericanos, que es fuerza de resistencia aunque no tematizada ni proyectada, ante toda asimilación a la cultura "anglo". Cierto es que la americanización, en grados muy diferentes, ya es parte sustancial de la cultura latinoamericana, pero no ha doblegado sus matrices fundantes, sus estratos profundos y muchas de sus manifestaciones.

Entrevistado por el diario chileno *El Mercurio* poco tiempo antes de su muerte, el gran escritor mexicano Octavio Paz expresaba egregiamente lo siguiente: "Muchos se admiran de que México, a pesar de tener enfrente al país más poderoso de la Tierra, haya resistido con cierto vigor a la invasión cultural norteamericana (...). Hemos resistido por la fuerza que tiene la organización comunitaria, sobre todo la familia, la madre como centro de la familia, la religión tradicional, las imágenes religiosas. Creo que la Virgen de Guadalupe ha sido mucho más antiimperialista que todos los discursos de los políticos del país. Es decir, las formas tradicionales de vida han preservado, en cierto modo, el ser de América Latina".[68] También en las manifestaciones culturales más ordinarias, como la música popular, el baile, la comida, los atuendos, lo mexicano se ha mantenido vigente, sobre todo a nivel de las grandes mayorías populares. Hay un arraigo más hondo y complejo de la cultura de los pueblos íbero-indo-americanos que el de los pueblos formados por sucesivas experiencias de trasplante migratorio.

El mismo Octavio Paz no dejaba de señalar que "es peligroso confiarse en las tradiciones, cuando ellas son puramente paciencia. Pienso yo que esa fuerza debe convertirse en activa y creadora".[69] De nada vale la retórica patriótica convencional, la cultura reducida a costumbrismo y folklore, la resistencia vitalista y crispada ante la expansión de la cultura americana. La cuestión de la identidad no es tampoco un pasatiempo intelectual. Tal es el dilema según el Premio Nobel mexicano: "Acorraladas entre tradición y modernidad, entre un pasado vivo pero inerte y un futuro reacio a convertirse en presente, tienen que escapar del doble peligro que las amenaza: una es la petrificación, otra es la pérdida de su identidad. Tienen que ser lo que son y ser otra cosa: cambiar y perdurar".[70] El verdadero reto consiste en lograr expresar en términos modernos y universales las propias matrices culturales, el propio carácter nacional. O la cultura latinoamericana vive una intensa transformación en relación fecunda con otros aportes culturales que no la destruyan (asimilando sin asimilarse), sino que haga capaces a esas matrices fundantes de ser una nueva propuesta universal, a la altura de las condiciones y exigencias de nuestro tiempo, ... o sus matrices no son aptas para una dinámica universal creadora y se vuelven híbridas y se descomponen, sin poder seguir sosteniendo esa identidad.

De ese entrelazado movimiento de resistencia y renovada autoconciencia, fue expresión cabal —como ya señalé— la generación de intelectuales latinoamericanos de fines del siglo XIX. Fue cuando ante los primeros asomos de la expansión norteamericana hacia el Sur, el uruguayo José E. Rodó oponía el *Ariel* de los valores del espíritu, el predominio del bien y la belleza, al *Calibán* del pragmatismo y del utilitarismo. Ese camino de reafirmación de la propia identidad será retomado entre 1920 y 1940 por otra generación latinoamericana que fue llamada la generación "romántica" o de los "pensadores", la cual, con mucha diversidad de acentos e inflexiones, revalorizó sin contraposiciones las raíces indígenas y la tradición española. Expresó "la conciencia de que la memoria histórica y cultural de los pueblos no se puede arrancar arbitrariamente", retomando las propias "fuerzas espirituales que podían llevar a los países latinoamericanos al desarrollo de sus gentes.[71] Fue como un sustrato nutricio para que esa renovada autoconciencia dejara los límites de un pensar "romántico" y buscara las vías de realización de una política industrializadora, transformadora, de incorporación de las grandes mayorías populares. Víctor R. Haya de la Torre, Lázaro Cárdenas, Getulio Vargas y Juan D. Perón fueron líderes expresivos de una fase de gran creatividad y protagonismo, que algunos se permiten eludir con la facilonería del mote despectivo de "populismos". Tiene razón Alberto Methol Ferré al decir que la continuidad, ahora más madura, sintética y global, de la autonconciencia latinoamericana con respecto a su historia, cultura y destino, la dio el documento final de la III Conferencia General del Episcopado Latinoamericano (Puebla, 1979).

Hoy esa reafirmación propulsiva de un camino latinoamericano, que pareció estrecharse y marginarse en tiempos de Guerra Fría ante la exigencia de alineamiento en el mundo bipolar, y que quedó oscurecida luego por la adecuación del modelo y la estrategia de desarrollo de sus países a los paradigmas neoliberales victoriosos, se va convirtiendo, cada vez más, en urgencia decisiva. Eso sí, tiene que abandonar la pura retórica, la agitación meramente reactiva y tumultuosa, la dialéctica ideológica de simple confrontación, que hoy serían anacronismos de perdedores persistentes en la derrota. En cambio, tiene que afrontar con realismo e inteligencia los retos serios, exigentes y de vasto alcance que se plantean al proponerse un auténtico desarrollo de la cultura de los pueblos latinoamericanos a la altura de nuestro tiempo, que esté en indisociable interacción con el crecimiento económico, la equidad social, la democracia política y las inversiones educativas y tecnológicas. En ello hay algunos puntos de estrangulamiento que es necesario afrontar.

Nuestras sociedades siguen siendo expresión de un mestizaje inconcluso y desgarrado. Sobre todo hoy la cuestión indígena se impone con especial actualidad y urgencia, particularmente en las áreas andinas y mesoamericanas. Son las áreas más atrasadas, pobres, explotadas y discriminadas, más necesitadas de justicia, desarrollo y liberación. Desde la conmemoración del "quinto centenario" del descubrimiento de América, se percibe una creciente movilización de comunidades y movimientos indígenas en la reivindicación de sus propios derechos, irrumpiendo también como protagonismo político. Los años de notoriedad del Ejército Zapatista y las vicisitudes políticas de Bolivia y Ecuador son un claro ejemplo.

La dramática cuestión indígena es cuestión nacional, de tierras y culturas en una patria común, sin exclusiones. Sigue caminos de muerte su asimilación forzada por los *bulldozers* de una modernización que los condena a una proletarización miserable, desculturalizados, anónimos. Por otra parte, no sirven las meras "reservas" indígenas, a la larga destinadas a sucumbir. Toda apología encubierta o ingenua del "neolítico" es también camino de muerte. Si no disponen de elementos para dialogar con el tremendo poder de la cultura y el trabajo modernos, si se repliegan en los valores "míticos" de sus antepasados, si no hablan más que las lenguas aborígenes, quedan condenados a ser esclavos de nuevos señores o a desangrarse en total desamparo. Se enfrentarían así, sin recursos, al asalto de la modernidad, de sus modos tecnológicos y productivos, de sus medios de comunicación de masas. Se necesitan políticas realistas y audaces de valorización de lo mejor de su patrimonio cultural con todas las transformaciones que requieren la alfabetización y escolarización, el progreso en la gestión laboral y económica, la incorporación digna en la vida nacional. Juan Pablo II supo sintetizar en una frase que vale no sólo para México: "México tiene necesidad de sus indígenas y los indígenas tienen necesidad de México". La canonización de Juan Diego ha sido signo de valorización de la tradición católica en los pueblos indígenas y empeño renovado de la Iglesia por su dignidad y derechos.

Esto no tiene nada que ver con un pernicioso "indigenismo", ideología de intelectuales que pretenden disociar las raíces indias e hispánicas, sin considerar que los 30 millones de indígenas, en su grandísima mayoría por razones de sangre, lengua, cultura y religión, son "mestizos", si bien marginados, con rostro indígena. Tal indigenismo repropone hoy la "leyenda negra" (ya no contra España, sino contra la Iglesia católica y su evangelización), se nutre del mito del "buen salvaje" hasta en el intento de resucitar las religiones paganas naturalistas, enlaza la relación indígena con la "madre tierra" según sensibilidades contemporáneas del panteísmo "holístico", típico de las corrientes *new age*, y reivindica una "Iglesia india" autóctona, en ruptura con aspectos fundamentales de la tradición y disciplina de la Iglesia católica. La especificidad y dramaticidad de la cuestión indígena no se afronta ni se resuelve separándola y confundiéndola con una obra de ideologización, sino incorporándola en un proceso de integración digna, equitativa y activa a la vida nacional de vastos sectores populares que viven en situaciones de extrema pobreza o sobreviven en la mendicidad, la subocupación, las vastas redes del trabajo en negro.

Que América Latina engloba una gran pluralidad de situaciones y componentes culturales es obvio. Está lo hispanoamericano y lo lusoamericano. Está la distinción que el antropólogo brasileño Darcy Ribeiro indicaba entre los "pueblos testimonio" (asentados sobre el legado y desarticulación de las grandes civilizaciones indígenas), los "pueblos nuevos" (en los que un intenso mestizaje íbero-afro-indígena ha dado génesis a una configuración nueva) y los "pueblos trasplantados" (que son fruto de la inmigración de masa sobre grandes extensiones de tierras casi sin población).[72] Se dan las más diversas situaciones. No reconocer, en cambio, un sustrato común y tradición cultural en los pueblos latinoamericanos —¡que no pueda hablarse de América Latina sino por demarcaciones geográficas aproximativas!— es cuestión de ignorancia o de complicidad ideológica con los poderes dominantes. Es mucho más lo que une a un mexicano y un argentino, a un peruano y un centroamericano, a un brasileño con un hispanoamericano, que cuanto aproxima a un danés y un portugués, un escocés y un siciliano, que forman parte todos de la "Unión Europea"; y más aún, de lo que pueda unir a las naciones desde el Atlántico hasta los Urales. Hay quienes prefieren insistir en el multiculturalismo o, más precisamente aún, en la ideología multiculturalista en América Latina, como obra "divisionista" que nos quiere ver fragmentados, opuestos, separados, disgregados, para ahondar la impotencia del atraso y la dependencia.

Por otra parte, las matrices culturales latinoamericanas son expresión de una modernidad inconclusa. América Latina no es premoderna. Tiene constitutivamente interiorizada la modernidad. Nació al compás de la primera modernidad europea, que se da con el barroco. Es hija del primer Estado-nacional moderno, que fue el de España. La segunda escolástica, que es como la base cultural de la gran implantación educativa y universitaria española en América, recoge la tradición intelectual del tomismo, con su valoración de la naturaleza y la razón, matriz y legado que serán condiciones de posibilidad de los ulteriores saltos de la "revolución científica". Pero la decadencia del Imperio español se manifestó especialmente en quedar rezagado y marginal ante la emergencia de la revolución científica e industrial, no obstante los esfuerzos de la Ilustración española. ¿Esto querrá decir que la cultura latinoamericana tendrá que dejar de ser barroca, católica, para poder acceder a la modernización y desarrollo? Damos por obvio, en cambio, que la matriz cultural de América Latina es capaz de sostener dicha revolución desde sí misma, pues el cristianismo es el ámbito que la produjo y no valen ni histórica ni sustancialmente los estereotipos de "protestantismo = modernización", "catolicismo = atraso".

Eso sí, superar una situación de marginalidad supone emprender grandes tareas. Lo fundamental es una gigantesca y capilar tarea educativa asumida por las propias sociedades nacionales como cuestión capital, prioritaria, con la mayor libertad y colaboración de las instituciones educativas, promoviendo la convergencia de lo oficial y lo privado, lo civil y lo eclesial, lo estatal y lo empresarial, con la mayor participación de familias y sociedad. Seguir descuidando esto sería suicida. Se necesita un gran debate nacional, colocando la cuestión educativa en el centro de las políticas públicas y de las preocupaciones e iniciativas de las familias y la sociedad. Esto no supone sólo, como a veces muy limitadamente se indica, la rápida universalización posible del acceso al ordenador, a las tecnologías de la información y los medios de comunicación avanzados, desde una infraestructura electrónica e informativa sumamente importante para todo país. Es ciertamente urgente un plan de alfabetización y desarrollo informáticos. En este campo se están dando pasos muy significativos. Si Internet pasó del 7% al 28% de usuarios en la población de los Estados Unidos entre 1998 y 2000, en Brasil lo hizo aceleradísimamente de 1,7 millones a 9,8 millones de usuarios en el mismo período.[73] Pero es mucho más que eso. Se necesita ante todo dar prioridad a la educación desde la base hasta los más altos niveles. Urge superar el atraso educativo que sufren los pueblos latinoamericanos. Hay que poner a los pueblos en movimiento, animados por el *ethos* que les es propio por tradición, a través de la alfabetización universal y el crecimiento de calidad en inversiones y rendimientos educativos. La educación es capital para todo crecimiento equitativo, pero sus dimensiones van más allá de los cálculos sobre el "capital humano"; es también factor decisivo de la realización humana de las personas, del desarrollo democrático y de una sólida participación ciudadana. Hay muchos progresos que se están verificando en ese sentido. Baste señalar en los últimos años el acceso a la escolarización de millones de niños latinoamericanos que estaban excluidos de este bien fundamental (en Brasil es fenómeno de notables proporciones, pues ya incluye a más del 95% de los niños en edad escolar). El 93% de los niños latinoamericanos en edad escolar ya frecuenta la escuela elemental y el 70% de los chicos la escuela media, pero existe todavía una fuerte deserción escolar. Es muy buena la meta que se fija el ALCA de la plena alfabetización, 100% de escolarización primaria, 75% de escolarización secundaria con mayor permanencia y calidad, de cara al año 2010. Esta meta está sostenida también por los 8.320 millones de dólares que el Banco Mundial, el Banco Interamericano de Desarrollo y la Agencia para el Desarrollo Internacional de los Estados Unidos se comprometieron a aportar entre 1998 y 2010.

Se necesita asimismo una reforma y actualización de los sistemas universitarios, sobre todo un sistemático esfuerzo de desarrollo científico-tecnológico. Precisamos constituir, promover, apoyar una serie de grandes instituciones de alta competencia científico-tecnológica, dotadas de recursos, que sean focos de cooperación e irradiación regionales, capaces de incorporar todo el conocimiento extranjero que sea posible y desarrollar domésticamente, regionalmente, una capacidad equivalente a la norteamericana y europea.[74] Ello tiene que repercutir mucho más capilar y eficazmente en la capacitación laboral, profesional y técnica a nivel social. En la jerarquización por países del índice de progreso tecnológico *Technology Achievement Index* (TAI), elaborado según diversos factores en el Informe sobre el Desarrollo Humano 2001), encabezada por Finlandia y los Estados Unidos, ningún país latinoamericano se encuentra entre los 18 países líderes, pero México, la Argentina, Chile y Costa Rica figuran entre los "líderes potenciales", y Brasil y otros países latinoamericanos entre los *dynamic adopters*.[75] El caso de Costa Rica es particularmente ilustrativo: actualmente exporta más *software* per cápita que cualquier otro país latinoamericano, porque ha sido capaz de crear las condiciones para atraer inversiones directas extranjeras de alta tecnología y de operar, desde la base de una difundida alfabetización y de una adecuada reforma de sistemas educativos, la capacitación empresarial, tecnológica y de recursos humanos adecuada para ese desarrollo. No faltan importantes recursos actuales y potenciales en esos campos, sobre todo en los mayores países latinoamericanos, si bien sometidos a la sangría de una fuga de cerebros muy perjudicial y de trabajadores altamente calificados.

En esta era de la información, en la que muchas innovaciones tecnológicas resultan más asequibles, el recurso mayor es la formación e inversión del capital humano, sostenido y potenciado por la conciencia de la dignidad de la persona, por su sabiduría ante la vida, por su pasión por la verdad, por su capacidad de sacrificio solidario, por sus ímpetus de esperanza, que derivan del sustrato cultural cristiano. Ése es el camino de la integración enriquecedora del legado barroco y de la tradición iluminista, de la razón metafísica y sapiencial y la razón instrumental, de sabiduría e información, de comunión y trabajo, de gratuidad y utilidad; de una integración capaz de apertura y "sentido" para la nueva fase abierta por la sociedad tecnológica de la información y de la biogenética. Bien se ha dicho que hay "una posmodernidad buena": ¿qué pasa si tomamos los grandes rendimientos positivos de la modernidad, como las ciencias positivas, las nuevas tecnologías, la democracia política, la economía de mercado, y los disociamos de sus paradigmas ideológicos, de su racionalismo abstracto y unidimensional, para refundarlos desde un paradigma realista, razonable, "que nos invita a relativizar nuestras representaciones intelectuales y volvernos hacia la compleja y misteriosa profundidad de las cosas y de las personas, cosas y personas cuya condición de creaturas no puede simplemente ponerse entre paréntesis"?[76]

El hecho capital de la superación de los marcos de los "Estados parroquiales" y de la integración de sus economías, condición necesaria para todo desarrollo y protagonismo, requiere la superación e inclusión de los particularismos en una visión básica totalizadora. Sólo se pueden sostener políticas coherentes de cooperación, integración y alianza desde una mirada histórica integradora. No hay verdadera integración si no toca las profundidades de la historia de los pueblos y no los conmueve para una empresa común. La yuxtaposición de las historias particulares, contraposiciones estrechas de intereses locales, visiones fragmentarias y disgregadoras, la carrera aislada del "sálvese quien pueda", la persistencia en la ignorancia recíproca o en rivalidades de campanario, los prejuicios y estereotipos maldicientes de los vecinos, los grandes proyectos e iniciativas "nacionales" sin dimensión regional, no sólo marchan a contramano del actual proceso de globalización y mundialización, sino que atentan contra el destino de América Latina, contra el bien de sus pueblos. El proceso de integración, que pasa por el Mercosur y ha de proyectarse cada vez más decididamente hacia un mercado común sudamericano, hermanado con la gran frontera mexicano-centroamericana, conjuga el reencuentro de lo lusoamericano con lo hispanoamericano,[77] el intenso mestizaje de los "pueblos nuevos" con las raíces de los "pueblos testimonio" y con los pueblos formados especialmente por fuertes corrientes migratorias europeas, en una síntesis cultural abarcadora que nos es común, abierta a la universalidad.

La "agenda cultural" del Mercosur afronta embrionariamente muchas de tales exigencias. Los objetivos que se propone —desde el Protocolo de intenciones firmado en 1991 hasta el documento Mercosur 2000 firmado en 1996— son: la formación de una conciencia política que fortalezca los procesos democráticos; el desarrollo de la identidad regional por medio del estímulo al conocimiento mutuo y a una cultura de la integración; la coordinación y promoción de políticas regionales a favor de la calidad educativa; la capacitación de los recursos humanos para incorporarse activamente a las nuevas formas de trabajo y producción; y la movilidad y cooperación de los agentes e instituciones de los procesos educativos en un escenario ampliado. Con la propulsión de los Ministerios de Educación, están ya en curso programas importantes de estudios técnicos a distintos niveles, de relación entre las Universidades de la región y de intercambios de informaciones y recursos humanos.[78]

No hay posibilidad de universalizar las matrices culturales de los pueblos latinoamericanos, ponerlos en plena movilización educativa y de crecimiento en humanidad, sostener convergencias sólidas, amplias y duraderas en una gran empresa para la construcción del bien común, animar y templar las fibras humanas de dignidad y libertad, de laboriosidad y empresarialidad, de creatividad y solidaridad, si una "nueva evangelización" no conmueve la vida de las personas, no renueva la conciencia de pertenencia de los pueblos, no proporciona fundamento, alma y destino a un camino latinoamericano, de los latinoamericanos, abierto a una fraternidad sin fronteras.

DESDE LA CATOLICIDAD

La Iglesia católica como sujeto global

"La Iglesia católica se halla (...) en una posición única para enfrentar el reto de la globalización. Está muy claro que se trata de un sujeto global con específicas responsabilidades globales (...). Ya Juan XXIII recordaba que: 'La Iglesia pertenece por derecho divino a todas las naciones. Su universalidad está probada realmente por el hecho de su presencia actual en todo el mundo y por su voluntad de acoger a todos los pueblos'." Así lo destacaba recientemente el arzobispo Diarmuid Martin, una de las personalidades más competentes en cuanto a la presencia católica en la vida internacional, precisando incluso que esta presencia como "actor en la escena global deriva de su misma naturaleza y misión, en cuanto se reconoce como 'sacramento, es decir, signo e instrumento de la unión íntima con Dios y de la unidad de todo el género humano'".[1] De tal modo, su juicio respecto del proceso de globalización pasa por el discernimiento de todo lo que favorece u obstaculiza una verdadera unidad, de la que la misma Iglesia da testimonio en el seno de la familia humana.

De Robertson proviene el término horrible y sugestivo de "glocalización": pensar globalmente y actuar localmente; lo que no resuelve, sin embargo, la distancia y el vacío entre el cosmopolitismo abstracto y el localismo estrecho. Más radical y comprensiva es la experiencia bimilenaria de la Iglesia en el dinamismo indisociable y entrelazado de la Iglesia universal y de las Iglesias locales, de la catolicidad que se vive en las localizaciones concretas de su "encarnación", que, a su vez, se alimentan de aquélla. Su fundamento es Cristo, el singular concreto y universal, que realiza el Uno por todos (*pars pro toto*) y el todos en

Uno (*totum in parte*). Por eso, la catolicidad sintetiza universalidad y particularidad, unidad y pluralidad, identidad y diversidad. "El universal católico brilla —ha escrito acertadamente Carlos Galli— ante las pretensiones ideológicas del universalismo abstracto moderno y el particularismo fragmentario posmoderno."[2] El actual proceso de globalización y mundialización requiere un replanteamiento y despliegue de la catolicidad; de la mirada y solicitud "católicas", en una renovada conciencia de las comunidades cristianas locales y de la misión universal de la Iglesia. Este "complejo fenómeno" de la globalización es "perceptible especialmente" en el continente americano, afirmaba Juan Pablo II.[3]

El Anuario Estadístico de la Iglesia 2005, publicado por el Vaticano, ofrece datos relativos al 31 de diciembre de 2003. A nivel mundial, en su conjunto, los católicos pasan el umbral de los mil millones (1.086 millones, o sea, 17,2% de la población mundial). Mientras el número de católicos creció en África (4,5%), Asia (2,2%), América (1,2%) y Oceanía (1,3) respecto al año anterior, se mantiene estable en Europa luego de la disminución registrada en los años precedentes. El dato más relevante es que el 49,8% de los católicos está en el continente americano. Sin embargo, hay que hacer algunas precisiones. Mientras en Norteamérica la presencia de los católicos alcanza aproximadamente 24,6% de la población, en América Central (en la que, curiosamente, pero con cierta lógica, el "Anuario" integra también a México) sube al promedio de 90% y en América del Sur de 87%. En Europa la proporción de católicos en relación con el total de la población es de 40,5%, 26,8% en Oceanía, 16,5% en África y 3% en Asia. Si la mitad de los católicos del mundo entero está en el continente americano, el 25,8% se encuentra en Europa, el 13,2% en África, el 10,4% en Asia y el 0,8% en Oceanía.[4] La misma fuente nos dice que los seis primeros países, en cuanto al número de bautismos impartidos anualmente, y a su proporción en el total de católicos de dichos países son en este orden: Brasil, México, Filipinas, Estados Unidos, Colombia y Argentina; luego, entre Nigeria y República del Congo viene Italia, después de Guatemala, Francia y Polonia. Son ocho los países latinoamericanos entre los primeros quince. Sólo los ingenuos o los tontos no tienen en cuenta el peso de las cifras y de los números.

Se destaca la presencia universal de la Iglesia católica, que abraza muy diversas gentes, pueblos y culturas en todos los continentes, en relación con otras Iglesias y comunidades cristianas, y otras religiones, cuyos ámbitos de difusión se concentran en macroregiones, dentro de precisos ámbitos culturales, y por consiguiente de internacionalidad limitada. Son aproximadamente 240 millones los cristianos "ortodoxos", 105 millones los "pentecostales", 75 millones los "reformados/presbiterianos", 73 millones los "anglicanos", 70 millones los "bautistas", otros 70 millones los "metodistas", 65 millones los "luteranos" y otros menores en filas cristianas. El Islam también ha superado el umbral de los 1.000 millones, el mundo del "hinduismo" llega casi a los 900 millones, el "budismo" a los 360 millones y la religión china tradicional suma otros 225 millones. Crecen los "movimientos religiosos" de difícil catalogación y mucha variedad y dispersión, entre los que se destacan 110 millones de sectas de origen y difusión africanas. La tesis de Huntington que afirma que en el año 2020 el Islam estará más difundido que el cristianismo ha sido desmentida por diversos estudiosos, que señalan que en 2050 habrá en el mundo tres cristianos por cada dos musulmanes. Un reciente estudio observa que en el año 2025 un hipotético encuentro de los ocho países del mundo con mayor número de cristianos no incluiría ningún país europeo a excepción de Rusia, junto con México, Brasil y Estados Unidos, tres países africanos (Nigeria, Zaire y Etiopía) y uno asiático (Filipinas). La capacidad de desarrollo y crecimiento del cristianismo se concentrará especialmente en el Sur del mundo, con un rostro "bárbaro".

Cierto es que de este conjunto de bautizados en la Iglesia católica sólo un generoso 10% cumple con el mínimo del precepto dominical (más, por lo general, en los Estados Unidos y menos en los países latinoamericanos y Europa occidental, con algunas singulares excepciones), índice ilustrativo pero muy insuficiente. ¿Quién se atreve acaso a "medir" y "juzgar" la fe de los bautizados? Por otra parte, es evidente que esa presencia católica influye de muy diversas formas, mediaciones y grados en la vida de las personas, las familias, los pueblos y naciones. Y desborda, por cierto, sus confines institucionales visibles. En América Latina, no obstante fuertes tendencias de descristianización, hay una presencia y referencia católicas que se expresan en las más variadas dimensiones de la convivencia, hasta tal punto que aun las formas más explícitas de irreligiosidad adquieren un tinte religioso.

La relevancia de la Iglesia en el continente

Esos datos de la realidad hacen que resulte tan sorprendente el hecho de que todavía hoy no falten sociólogos, economistas, politólogos, publicistas, tan secularizados en creencias y obras, que ignoran, eluden, ponen entre paréntesis marginal en sus propios análisis acerca de la realidad americana lo que significa aquella presencia. Anteojeras ideológicas impiden considerar la realidad en la totalidad de sus factores.

Quizás ello habría podido ser explicable en tiempos en que las elites intelectuales consideraban que la Iglesia católica en las cristiandades latinoamericanas, aun en ritmos y horizontes rurales, era masiva forma residual de un pasado sin futuro, destinada a sucumbir bajo los ímpetus de la modernización y secularización. La presencia eclesial en América Latina sufrió, en verdad, una grave crisis, comenzada por el hostigamiento sistemático a las órdenes religiosas, cuya medida más drástica fue la dramática expulsión de los jesuitas, en tiempos de gran postración de la Iglesia. La síntesis barroca del primer período quedaba así sin sus principales sujetos portadores, capaces de su universalización.

Por muchas décadas, desde las guerras de la emancipación, quedó desmantelada en sus jerarquías e instituciones eclesiásticas y en la ruptura de continuidad de su acción educativa y pastoral. Fue sometida a las pretensiones del regalismo jansenista de los dirigentes de las nuevas repúblicas independientes inspirados predominantemente por la Ilustración católica. Ésta, fenómeno de elites, incapaz de nueva síntesis, fue quedando arrollada por el iluminismo enciclopédico, antirreligioso y anticlerical del racionalismo positivista, bajo cuya inspiración las dirigencias liberales de los nuevos Estados promovieron no pocas persecuciones y hostigamientos contra la Iglesia católica. Los diversos impulsos de la secularización programada venían "de arriba", desde las oligarquías liberales, no "de abajo", desde los pueblos.

La Iglesia latinoamericana sobrevivió, se reorganizó y ganó en libertad, ya bien entrada la segunda mitad del siglo XIX, apoyándose en el centro romano, o sea (al decir de Roger Bastide) "romanizándose", con acentos ultramontanos. No disponía de otro camino posible, so pena de disolución. El Concilio Plenario de los obispos latinoamericanos convocado en Roma por el papa León XIII fue signo de su renovada reestructuración y propulsión. Pero hasta los tiempos del Concilio Vaticano II al menos, persistió ese prejuicio dominante de que la Iglesia católica era una presencia masiva pero "premoderna", residual, en el proceso de disgregación de la cristiandad rural. Ya asentada la separación de la Iglesia y el Estado, ni siquiera interesaba a aquellas elites combatirla, y prácticamente la ignoraban. Coincidirán luego con ese prejuicio y perspectiva, sea la vulgata de las sociologías funcionalistas de la modernización, de origen norteamericano, operantes según la grosera contraposición "rural-urbano", "tradicional-racional", "religiosidad-secularización", sea el consabido esquema marxista referido a la "alienación" de las masas y al "opio del pueblo".

En verdad, América Latina no fue para nada un continente católico en progresión lineal sino que la Iglesia pasó por fases catastróficas. Por eso mismo se ha hablado del "milagro" del arraigo y conservación de la fe católica en los pueblos latinoamericanos, en gran medida y durante mucho tiempo carentes de instrucción religiosa, sin reinformación catequética, sin acompañamiento pastoral. El conjunto latinoamericano acusa hoy el más bajo porcentaje de sacerdotes en relación con el número de católicos, con fuerte presencia de sacerdotes extranjeros; ello tiene su origen en los tiempos de crisis que van desde finales del siglo XVIII hasta bien entrado el siglo XX. La custodia y transmisión católicas en los pueblos latinoamericanos corrió a cargo, por mucho tiempo, de la tradición oral de las madres y abuelos y de la continuidad de manifestaciones de la piedad popular. Una importante revista católica, *Latinoamérica*, reproducía en su tiempo un juicio del historiador Christopher Dawson en *The Tablet* (1950) que, si bien aproximativo, era elocuente: "En América Latina el catolicismo es mucho más antiguo que en el Norte. En ella está arraigado en el suelo y en la historia. Pero la lucha política por la independencia tuvo carácter anticlerical en el siglo XIX... y produjo la supresión de las grandes órdenes religiosas que hasta entonces habían sido las intermediarias entre la población indígena y la española. La consecuencia fue que América Latina ha llegado a ser una de las regiones más atrasadas del mundo católico. Aun cuando el número de católicos de nombre supera en más del cuádruplo al de los católicos de los Estados Unidos, hay más sacerdotes en el norte protestante que en el sur católico (...) Hoy la situación ha cambiado (...). Pero al mismo tiempo se ha de reconquistar tanto terreno perdido, sin que se vea una coyuntura inmediata para que el catolicismo latinoamericano desempeñe un papel dirigente en el mundo católico (...)".[5] ¡Pues, sí, mucho ha cambiado desde entonces!

Muy poca atención suscitaba también en los Estados Unidos la Iglesia católica, que había estado en los orígenes de la primera evangelización del territorio. De ello son testimonio las misiones californianas, pero dichos orígenes quedaron "sepultados" con la retirada española y la constitución del país bajo el neto predominio *WASP*. A los escasísimos 35 mil católicos nativos de 1790, se añadieron luego las sucesivas y masivas oleadas de inmigrantes pobres, primero de Irlanda, luego de Alemania, Francia e Italia; más tarde del Imperio austro-húngaro. De este modo la presencia católica se fue reafirmando desde mediados del siglo XVIII, si bien crecía a modo de *ghetto* muy marginal, con grandes dificultades, considerada como cuerpo extraño a la nación.[6] Desde sus orígenes calvinistas/puritanos y después del iluminismo deísta, se asentó en las bases culturales dominantes del país un rechazo visceral a lo católico, identificado como papismo oscurantista e incompatible con los ideales americanos, cargado también de desprecio hacia los inmigrantes pobres concentrados en los trabajos más humildes y residentes en los *slums*. Este rechazo se manifestó en periódicas campañas de persecución e intimidación. Todavía hacia mediados del siglo XX, cuando abundaba la emigración de refugiados de Europa oriental, en gran parte católicos, se publicaban los *best sellers* de Paul Blanshard, *American Freedom and Catholic Power* y *Communism, Democracy and Catholic Power*, en los que se denunciaban las amenazas conjuntas de los totalitarismos comunista y católico contra la democracia liberal norteamericana. Arthur Schlesinger (hijo) ha llamado a ese anticatolicismo la "leyenda más persistente en la historia del pueblo americano".[7]

En la búsqueda de un arraigo nacional, sectores católicos

intelectuales pagaron tributo al *american way of life* con las tentaciones "americanistas" de comienzos del siglo XX. A la vez, ese doble carácter de inmigrantes y marginados llevó a los católicos a afirmar un fuerte sentido de pertenencia y participación activa en sus comunidades, así como una dedicación a la construcción de obras parroquiales, una extensa red catequética y escolar a diversos niveles, de obras sanitarias y asistenciales, y una participación permanente, sacrificada y generosa en el sostenimiento financiero. Luchando para sobrevivir en un ambiente hostil, los católicos construyeron sus propios colegios, hospitales y universidades y formaron numerosas organizaciones fraternales, sociales, profesionales y de caridad. El historiador Charles Morris escribe que se construyó, con gran sacrificio y esfuerzo, "un Estado virtual dentro de otro Estado para que los católicos pudieran vivir la mayor parte de sus vidas bajo el calor y la protección de instituciones católicas".[8] Personalidades católicas como Reinhold Niebuhr, Thomas Merton, Dorothy Day y otras, en las primeras décadas del siglo XX, intentan profundizar en las compatibilidades entre la tradición católica y la tradición democrática y liberal de los Estados Unidos. También lo hacen visitantes transformados en agudos observadores, desde Alexis de Tocqueville hasta Jacques Maritain. Incluso en nuestros días, ello sigue siendo tema siempre candente, muy importante.[9]

Dicho arraigo y reconocimiento en la vida nacional tuvo ya algunas manifestaciones con la contribución de la Iglesia Católica estadounidense a los esfuerzos del país en la Primera Guerra Mundial y la reconstrucción social en tiempos del "New Deal". Hubo que esperar hasta la década de 1950 para que, por una parte los católicos, que procedían sobre todo de sectores obreros y populares, vivieran una significativa movilidad ascendente a causa de la vasta red de escuelas católicas y de la difusión de la escolarización universitaria, y por su mayor nivel cultural y presencia profesional. Por otra parte, en noviembre de 1960, la nación se encontró ante el hecho sorpendente, inaudito, de tener un primer presidente que se confesaba católico y demostraba ser auténtico representante y significativo promotor del "credo americano" (¡llegando hasta declarar explícitamente la irrelevancia de su fe católica, limitada al dominio privado, respecto del ejercicio de su responsabilidad pública!).[10] Si ello constituyó un viraje histórico, hubo que esperar de todos modos bastantes años para que el gobierno del país se decidiera a establecer relaciones diplomáticas institucionales y plenas con la Santa Sede. El sociólogo Andrew Greeley no deja de seguir señalando que los católicos forman un grupo étnico dentro de la sociedad americana.

Si bien la incisividad de la Iglesia católica en los países americanos y en la vida de la catolicidad resultaba bastante marginal, su crecimiento, sea en América Latina, sea en los Estados Unidos, aparecía como espectacular en tiempos de la posguerra mundial. Atestiguan este crecimiento el auge de la construcción de iglesias en nuevos ámbitos urbanos de clases medias, la multiplicación de diócesis y parroquias, la existencia de una red de escuelas católicas que eran vehículos de movilidad social ascendente de clases medias y populares, la creación de numerosos seminarios diocesanos (mayores y menores) y universidades católicas, el crecimiento de las comunidades religiosas, un nivel considerablemente alto de participación de católicos practicantes y piadosos, así como el desarrollo del apostolado seglar en diversas asociaciones (en América Latina, especialmente en la Acción Católica y en la difusión política del "socialcristianismo"). Las multitudes latinoamericanas se mantenían arraigadas en el subsuelo católico y se expresaban en grandes actos masivos; y los católicos norteamericanos crecían en 1962 hasta llegar a un total de más de 42 millones (¡el 40% más respecto de la década precedente!).

Sin embargo, no era oro todo lo que relucía. El P. Alberto Hurtado, jesuita chileno, se adelantaba a plantear la interrogación: "Chile, ¿un país católico?". Algunos intelectuales y pastores latinoamericanos comenzaban a preguntarse sobre la vitalidad real de la fe, de la misión, en un continente que se ufanaba de "católico", apoyada todavía su tradición en una cristiandad rural que se resquebrajaba por el muy intenso y acelerado proceso de emigración del campo a la ciudad, de crecimiento urbano, de ingreso en la sociedad industrial, de más amplio despliegue de luchas políticas, sociales e ideológicas. Peter Berger, por su parte, se pregunta si aquel auge del catolicismo norteamericano de los años cincuenta no habría cubierto bajo sus ímpetus organizativos y el éxito de sus obras una "secularización invisible", en la que los contenidos religiosos corrían el riesgo de verse impulsados y modulados por el florecimiento impresionante de la "religión civil" americana.

El acontecimiento capital del Concilio Ecuménico Vaticano II fue decisivo para que cierto aislamiento de las Iglesias en el continente americano, su escaso influjo y contribución a la vida de la catolicidad, sus respectivas modalidades de inculturación y misión en los diferentes contextos sociales, culturales y nacionales, vivieran desde entonces un salto de calidad e intensidad. Lo que ayer aparecía marginal, se convertía ahora en novedad y actualidad, noticia y protagonismo.

El último Concilio "europeo" y el primero mundial

El Concilio Ecuménico Vaticano II, anunciado por el Papa Juan XXIII el 25 de enero de 1959 y celebrado del 11 de octubre de 1962 al 8 de diciembre de 1965, fue ciertamente un acontecimiento trascendental para la Iglesia universal, con enormes repercusiones en las Iglesias del continente americano.

Los tres tiempos cruciales de la historia americana (a los que se hizo referencia en los primeros capítulos del libro) coincidieron, en efecto, con tres grandes concilios de la catolicidad. El Concilio de Trento está en la base de la fundación e implantación de la Iglesia católica en el Nuevo Mundo. Pero si a Trento (1545-1563) los obispos latinoamericanos no pudieron llegar, eran ya 54 sobre los 700 participantes en el Concilio Vaticano I (1869-1870), y 49 los procedentes de los Estados Unidos. En el Vaticano II, de los 2.500 padres conciliares presentes, Europa occidental representaba sólo el 33%, mientras que el 22% y el 13%, respectivamente, procedían de América Latina y de Estados Unidos y Canadá.

Ya desde el pontificado de Pío XII se habían ido creando las condiciones de ese despliegue internacional de la catolicidad. Al día siguiente de la creación de 32 nuevos cardenalatos, incluidos cinco latinoamericanos, que amplió también el colegio cardenalicio en los Estados Unidos y en Canadá, el célebre "Mensaje de Navidad" de Pío XII de 1945 —año del fin de la guerra europea y de apertura de una nueva fase histórica de bipolarismo mundial— ponía expresivamente a la luz la esencia católica de la Iglesia. La Iglesia "es un todo indivisible y universal (...) —escribía el Papa—. Supranacional porque abraza con un mismo amor a todas las naciones y a todos los pueblos (...), en ninguna parte es extranjera. Vive y se desarrolla en todos los países del mundo y todos los países del mundo contribuyen a su vida y desarrollo. En otros tiempos —continuaba el Pontífice—, la vida de la Iglesia en su aspecto visible desplegaba su vigor preferentemente en los países de la vieja Europa, desde donde se extendía, como río majestuoso, a lo que podía llamarse la periferia del mundo: hoy día se presenta, al contrario, como un intercambio de vida y energía entre todos los miembros del Cuerpo místico de Cristo sobre la Tierra (...)".[11]

Europa ya no era más el centro mundial; lo que no ahorró esfuerzos del pontificado en la reconstrucción de Europa occidental, la base tradicional más importante del catolicismo mundial, para apuntar hacia su unidad y custodiar su libertad entonces bajo la amenaza de la persecución comunista ya desatada detrás de la Cortina de Hierro. Pío XII, que había sido legado pontificio en el Congreso Eucarístico Internacional de Buenos Aires en 1934, en 1955 escribió en su mensaje a un nuevo Congreso Eucarístico Internacional, el de Río de Janeiro: "Es justo que nuestras miradas se vuelvan con especial insistencia a la multitud de fieles que viven en ese continente. Pues, unidos y hermanados entre sí no obstante la diversidad de cada nación, por la proximidad geográfica, por la comunidad de cultura, y sobre todo por el supremo don recibido por la verdad evangélica, constituyen más de la cuarta parte del orbe católico...". Hacía votos para que a la brevedad se realizase lo que la "Divina Providencia parece haber confiado a ese inmenso continente (...) comunicar también en el futuro a los demás pueblos los preciosos dones de la paz y la salvación".[12]

Inmediatamente después de ese Congreso Eucarístico tuvo lugar la Primera Conferencia General del Episcopado Latinoamericano, cuyo secretario general fue don Hélder Câmara. En ella Pío XII dispuso proféticamente la creación del Consejo Episcopal Latinoamericano (CELAM), instaurando las premisas de una dinámica de colegialidad y colaboración entre todos los obispos e Iglesias locales de América Latina y dando así testimonio fecundo de la importancia de la unidad de los pueblos latinoamericanos en la misión de la Iglesia católica.

Ahora bien, si se siguen atentamente las actas del Concilio Vaticano II o se repasan muchas obras que narran sus sesiones de trabajo, en plenaria o en comisiones, se puede advertir que las

Iglesias de América Latina y de Norteamérica no ofrecieron una contribución especialmente significativa, relevante, ni en la fase preparatoria ni durante las sesiones del mismo acontecimiento ecuménico. Durante las primeras sesiones hubo quien describió irónicamente la presencia de los padres conciliares del continente americano como expresión de la "Iglesia del silencio". Algunas voces de personalidades aisladas, como las de los chilenos Raúl Silva Enríquez y Manuel Larraín, de los brasileños Hélder Câmara, Eugênio de Araújo Sales y Avelar Brandão Vilela, de los canadienses Paul Léger y Maurice Roy, de los estadounidenses Richard Cushing y Francis Spellman, y de algunos otros, no hacían coro, por cierto. Significativa e influyente fue la contribución del jesuita estadounidense, John Courtney Murray, concretamente en la elaboración del decreto conciliar sobre "La libertad religiosa", dada la experiencia secular que Alexis de Tocqueville, después de su periplo de 1831-1832, advertía desde sus orígenes: "los americanos asocian tan íntimamente en su espíritu las nociones de cristianismo y libertad que es imposible evocar una de ellas sin hacerles pensar en la otra".

Gran fruto del Espíritu de Dios, "católico" como todos los concilios en la historia de la Iglesia desde el primero, apostólico, de Jerusalén, el Concilio Ecuménico Vaticano II (1962-1965) tuvo su larga gestación sobre todo en las Iglesias de Europa occidental. Contra la grosera visión mecanicista, ingenua o ideológica, que alza un muro divisorio tajante entre preconcilio y posconcilio, en el Vaticano II confluyeron los movimientos de renovación bíblica y patrística, eclesiológica y litúrgica, misionera y ecuménica, que hundían sus raíces en los finales del siglo XIX y se desarrollaron en relación con el decurso histórico, cultural, religioso y eclesial de la Europa occidental. Estaban en el epicentro de un nuevo diálogo con la modernidad. A las Iglesias del continente americano llegaban los ecos de aquellas experiencias, reflexiones y obras, si bien limitadas a la recepción de escasas elites eclesiásticas y laicales. Había, en cambio, un predominante eje renano constituido por Benelux, Alemania Occidental, Francia y el centro-norte de Italia, que operó como factor propulsor de la renovación teológica, pastoral y misionera que desembocaba en el evento conciliar. De la Iglesia latinoamericana se dirá que estaba más o menos preparada para el Concilio, pero no había preparado el Concilio como algo propio. Para los obispos de estas Iglesias el acontecimiento conciliar fue una escuela sorprendente, un lugar de estrechamiento de vínculos colegiales, un factor propulsor de gran intensidad y novedad.

El Concilio Vaticano II fue el acontecimiento fundamental para la comprensión y la vida de la Iglesia católica en nuestro tiempo. Cerraba, de algún modo, un largo ciclo defensivo, de resistencia contra los embates de la modernidad secularizante, abriéndola —como escribía entonces un teólogo chileno— al diálogo con el mundo moderno, para que asumiera "todos los valores del Reino suscitados por Dios más allá de sus confines visibles, para servirlos y dinamizarlos a la luz de la fe, redimiéndolos de toda tendencia secularista, idolátrica. Asumir para redimir".[13] Ello implicaba una nueva sensibilidad de simpatía, diálogo y servicio respecto del mundo, a partir de la autoconciencia renovada de la propia identidad, de su comunión y misión, en un movimiento difícil pero fecundo en discernimiento, crítica y autocrítica. No en vano el papa Juan XXIII había convocado el Concilio para "poner al mundo moderno en contacto con las energías vivificantes del Evangelio",[14] para actualizar y reproponer su perenne novedad al encuentro de las necesidades y esperanzas de los hombres de nuestro tiempo.

Desde un punto de vista histórico, considerado como acontecimiento de vasto alcance y en cuanto totalidad orgánica y no como suma de documentos, comentarios e interpretaciones, se puede afirmar que desde un resurgimiento de la propia tradición católica, el Vaticano II asume y discierne, transfigura y trasciende, las dos instancias críticas que están en la base de las vigencias rectoras de la modernidad, o sea, la Reforma protestante y el Iluminismo.[15] La necesidad de *aggiornamento* apuntaba a la superación del legado dramático de "ruptura entre el Evangelio y la cultura". Sus dos polos determinantes, indisociables y en interpenetración, serán los documentos *Lumen Gentium* y *Gaudium et Spes,* desde donde se articulan las demás Constituciones y decretos conciliares. El primero fue signo y fruto de una renovada autoconciencia de la Iglesia desde el misterio de la Trinidad y del Verbo encarnado, en su sacramentalidad, en la Palabra de Dios y en la liturgia, como Cuerpo de Cristo y Pueblo de Dios en medio de los hombres, en cuanto comunión orgánica, jerárquica y ministerial a la vez, en la que todos los bautizados participan del sacerdocio de Cristo, y en la que se actualizan los tesoros de santidad, cultura cristiana y caridad de su gran tradición. El segundo fue esa actitud de renovada solidaridad con los gozos y esperanzas, tristezas y angustias de los hombres de nuestro tiempo, sobre todo de los pobres y los que sufren, destacando la autonomía de lo temporal en el designio creador y salvador de Dios, la valorización de todo auténtico progreso humano, el fundamento de la libertad, la dignidad y el destino de la persona humana, y sus derechos naturales e inviolables en cuanto imagen de Dios y porque "el misterio del hombre sólo se esclarece a la luz del Verbo encarnado".[16]

Quedaban sentadas así las premisas de una "nueva reforma" y de una "nueva ilustración",[17] premisas de una nueva civilización. Sin capitulaciones ni confusiones pero también más allá de la rigidez defensiva, resistente y meramente condenatoria, la Iglesia católica recreaba desde sí misma, desde su propia tradición, lo mejor de aquellas instancias interpelantes, sin dejar de criticar sus errores, yendo más allá de sus callejones sin salida y derogándolas, de hecho, por su superación. Era como la anticipación profética del cambio epocal, de alcance civilizador, que ya estaba en incubación y que se desencadenaría hacia finales de siglo.

Tiempo después, Juan Pablo II reconocía en el Concilio Vaticano II "el fundamento e inicio de una gigantesca obra de evangelización del mundo moderno llegado a una nueva encrucijada de la historia de la humanidad en la que esperan a la Iglesia tareas de una gravedad y amplitud inmensas".[18] Una tarea histórica y espiritual de esa magnitud no podía dejar de suscitar en la Iglesia católica una "revisión de vida" muy profunda y global, liberando una detonante carga de novedad, entusiasmo y crítica, experimentación y renovación, a todos los niveles; y también de impaciencia, inseguridad e incluso de desconciertos que llevaron a una inmediata fase posconciliar de prueba y de conmoción íntima y dramática. Serán los tiempos de una gran crisis de renovación eclesial.

Invierno y primavera. Los costos y las ganancias

Dentro de ese marco se va verificando, al decir del brasileño Henrique de Lima Vaz, el tránsito de las Iglesias americanas de "Iglesias-reflejo", determinadas "desde afuera" por otras Iglesias más que por sí mismas, a "Iglesias-fuente", movidas sobre todo "desde adentro", afirmando un propio perfil y contribución en la dinámica de la catolicidad (si bien es cierto que todas las Iglesias locales son a la vez, en modos variados y compenetrados, reflejo y fuente). El influjo conciliar las pone en camino, en movimiento tenso y dramático, para alcanzar su propia madurez, su propia voz. Ello tiene un costo alto, muchas veces de ruptura, de crisis. Una fuerte sacudida era quizás indispensable. Había que remover, a modo de zapa en tierra pedregosa, muchos esquemas mentales, formas institucionales y hábitos pastorales que se habían ido fosilizando por inercia. Había que enfrentar una erosión de la vitalidad de la fe, que yacía cubierta bajo el peso de los aparatos y las inercias. Pero en Iglesias habituadas a una cierta tranquilidad en la disciplina y obediencia eclesiáticas, esa fase removedora adquirió pronto insólito dramatismo.

De la Iglesia norteamericana se ha dicho que ese ímpetu de criticismo, revisión y remoción resultó necesario para ir más allá de los límites de una cierta impronta espiritual e institucional conferida por el peso preponderante de la inmigración irlandesa en la conducción eclesiástica. Había que superar un fuerte clericalismo, tendencias de rigorismo moral, bajo nivel doctrinal y cultural, una aportación muy modesta a la vida nacional. Además, a veces la habilidad financiera y el talento administrativo parecían prevalecer sobre el ímpetu espiritual, pastoral y misionero. La sociedad norteamericana y la presencia católica en ella estaban cambiando acèleradamente, sin que la respuesta de la Iglesia resultara adecuada a los nuevos retos y exigencias.

Por su parte, la Iglesia de los países latinoamericanos tenía que ser removida de una cierta inmovilidad secular en cuanto a las formas tradicionales de la piedad popular y superar la coexistencia más bien estática entre ellas y las elites eclesiásticas. Era urgente también afrontar las exigencias y necesidades planteadas por la disgregación de las cristiandades rurales y el ingreso de las masas en la sociedad urbano-industrial. Se requería un mayor crecimiento en la fe de todos los bautizados y fuertes inversiones educativas y catequéticas. Había que renovar la presencia de los católicos en los ambientes más decisivos de la convivencia social en pleno proceso de transformación. No eran tareas de poca monta.

Los aires de renovación conciliar desatan entusiasmos en las Iglesias americanas en las que se experimentan fuertes ráfagas de cambios a muy diversos niveles y ámbitos. Se emprenden reformas por lo general benéficas o que enfrentan cuestiones urgentes para la vida y misión eclesiales. En efecto, la renovación litúrgica destaca la importancia de la Palabra de Dios y suscita una participación más activa y consciente del pueblo de Dios; hay grandes inversiones en modalidades catequéticas renovadas y crece por doquier la participación de los laicos en la vida y misión de la Iglesia. De igual modo, las formas institucionales pierden boato y rigidez y adquieren sencillez y calor humano. Las relaciones entre obispos, sacerdotes, religiosos/as y laicos toman formas más directas y cordiales. Se aprecia un acercamiento entusiasta de las nuevas generaciones. Se da prioridad a la pastoral familiar. Se ensayan las más variadas experiencias de renovación parroquial y surge con gran ímpetu y difusión la novedad de las comunidades eclesiales de base. Se elaboran pastorales de conjunto. Sectores políticos e intelectuales hasta entonces distraídos y desinteresados comienzan a abrir los ojos respecto de esta emergente realidad eclesial. La Iglesia sorprende por esta capacidad de actualización histórica, revitalización y rejuvenecimiento.

Sin embargo, esta fecunda dinámica de actualización y renovación se ve muchas veces entremezclada con influjos ideológicos y propuestas confusas. En tiempos de deshielo, desestructuración, fuerte criticismo y también de inseguridad y desasosiego, cuando todo parecía estar en vilo, cuando a menudo se vivía como en un vacío coyuntural entre lo que concluía y lo que renacía informe aún, las "teologías de la secularización", divulgadas como lectura e interpretación auténticas del Concilio Vaticano II, convertían dicho vacío en ideal. Peter Berger ha hecho una exposición muy ilustrativa y certera sobre el desarrollo de la teología protestante que lleva a la teología de la secularización,[19] difundida y propuesta como interpretación auténtica del Concilio Vaticano II. Ésta es la nueva versión de la antigua teología liberal protestante de finales del siglo XIX. No en vano la teología liberal de Schleiermacher y Harnack había correspondido al ciclo áureo del capitalismo mundial en expansión en el siglo XIX. Hubo una interrupción de esa visión complaciente y optimista de la secularidad cuando la eclosión de la Primera Guerra Mundial y el surgimiento de los totalitarismos se expresó en la neoortodoxia de Karl Barth. Pero con el "milagro alemán" (y Alemania es la fragua intelectual del protestantismo), el mundo deja de aparecer como enemigo y encarnación de las fuerzas demoníacas, y surgen nuevas legitimaciones teológicas de la secularidad. En tiempos de posguerra, coexistencia pacífica y auges económicos, emerge una tendencia de adaptación cristiana al mundo capitalista-liberal y a su sociedad de bienestar y consumo. La nueva atmósfera se percibe ya en Rudolf Bultmann, en Paul Tillich, en la lectura reductiva que se hace de Dietrich Bonhoeffer, en el éxito mundial de divulgadores como John Robinson y Harvey Cox, etc.

Quizá la obra más expresiva fue la de Friedrich Gogarten, *Destino y esperanza del mundo moderno*, publicada en 1953, en cuanto viraje copernicano en la valorización del proceso de la modernidad. La teología política romántica de comienzos del siglo XIX (Bonald, Maistre, Donoso Cortés, etc.) había impuesto dentro de la Iglesia católica una visión puramente negativa de la modernidad, a partir de una óptica reactiva, mítica y arquetípica del medioevo, considerando la modernidad como pura desviación, como mera descristianización. Ese simplismo antimoderno, ultramontano, fue grave equívoco. En su lógica llevaba al *ghetto*, a la mentalidad de fortaleza asediada, a la condena global de lo moderno, a la nostalgia impotente de restauración. Ahora todo se invertía con simplismo devastante. Todo lo moderno era bueno, la secularidad en cuanto tal se percibía como fruto del cristianismo; y la cristiandad mala, contaminación anticristiana. El *aggiornamento* se disolvía así en mera adaptación. La renovación conciliar se confundía con su interpretación y aplicación secularizantes. Con esa lógica había que ir despojando en cadena todos los elementos de la fe cristiana, todo el andamiaje sobrenaturalista que no fuera creíble y aceptable para la mentalidad moderna, según sus parámetros racionalistas dominantes, reconocida de hecho como criterio rector. Tal será la dinámica de las desacralizaciones, de las desmitologizaciones en la exégesis bíblica, de la crítica a la religión en nombre de una "fe purificada", de la consideración y desmonte de la institucionalidad eclesial como mero aparato organizativo, etc. Más aún:

todas las objetivaciones de la fe —jerárquicas e institucionales, sacramentales y devocionales, doctrinales y morales, en obras sociales— cayeron bajo el fuego de la crítica como modalidades degeneradas de "cristiandad". Se trataba, en verdad, de un ímpetu anti-Iglesia, de arrasamiento de las mediaciones "católicas" entre Dios y los hombres. Se entraba así en una tendencia de disolución por asimilación. Mucho se podría abundar sobre cuánto de ello estaba ya en la raíz luterana de la separación entre los "dos reinos", entre la total trascendencia de la majestad divina y la secularidad dejada a su propio dinamismo pecaminoso, entre la fe invisible y el mundo y las obras.

Esa repercusión de las teologías de la secularización, que no provenían del Concilio mismo, hizo irrupción en la Iglesia norteamericana cuando sectores considerables del catolicismo se arraigaban finalmente en la vida nacional, en sus estructuras universitarias, en su sociedad tecnológica del bienestar, en sus pautas protestantes y liberales dominantes. Arriesgaban, para bien y para mal, una nueva forma de "americanización".[20] Una generación de teólogos, sobre todo protestantes, como William Hamilton, Paul van Buren, Gabriel Vahanian, Thomas Altizer y Harvey Cox, divulgaron entonces la "teología de la muerte de Dios" y del "cristianismo sin religión", desde epistemologías secularizadoras en los campos de la psicología, la sociología y la cultura en general. Ello coincidía, en los años del inmediato posconcilio, con la más tumultuosa autocrítica suscitada en el seno de la gran nación americana por la tremenda sacudida de la guerra de Vietnam. Tendencias entre liberales radicales, libertinas y libertarias encontraron sus rostros expresivos en el movimiento *hippie* de los campus universitarios. En ellos se plasmó una nueva generación de intelectuales y publicistas agresivamente secularizantes. Movimientos de liberación sexual, de permisivismo promotor del aborto, de feminismo radical, de crítica virulenta a la institución familiar, cuestionaban radicalmente la moral cristiana tradicional.

En tales condiciones, el catolicismo norteamericano fue íntimamente conmovido; parecía sometido a una evolución tumultuosa e incierta. No había enseñanzas doctrinales y morales que no fueran cuestionadas.[21] Había penetrado una profunda crisis de identidad cristiana en los más diversos ámbitos. El comportamiento de muchos católicos tendía cada vez más a asimilarse a la media nacional en cuanto a divorcios, contracepción, etc., en medio de la irradiación de las pautas y efectos de la "revolución sexual". Una subcultura *gay* se anidó en algunos seminarios de formación sacerdotal. También bajo esta luz hay que considerar los casos de no pocos sacerdotes acusados de abusos en perjuicio de menores, gravísimos cuando efectivamente verificados (por lo general, más de homosexualidad que de pedofilia).[22] Errores notorios en la gestión eclesiástica de tales casos coadyuvaron a agravar este factor de crisis en el catolicismo de los Estados Unidos, de imprevisibles consecuencias. Todo esto puede ser considerado también como resaca duradera, pero residual, de aquel gran deterioro.

También se sufrió ese influjo secularizante en la Iglesia canadiense, con un impacto desestructurante más fuerte en el Canadá francés, en una de las sociedades que mantenían muy alto nivel de práctica religiosa, donde el proceso de la renovación conciliar fue contemporáneo y a veces quedó confundido con los de una secularización masiva.

Dicha crítica marcó a fuego también en América Latina lo que se consideraba como "sacramentalismo" sin evangelización, "pastoral masiva" sin personalización, religiosidad entre mágica y supersticiosa lejana de la fe purificada. Dio lugar a una de las fases iconoclastas más álgidas de las formas de piedad popular, ¡precisamente cuando más estaba en boga la Iglesia como pueblo de Dios! Pero abrir las ventanas para airear la casa, significó para la Iglesia latinoamericana acoger e interiorizar, no la secularidad de la abundancia y el bienestar, sino la tormenta tempestuosa de la más aguda y explosiva crisis de las sociedades latinoamericanas. El anuncio del Concilio había coincidido con la victoria de la revolución cubana, la inauguración del acontecimiento conciliar con la inflexión marxista de aquélla y la crisis de los misiles soviéticos en la isla; y la conclusión de las sesiones del Vaticano II con la eclosión por doquier del "foquismo" guerrillero y de la represión militar por parte de los nuevos "regímenes de la seguridad nacional". Se desencadenaban entonces todo tipo de contradicciones en un subcontinente que parecía rechazar tajantemente su subdesarrollo y dependencia y apuntar a estrategias revolucionarias.[23]

La Iglesia universal, y las Iglesias americanas en particular en sus diversos contextos, tuvieron que afrontar la necesaria y positiva renovación suscitada por el Concilio Vaticano II en tiempos de altas mareas de hiperpolitización e ideologización, en medio de hechos revulsivos como la guerra de Vietnam, la contestación universitaria de 1968, la revolución cultural china, la invasión soviética de Praga, una fase de fuertes conflictos del movimiento obrero y los altos niveles de violencia por doquier. Debieron pasar, pues, por la prueba dramática de lo que desde hoy, en visión retrospectiva, podría considerarse como la última fase de choque y, a la vez, de simbiosis, de las grandes vigencias ideológicas de la modernidad en el clima de contraposición del mundo bipolar. La renovación conciliar coincidió cronológica y culturalmente con un salto cualitativo, en extensión y radicalidad, del proceso de secularización de tendencia secularista, bajo forma ideológica.

Fue en ese contexto que las Iglesias quedaron lanzadas en la escena pública, y aun en medio de situaciones críticas, dan un salto sorprendente de inculturación, de asunción más decidida de las circunstancias concretas de su encarnación, de compromiso más urgido con las necesidades y esperanzas de sus pueblos, de protagonismo en el seno de sus naciones.

En esta fase muy tensa, la Iglesia latinoamericana es la primera que, después del Concilio, reúne a sus obispos en su conjunto, en la Segunda Conferencia General del Episcopado Latinoamericano, celebrada en Medellín en 1968, después de la visita de Pablo VI a Bogotá, para considerar la marcha de "La Iglesia en la actual transformación de América Latina, a la luz del Concilio". Juan Pablo II reasumirá años más tarde la tensa originalidad de "Medellín" en tres puntos fundamentales: "la opción por el hombre latinoamericano en su totalidad..., su amor preferencial, y no exclusivo por los pobres..., su anhelo por una liberación integral de los hombres y de los pueblos".[24] Emerge entonces la figura y el compromiso concreto de la "Iglesia de los pobres". Ya lo había dicho Juan XXIII un mes antes de la apertura del Concilio: "Ante los países subdesarrollados, la Iglesia se presenta como es y quiere ser: la Iglesia de todos y particularmente la Iglesia de los pobres"; ésta es dimensión ineludible de la tradición eclesial, que Pablo VI subrayará también en 1963 señalando que los pobres pertenecen a la Iglesia por derecho evangélico. Esta cuestión no encontró en el Concilio su plena estatura porque el mundo europeo pesaba mucho entonces. En

Medellín será central. ¿Podía ser de otro modo en un mundo concreto de encarnación y misión que se caracteriza por la participación en la Iglesia de multitudes de cristianos pobres, pobres que son mayoría en sus pueblos y que reconocen su dignidad y su esperanza en el cristianismo? Las encíclicas *Populorum Progressio* (26/III/1967) y *Humanae Vitae* (25/VII/1968)[25] tuvieron fuerte resonancia en América Latina. El clamor "de los pueblos hambrientos (que) interpelan hoy con acento dramático a los pueblos opulentos" —escribía Pablo VI —, es una cuestión social que ha llegado a ser universal, y sus gravísimos problemas no se resolverán a través de la propaganda y la acción de un imperialismo neomaltusiano.

La Iglesia se yergue en América Latina como lugar, signo y custodia de la libertad de los pueblos en tiempos de las dictaduras militares, del cierre de los canales participativos y de representación, de la represión en masa, de la práctica de las torturas y las desapariciones. No deja a la vez de condenar la violencia que se desata desde estrategias de insurrección armada e incluso de acciones terroristas. La Iglesia rechaza toda violencia, que "no es cristiana ni evangélica" —repite numerosas veces Pablo VI durante su estancia en Bogotá, en 1968—; es sólo política de muerte y la muerte de toda política. Paga también por todo ello su precio con la sangre de pastores, catequistas y fieles en medio de los opuestos extremismos. Muchos católicos se sienten generosamente llamados a asumir una renovada militancia en ambientes estudiantiles, obreros, campesinos y políticos. Es tiempo del *engagement*, del "no hay fe sin compromiso". Sin embargo, no faltaron algunos grupos eclesiásticos y juveniles de universitarios católicos, agitados por la marea de cambios eclesiales y políticos, que irrumpieron en los senderos trágicos y nefastos de la violencia. La incorporación de Camilo Torres a la guerrilla y su muerte en febrero de 1966 fueron su primera anticipación y su sello de sangre.

También la Iglesia de los Estados Unidos rompe con cierta estrechez parroquialista, con sus repliegues temerosos, y comienza a hablar con voz propia a toda la nación e incluso respecto de sus responsabilidades internacionales. Sus documentos sobre la economía del país, sobre la paz, sobre la defensa de la familia contra los programas neomaltusianos provocan debates a nivel nacional. El Episcopado se interesa asimismo por la eclosión de la crisis centroamericana, la cuestión cubana, la defensa de migrantes y refugiados, el conflicto en Tierra Santa... asumiendo la responsabilidad de ser Iglesia en el seno de la primera potencia mundial.

Las teologías de la liberación

Junto con la opción por los pobres, el Episcopado latinoamericano retoma en la Conferencia de Medellín el dinamismo del concepto de "liberación", de clara raigambre bíblica, pero mediado a través de los combates y aspiraciones de los pueblos emergentes en el escenario mundial. La resonancia de la liberación pone el acento en la opresión que se ha de superar. Pablo VI había augurado "transformaciones urgentes, audaces y profundas". Crecía en América Latina una conciencia crispada y urgida de transformación de las estructuras injustas, fruto de lo que los obispos denunciaban en los documentos de Medellín como "colonialismo interior" y "neocolonialismo internacional".[26]

De ese ímpetu profético de la Iglesia en América Latina nace la llamada "teología de la liberación".[27] Se puede considerar al sacerdote peruano Gustavo Gutiérrez su primer sistematizador y el más conocido e influyente.

¿Cómo hablar de Dios en un continente donde la fe no ha tenido la fuerza de transformar una convivencia sometida a arraigadas y profundas injusticias, en que minorías viven en la abundancia y multitudes en la indigencia? ¿Cómo hablar de Dios para mantener viva la esperanza de esa multitud de pobres que se reconocen en la Iglesia? ¿Cómo hablar de Dios como guía de la praxis de numerosos sectores de militancia cristiana lanzados al combate social y político, mientras arrecian las contradicciones y polarizaciones? Éstas y otras son intuiciones y exigencias profundas y verdaderas en la teología de la liberación. La Iglesia latinoamericana intenta hablar, de manera balbuciente, si bien a veces con la altisonancia de los recién llegados, desde su contexto, con su propia voz y reflexión teológica para el servicio de sus pueblos y contribución a la Iglesia universal.

Variados enfoques parciales de la consideración de esa realidad marcan desde los inicios sus propios límites. Su *locus* teológico no abraza la historia, la cultura, la tradición cristiana, los ritmos diversificados del caminar de los pueblos latinoamericanos, sino que se reduce a la praxis de las referentes comunidades de base, de grupos de cristianos revolucionarios, como si ellos fueran vanguardia y representación objetiva de los intereses de todos los pobres y oprimidos en tierras latinoamericanas. Teologías políticas de origen europeo, que son también fuente de su inspiración, la impregnan de una visión secularizante que no se desprende de la tradición ideológica iluminista, desconectada del sustrato cultural de nuestros pueblos y de sus formas de piedad popular. La reflexión teológica pretende conjugarse con la sociológica y política, sin la mediación de una antropología cristiana explícitamente propuesta. Como mediación sociológica incorpora, de manera acrítica, la "teoría de la dependencia" en boga. Paga el precio del eclipse de la doctrina social de la Iglesia, a menudo reducida a la enunciación de sus principios, a la que considera inadecuada para responder a los nuevos desafíos en nuevos contextos y a la que tacha de "reformista", "tercerista" y de residuo de cristiandad.

Su mayor confusión termina expresándose en la asunción del marxismo como método de análisis social y presunta guía de interpretación "científica" de la realidad, mediación necesaria incorporada a la reflexión teológica (aunque muchos pretendan ser como "Monsieur Jourdan", que escribía en prosa sin saberlo). Ni Marx, ni Engels, ni Lenin, ni Stalin, ni la gran tradición del marxismo occidental, jamás hubieran aceptado tal disyunción del marxismo entre su dimensión científico-empirista y su dimensión filosófico-utópica, entre su materialismo histórico y su materialismo dialéctico, y menos aún para pretender conjugarlo con una confesión cristiana. Las cosas se complican aún más cuando viene en su auxilio la "ruptura epistemológica" de Louis Althusser y su "estructuralismo". Hay más declamación retórica y repetición esquemática sobre la "cientificidad" del marxismo, que estudios sistemáticos y desarrollos originales respecto a la realidad latinoamericana. Pedir en préstamo instrumento tan potente, sin una crítica profunda de sus premisas, lleva a ser instrumentalizados. Son tiempos en que el marxismo resulta cultural y políticamente hegemónico en ambientes universitarios e intelectuales, donde las diversas estrategias revolucionarias son conducidas firmemente por formaciones marxistas, en los que la Revolución Cubana lleva a identificar revolución y marxismo y en los que se convoca estratégica y tácticamente a la alianza entre marxistas y cristianos. Además funcionan a todo ritmo las usinas del marxismo occidental y el bloque socialista-soviético parece ganar terreno en la lucha bipolar. Buena parte de esa primera generación de militancia cristiana posconciliar está poco provista y muy desasosegada para no quedar asimilada por la esquemática conceptualización marxista y por el arrastre subalterno en los ambientes de lucha política. Son los tiempos de "cristianos para el socialismo" (cuya única referencia real era el socialismo de ideología marxista y según el modelo soviético), de la reformulación ideológica de la comprensión y la praxis cristianas, de un moralismo crispado que espera la "Revolución" a la vuelta de la esquina y que la asocia estrechamente con el Reino de Dios.

La transposición de la lucha de clases al interior de las comunidades cristianas generará después la "quinta columna" de la "Iglesia popular", cuyos ímpetus divisionistas se manifestaron sobre todo en la tumultuosa crisis centroamericana. Había necesidad de restar credibilidad a la "Iglesia oficial" y a todo intento de salida democrática alternativa, confundiendo a todos como reaccionarios y hasta de complicidad con el "imperialismo yanqui". Fue durante el "sandinismo" en Nicaragua que arreciaron los embates críticos y difamatorios contra la Iglesia "oficial", contra la jerarquía eclesiástica, y tuvieron lugar los bochornosos sucesos organizados para neutralizar y pretender manipular la visita de Juan Pablo II al país. Quien ha sabido admitirlo, con autocrítica pública que ha reiterado recientemente, es Daniel Ortega (quien fue presidente de la Nicaragua "sandinista"), incluso reconociendo al cardenal Miguel Obando, arzobispo de Managua (que fue defensor del pueblo durante los largos años de dictadura "somozista" y difamado por los sandinistas), como protagonista y garante de "reconciliación nacional", incluso proponiéndolo para el Premio Nobel de la Paz.

Los fuertes ecos metropolitanos de esta corriente dominante de la teología de la liberación, de sus muy numerosos divulgadores, de sus vínculos ecuménicos, no sólo provocaban una lectura distorsionada de la realidad latinoamericana en ambientes europeos y norteamericanos sensibles a las injusticias sufridas. Ocultaban también la realidad de otras corrientes de católicos comprometidos por el bien de sus pueblos, en más plena comunión con una Iglesia que ganaba en autoridad y credibilidad populares, no obstante las laceraciones y críticas a las que estaba sometida. En efecto, hubo quienes intentaron reformular las intuiciones capitales de la teología de la liberación en el marco de una diversa visión de la historia, de la cultura, de la religiosidad y de las esperanzas de los pueblos latinoamericanos y desde la crítica de las ideologías iluministas, liberales y marxistas, asociada con la renovación de la doctrina social de la Iglesia.

Hoy se habla poco en América Latina de teología de la liberación. Desde los años ochenta resultaba evidente su crisis. Naufragaba en la repetición. Ya la Carta Apostólica *Evangelii Nuntiandi* de Pablo VI había dado importantes claves para su discernimiento. La última gran batalla se dio en el debate muy participativo y duro durante la preparación de la III Conferencia General del Episcopado Latinoamericano en Puebla de los Ángeles. El Papa Juan Pablo II, originario de Polonia, nación de tradición católica en la frontera dependiente del imperio soviético de totalitarismo ateo, estrena de hecho su pontificado con el viaje a México y la inauguración de "Puebla" (enero de 1979). En su discurso inaugural enfrenta críticamente algunos errores y desviaciones claramente imputables a la teología de la liberación. En muchas otras sucesivas ocasiones, sobre todo durante los viajes apostólicos a los países latinoamericanos, Juan Pablo II vuelve a afrontar explícitamente los problemas planteados. Recapitulando su magisterio y el de los obispos latinoamericanos, la Instrucción *Libertatis Nuntius* ("Sobre algunos aspectos de la teología de la liberación", 6/VIII/1984) de la Congregación para la Doctrina de la Fe, es como el remate final de este proceso y debate. Años más tarde, el derrumbe del socialismo real y la crisis de credibilidad del marxismo dejan muda a la teología de la liberación. "Por eso —escribe el entonces cardenal Joseph Ratzinger— los acontecimientos políticos de 1989 han cambiado también la escena teológica."[28] Sólo algunos intentan recorrer caminos de autocrítica y unos pocos los de una reformulación.[29] Otros se refugian en traducciones segmentarias, como las teologías indigenistas o las feministas, o en divagaciones teológico-ecológico-holísticas (como Leonardo Boff). Los más, por desgracia, viven el propio fracaso con crispación o amargura, esperando que tiempos más propicios permitan volver a las andadas. Así no se aprende nada, ni nada se aporta ni construye.

En cambio, la "victoria" de la teología de la liberación está en que sus mejores intuiciones proféticas, que provenían de la "carne" misma de la tradición evangélica, católica, y que animaron lo mejor de sus reflexiones y militancias, replantearon temas importantes para la realidad latinoamericana y fueron sedimentándose en la conciencia y en la misión del conjunto de la Iglesia católica en nuestro tiempo. La identificación de Jesucristo con los pequeños y los pobres, con los necesitados y sufrientes —que los padres de la Iglesia llegaron a llamar "segunda eucaristía del Señor"—, la conciencia del pecado objetivado en estructuras inicuas de relaciones entre las personas y las naciones, la lucha por la dignidad y la justicia en cuanto dimensiones constitutivas de la evangelización, el gesto profético que clama contra toda cultura de muerte, la fuerza de liberación que representa para las personas y los pueblos la salvación aportada por Jesucristo, no son, por cierto, aportes sólo de la teología de la liberación. Pero nada sería igual hoy sin su eclosión y desarrollo, sin el debate y discernimiento que provocó, si bien con costos muy grandes de crisis, confusiones y laceraciones.

El magisterio de la Iglesia no se limitó a reaccionar críticamente ante los errores, sino que supo recuperar para el conjunto de la Iglesia el bien que estaba en su origen. La Instrucción *Libertad cristiana y Liberación* (22/III/1986), de la misma Congregación, es una síntesis orgánica y madura en la materia. En la encíclica *Centesimus Annus* de 1991, superando todo lo que había de caduco, el Papa Juan Pablo II podrá reafirmar "la positividad de una auténtica teología de liberación humana integral".[30]

Mientras la atención eclesial se centró y fue absorbida en las grandes polémicas doctrinales, ideológicas y pastorales, muchas cuestiones y desafíos nuevos de la vida de los pueblos y de la Iglesia en el continente no eran suficientemente afrontadas. Proseguía la descristianización, proliferaban las sectas, se caía en la "década perdida". En las actuales condiciones parece que ha pasado mucho tiempo desde aquellas polémicas. En verdad, no es tiempo de seguir concentrándose en tales dialécticas, que ayer planteaban temas fundamentales y hoy resultan cada vez más anacrónicas y descaminadas. No se trata de pedir públicos *mea culpa* ni afirmar la óptica de vencidos y vencedores. Por una parte, queda la claridad y firmeza de los pronunciamientos y directivas de la Iglesia como referencia esencial. Por otra, los escenarios mundiales y latinoamericanos han sufrido enormes cambios. Se han mezclado muchas cartas en el mazo. Hoy se han de abrir caminos nuevos para el bien de los pueblos latinoamericanos. En la comunión de la Iglesia, todos están llamados a demostrar que la opción por el hombre latinoamericano en la totalidad de los factores que lo constituyen, el amor preferencial por los pobres, la pasión por sus pueblos, el combate y esperanza de liberación desde la libertad, se expresan en síntesis cristianas más completas, fecundas y eficaces para nuestro tiempo. No un menos, sino un más, al que estamos llamados, en la mayor convergencia y fraternidad posibles.

Una segunda fase del posconcilio

No puede dudarse de que se trató de un invierno crudo. Sólo se aprende y se crece cuando se afronta toda la realidad sin censurar ninguna de sus partes y dimensiones. En el apogeo de las crisis posconciliares, el 7 de diciembre de 1968, Pablo VI decía: "La Iglesia se encuentra en una hora de inquietud, de autocrítica, se diría incluso de autodestrucción" y ponía toda su confianza en Cristo: "Será Él quien calmará la tempestad". Hay muchas otras expresiones dramáticas de Pablo VI en ese tiempo. Estaba en juego la misma fe de la Iglesia, la continuidad de su tradición. Pesada cruz que Pablo VI cargó con santidad, sabiduría y esperanza: ¿cómo era posible que el Concilio de la más bella y profunda eclesiología conforme con la gran tradición católica, que respondía a la vez a las necesidades de los hombres, tuviera que abrir caminos de renovación en medio de un reguero de impugnaciones, manipulaciones y desafecciones desde dentro de la misma Iglesia?

El actual Papa, en ese momento cardenal Ratzinger, explicará tiempo después: "En sus expresiones oficiales, en sus documentos auténticos, el Vaticano II no puede ser considerado responsable de esta evolución que, al contrario, contradice radicalmente tanto la letra como el espíritu de los Padres conciliares

(...)". Afirmaba a continuación su convicción de que tales desviaciones se debían "al desencadenarse en el interior de la Iglesia, de fuerzas latentes agresivas, centrífugas, irresponsables o simplemente ingenuas, de fácil optimismo" respecto de la modernidad y su progreso técnico. Se debían también "al exterior, al impacto con una revolución cultural: la afirmación en Occidente de la clase medio-superior, de la nueva burguesía del sector terciario con su ideología liberal-radical de impronta individualista, racionalista, hedonista".[31] En América Latina, en cambio, esas fuerzas latentes, centrífugas, en lo más álgido de la criticidad, experimentación y desasosiego del inmediato posconcilio sufrieron a la vez el impacto reflejo de esa revolución cultural de Occidente combinada con los últimos estertores ideológicos y políticos del comunismo en descomposición en medio de la crisis latinoamericana de los "años calientes".

Pero mientras se padecía el invierno, crecían los signos de una nueva primavera eclesial. Quienes sólo han visto el invierno, han quedado en la nostalgia impotente de una crítica crispada, que arremete injustamente incluso contra el mismo Concilio. Quienes sólo cantan loas a la primavera, exorcizan la cruz muy concreta que se cargó y sufrió, que es prueba y juicio para la conversión y resurrección. En realidad, desde una vieja antinomia cada vez más anacrónica, "integristas" y "progresistas" malinterpretaron el acontecimiento conciliar. Ambos lo consideraron una capitulación ante las vigencias dominantes de la reforma protestante y de las ideologías iluministas, unos para condenar y otros para rendirse. Fueron hermanos siameses, aunque opuestos, que no captaron su originalidad, su novedad, su proyección. Se dispensaron del esfuerzo de repensar a fondo la modernidad, de desarrollar una seria crítica al iluminismo ya en crisis. No se alcanza, en general, una nueva positividad, sin el paso tumultuoso por la negatividad.

La crisis afectó sobre todo el nivel de las elites clericales y eclesiásticas. Las décadas de 1960 y 1970 vieron una secuencia impresionante de secularizaciones sacerdotales. Se sufre la crisis de comunidades religiosas enteras, fundamentales en la evangelización y en las instituciones educativas, caritativas y pastorales de las Iglesias americanas: de sus rígidas estructuraciones y disciplinas pasan a un pantanal. Se encuentra mucha desorientación en instituciones educativas, sobre todo en los seminarios y universidades católicas. Todo repercute en perplejidades y desconciertos del pueblo católico, tensiones y divisiones entre los fieles, baja de la práctica religiosa, disminución vertiginosa de vocaciones sacerdotales y religiosas.

Pero a la vez, se pusieron de manifiesto las grandes reservas de fe de los pueblos americanos, resistentes a esas crisis que sacudían íntimamente a sectores de elites eclesiásticos. La fuerte implantación de las Iglesias resiste el embate, y el realismo católico tiende a moderar las veleidades ideológicas. Se pone en prueba la fidelidad a la tradición y doctrina. Se verifica un arduo y delicado trabajo de discernimiento y sedimentación de lo que son verdaderas experiencias de renovación cristiana, corrigiendo y superando no pocas reformas erráticas y fallidas. Se abren camino exigencias de recuperación de un más profundo sentido de fe y de vida espiritual, de identidad cristiana y comunión eclesial, de recentramiento misionero. Las comunidades cristianas van zafando del "pajarero ideológico" de elites para arraigar su vida y servicio en relación con las necesidades y esperanzas de sus pueblos, de sus grandes mayorías. Se revaloriza nuevamente la piedad popular, la de los pobres y sencillos. Son muchas decenas de millones de latinoamericanos que peregrinan año tras año a los grandes santuarios de los países latinoamericanos, capitales espirituales de los pueblos, comenzando por la impresionante realidad del Santuario-Basílica-Villa de Guadalupe. El pueblo católico ocupa de nuevo la escena. La caridad se expresa en una capilaridad de iniciativas que responden a las necesidades materiales, educativas y espirituales de la gente. Se defiende el bien del matrimonio y la familia ante nuevos factores de asedio y, si bien existen desde vieja data muy vastas realidades de irregularidad, machismo y desintegración, el sentido de familia sigue siendo apreciado en el *ethos* popular. Las mujeres del pueblo son generalmente heroínas de entrega sacrificada a la prole y de custodia y comunicación de la fe. No faltan vastos sectores juveniles que se sienten incorporados en el flujo de la tradición católica, como lo demuestran el más de un millón de participantes año tras año en la peregrinación juvenil de Buenos Aires al Santuario de Nuestra Señora de Luján, las decenas de miles de jóvenes chilenos que lo hacen al Santuario de Santa Teresita de los Andes y muchas otras experiencias similares.

La intensa colegialidad episcopal animada por el CELAM ha hecho que las Iglesias de América Latina se proyecten en tiempos posconciliares con dinámica de conjunto, apta para zafar de encierros localistas, neutralizar los impulsos disgregantes y hacer circular válidas reflexiones y experiencias con solicitud católica. Todo ello puso a estas Iglesias en el centro de la actualidad de sus países y de la Iglesia universal.

"A diez años de la clausura del Concilio Vaticano II —afirma un estudioso latinoamericano— se presentan todos los signos de una segunda etapa posconciliar (...). El nuevo pasaje se sitúa convencionalmente en torno a 1975. El núcleo central de las reformas conciliares se hace normalidad eclesial; es un momento de asentamiento. La Iglesia abandona su estado febril y su camino recupera nueva coherencia. Lo cual no significa que no se planteen enormes e ingentes problemas (...)."[32] El punto de viraje coincide con el Año Santo (1974-1975), la celebración de la III Asamblea ordinaria del Sínodo mundial de los obispos (octubre de 1974) y, sobre todo, la publicación de la Exhortación apostólica *Evangelii Nuntiandi* (1975).

Aquel sínodo estuvo profundamente marcado por la contribución del Episcopado latinoamericano. Por esto mismo la Iglesia en América Latina se sintió muy reflejada y alentada por la *Evangelii Nuntiandi,* que el Papa Pablo VI puso en la base de la preparación de la III Conferencia General del Episcopado Latinoamericano. Estos acontecimientos coincidían con dos importantes encuentros promovidos por el CELAM: una reunión de 60 obispos latinoamericanos en Bogotá en febrero de 1972, que recogió y evaluó el legado de "Medellín"; y un importante coloquio latinoamericano sobre la religiosidad popular, celebrado también en Bogotá, en agosto de 1976, el punto más alto de la reflexión y propuesta latinoamericanas en esa perspectiva.

La Carta apostólica *Evangelii Nuntiandi* proporcionó la clave para una lectura sintética del Vaticano II, significó un discernimiento de la primera fase posconciliar y señaló un camino y un programa nítidos para la vida y misión de la Iglesia. Se centró en la misión evangelizadora, indicó su multidimensionalidad contra toda reducción, superó la falsa antinomia entre el repliegue en una identidad a ultranza y la apertura al otro como disolución, abrió la perspectiva de la evangelización de la cultura y de las culturas, aclaró la distinción y los vínculos necesarios entre evangelización y liberación, valorizó la piedad popular, reafirmó las fuentes de la unidad y santidad de la Iglesia y de las diversas identidades de sus ministerios y estados de vida. Se trató de una fase de discernimiento y recentramiento. Su mayor fruto fue la Conferencia de Puebla de los Ángeles, la más madura autoconciencia eclesial y latinoamericana, que recapituló y proyectó en la misión de la Iglesia la gestación y la historia, la cultura y la piedad, el clamor, los sufrimientos y las esperanzas de los pueblos latinoamericanos.[33] El pontificado de Juan Pablo II se inauguraba con su presencia decisiva en Puebla.

De Juan Pablo II a Benedicto XVI

El pontificado de Juan Pablo II ha resultado providencial en este itinerario. Un pontificado que convocó esencialmente a "abrir las puertas a Cristo" —las puertas del corazón de la persona y de todos los ámbitos de la convivencia—, un Papa peregrino a las naciones con sus numerosos viajes apostólicos, que fue al encuentro del hombre y de los pueblos como a sus interlocutores principales, que fortaleció la unidad y la adhesión a la verdad en las filas católicas, que relanzó la doctrina social, no podía no dar lugar a un nuevo protagonismo de la Iglesia en el escenario mundial, en cuanto testimonio profético del Señor de la historia.

No obstante las grandes laceraciones, contradicciones y compromisos que la Iglesia ha padecido en el siglo XX y las masivas persecuciones martiriales sufridas, sacudida por corrientes impetuosas de descristianización, ha sido capaz de emprender una honda autoconciencia de su ser y misión. En una fase de mayor serenidad y madurez eclesiales, Juan Pablo II retomó y relanzó la obra emprendida por Pablo VI para la "plena e íntegra actuación de las enseñanzas del Concilio". Su programa está todo en su primera encíclica *Redemptor Hominis*: "El cometido fundamental de la Iglesia en todas las épocas y particularmente en la nuestra, es dirigir la mirada del hombre, orientar la conciencia y la experiencia de toda la humanidad hacia el misterio de Cristo, ayudar a todos los hombres a tener familiaridad con la profundidad de la Redención que se realiza en Cristo Jesús".[34] Desde entonces hasta el Gran Jubileo de los 2000 años de la Encarnación, resuena fuerte el anuncio del acontecimiento capital de la historia, "el Verbo se hizo carne", sentido y promesa de plenitud de la vida humana, inteligencia de toda la realidad. Es el corazón del programa propuesto por la Exhortación apostólica *Novo Millennio Ineunte* para los comienzos del tercer milenio: fijar la mirada en el rostro de Cristo, en toda la profundidad de su misterio, y redescubrirlo y proponerlo como "piedra angular" de toda construcción humana.[35]

Un Papa que vino de una de las fronteras de Yalta condujo a la Iglesia hacia la superación del bipolarismo. Hay imágenes exageradas sobre el papel del pontificado en el derrumbe de los regímenes comunistas. Lo cierto es que, en su detonante polaco, la cruz se yergue en los astilleros "Lenin". La Providencia quiso que con un Papa polaco, europeo y tan universal, la Iglesia desencadenase un nuevo vigor misionero en los pueblos del Centro y Este europeos, convocando a la construcción de una "Europa desde el Atlántico hasta los Urales", capaz de refundarse por la revitalización de sus raíces y tradición cristianas, occidentales y orientales, con sus "dos pulmones". Las resistencias en el seno de la Iglesia "ortodoxa" a un más decidido abrazo ecuménico y la tranquila apostasía de masa alimentada por el relativismo moral y el laicismo anticristiano de poderes políticos y culturales influyentes en Occidente plantean graves problemas respecto al futuro europeo.

El pontificado de Juan Pablo II supo penetrar hondamente en los puntos sensibles de configuración de la gran nación que es Estados Unidos. La figura de Juan Pablo II como campeón de la libertad suscitaba gran admiración y respeto en los Estados Unidos. Richard Neuhaus advertía la oportunidad que se le abría a la Iglesia católica en el país y se preguntaba si no habría llegado "The catholic moment". A partir de la celebración sorprendente de la Jornada Mundial de los Jóvenes en Denver (1993), se ha ido estrechando una mayor comunión y colaboración de la Iglesia de los Estados Unidos con la Santa Sede. Los obispos norteamericanos van consolidando su unidad e imprimen rumbos y ritmos más firmes a la conducción eclesial. Los católicos americanos pasan de una adaptación "americanista" entusiasta y confusa a aproximaciones más realistas de su lugar, discernimiento y aporte en la cultura del propio país. Mientras tanto, han ido creciendo sectores católicos con fuerte sentido de pertenencia cristiana y eclesial. Superando, por lo general, los límites teológicos y culturales del clásico pentecostalismo transconfesional, el archipiélago de la renovación carismática católica ha sido una revitalización importante desde la década de 1970. Otros movimientos y experiencias eclesiales se difunden y destacan la razonabilidad de la fe católica como respuesta adecuada a los dilemas de la vida y la cultura estadounidenses. El Episcopado emprende una delicada tarea de recuperación y reformulación de la identidad católica, especialmente en relación con universidades, hospitales y otras instituciones nacidas desde la Iglesia. Y en el "Encuentro 2000", que tuvo lugar en Los Ángeles con el título "Muchos rostros en la casa de Dios", la Iglesia celebra la extrema diversidad de etnias, culturas y pueblos que confluyen en el único pueblo de Dios en los Estados Unidos, que lo enriquecen con su diversidad, en la vasta tarea de edificar y testimoniar su unidad.

El mensaje eclesial que el fallecido Papa y los obispos proponían, a nivel público, apuntaba más allá de la dialéctica entre liberales y conservadores. "Pro vida, pro familia, pro pobres": así lo llega a sintetizar el cardenal Bernard Law.[36] Por eso, al recibir al presidente George Bush, Juan Pablo II tuvo la libertad de plantearle claramente una serie de cuestiones y responsabilidades que derivan del liderazgo mundial de los Estados Unidos y de "los principios que inspiraron la democracia estadounidense desde el inicio: facilitar a todos los pueblos (...) el acceso a los medios indispensables para mejorar su vida, incluidos los medios tecnológicos y la capacitación necesarios para su desarrollo", así como "una política de apertura a los inmigrantes, la cancelación o reducción significativa de la deuda de los países más pobres, la promoción de la paz mediante el diálogo y la negociación" y el rechazo de "prácticas que devalúan y violan la vida humana en cualquier etapa", como el aborto, la eutanasia, el infanticidio y, más recientemente, "las propuestas de creación de embriones humanos para investigación, destinados a ser destruidos en este proceso".[37] En su tercera visita al Vaticano, el Papa Juan Pablo II recordó al presidente Bush "la inequívoca posición de la Santa Sede sobre Irak y Tierra Santa". La Iglesia habla con su propia voz sobre la nueva escena mundial, dando testimonio de libertad en su servicio a hombres y pueblos.

El catolicismo en los Estados Unidos se afirma como confesión religiosa de mayoría relativa, manteniéndose estable en torno al 25% de la población del país, si bien los cristianos "protestantes", de todas las denominaciones, continúen siendo más de la mitad de esa población (entre 1993 y 2002, el porcentaje de estadounidenses que se consideraban protestantes bajó del 63% al 52%).

Juan Pablo II marcó también decididamente el paso de la Iglesia latinoamericana, sobre todo orientando y confirmando al Episcopado en el sentido de la autoconciencia eclesial y latinoamericana expresada en las Conferencias de Puebla y Santo Domingo. Su pontificado se inauguró en la periferia; su primer gran viaje apostólico lo llevó a México, adonde regresará otras cuatro veces. Es como si hubiera intuido que el pueblo de Dios en México recibió muchos y grandes dones de la Providencia de Dios: la impresionante epopeya misionera de los "doce apóstoles", la aparición de la Virgen María al indio Juan Diego en el Tepeyac, sus raíces y la identidad profunda de su pueblo selladas por la fe católica, un arraigado y capilar catolicismo popular, la prueba de la persecución y el don del martirio, la cuna de numerosos y fecundos carismas fundacionales, una tierra rica en vocaciones... México se halla hoy en un viraje histórico de transición democrática y es gran frontera donde hay mucho en juego en la relación y expansión de los Estados Unidos con respecto a América Latina. No en vano Nuestra Señora de Guadalupe, que ayudó al extinto Papa a sintonizar con la vida, cultura, sufrimientos y esperanzas de los pueblos latinoamericanos, es patrona de todo el continente americano. ¿Qué otro lugar más significativo que México, la Villa de Guadalupe, para depositar a los pies de Nuestra Señora las conclusiones del Sínodo americano, de los obispos de todas las Américas, y para canonizar a Juan Diego? ¿Y no es acaso también significativo y promisorio que días después de su elección, Benedicto XVI haya querido confiarse a la maternidad de la Virgen María ante la imagen guadalupana en los jardines vaticanos?

Su segundo viaje latinoamericano fue a Brasil, la nación con el mayor número de católicos del mundo —141 millones actualmente— y con una Iglesia consustanciada con los sufrimientos y esperanzas de su pueblo, solidaria con los pobres, de fuerte estructuración nacional y rica de iniciativas caritativas y misioneras. En ningún otro país del continente, al menos con la misma intensidad desde fines de los años sesenta, tuvo una corriente de renovación eclesial tan intensa, difundida y tumultuosa, llena de vitalidad y creatividad, de fuertes ímpetus de inculturación y de alto nivel de sensibilización frente a las condiciones de miseria, marginalidad y hambre sufridas por vastos sectores populares. Desde su *plantatio* popular, la Iglesia brasileña ha estado en primera línea en el redescubrimiento, revalorización y actuación, en el ámbito de la misión de la Iglesia en nuestro tiempo, de la "opción preferencial por los pobres" de raíz bíblica y de tradición católica. Las sucesivas dictaduras militares desde el golpe de Estado de 1964 y sus modalidades represivas agudizaron la conflictualidad y las polarizaciones, llevando a esa sensibilidad de compromiso cristiano militante, en una fase de altas mareas ideológicas, a cuotas absorbentes de politización. No pocas veces se pagó el duro precio de la reducción de la praxis cristiana a las luchas sociales y políticas, con recaídas dentro de horizontes eclesiásticos secularizantes. No está por cierto en cuestión la solidaridad con los pobres, sino una más decidida e incisiva respuesta cristiana, arraigada en una renovada adhesión a la Presencia de Cristo y expresada como nueva evangelización del sentido religioso de su pueblo. ¡Atención!: recientes estudios estadísticos indican que entre 1961 y 2001 la población católica en Brasil ha disminuido en 20 millones. La gran difusión de iglesias "evangélicas" de todo tipo es fuerte interpelación, pero la Providencia de Dios ha suscitado y multiplicado muy nuevas iniciativas y comunidades católicas, de fuerte impronta espiritual. La Iglesia del Brasil tiende a pasar de una fase de efervescencia crítica (de connotaciones a veces inciertas) a una más serena y vigorosa madurez católica y latinoamericana. Es esto lo que cabe esperar de ella para bien de su pueblo y de toda la catolicidad.

En el marco del quinto centenario de su evangelización, el Papa Juan Pablo II confió primeramente a la Iglesia de América Latina la exigencia primordial de una "nueva evangelización", "nueva en su ardor, en sus métodos y en sus expresiones",[38] y luego la convirtió en referencia sintética del programa de la Iglesia universal para los tiempos actuales. Es la perspectiva principal de la IV Conferencia General del Episcopado Latinoamericano en Santo Domingo (1992), también inaugurada por Juan Pablo II. No hay caminos de liberación y crecimiento de humanidad que no pasen por los dinamismos de esa nueva evangelización de las personas, familias y pueblos.

Los viajes del extinto Pontífice reavivaron la tradición y conciencia de los pueblos del continente. Su paso por Chile, Haití, Centroamérica y Cuba fueron profundas y poderosas ráfagas de libertad. Confirmó a las Iglesias de América Latina en la crítica de regímenes liberticidas y en la defensa de los derechos humanos, desde su tradición cristiana. En su pontificado alentó la defensa y promoción de los derechos de la persona y de las naciones, tarea que se engarza en el marco amplio de la misión de la Iglesia. Mientras naufraga la tradición iluminista, la Iglesia retoma la tarea de fundamentación y promoción de los derechos humanos. Abre cauces a la democratización y pacificación de América Central para zafar de un clima malsano de violencia, represión e ideologización, entre cuyos millares de víctimas descuella el testimonio del arzobispo Oscar A. Romero, asesinado mientras celebraba la eucaristía. Aboga por los pobres y oprimidos, está próxima a los sufrimientos del pueblo, procura dar respuesta a los necesitados con iniciativas y obras de caridad, promoción social y solidaridad, alienta el movimiento de los trabajadores. Repropone por doquier la doctrina social de la Iglesia. Impulsa la reconciliación ante situaciones de extrema polarización. Sostiene la amistad, integración y solidaridad entre las naciones. El Papa Juan Pablo II, tras la derrota en las Malvinas, viajó inmediatamente a la Argentina, otro gran país católico de América Latina, para reanimar la esperanza de su pueblo y estuvo siempre cercano en las tan variadas vicisitudes del acontecer nacional en las últimas dos décadas. La Santa Sede intervino en la solución del conflicto de los hielos del Sur entre Chile y la Argentina. También levantó su voz contra el terrorismo y otras formas de violencia. Desmontó las construcciones "ideológicas". Salió al encuentro de las situaciones más difíciles, como lo demostró en su viaje a Cuba, para mantener viva la esperanza. Alentó el capilar trabajo educativo de la Iglesia en los pueblos. Como Pablo VI, también Juan Pablo II consideraba que América Latina, y toda América, es el "continente de la esperanza". Entre sus últimas alocuciones a los pueblos americanos, dijo: "Que el continente de la esperanza sea también el continente de la vida. Éste es nuestro grito: ¡Una vida digna para todos!".[39]

América Latina puede esperar similar solicitud pastoral por

parte de Benedicto XVI. No en vano ha sido la persona de mayor confianza intelectual y espiritual de Juan Pablo II, con un papel bien definido: estar en el centro de la escena del mundo para ver las evoluciones intelectuales y espirituales del mundo entero. Es uno de los últimos hombres que expresa en excelencia lo mejor de la tradición europea, desde la generación de los "Padres de la Iglesia" de la posguerra y del acontecimiento conciliar. El camino de la preparación de la Quinta Conferencia General del Episcopado Latinoamericano, que tendrá lugar en febrero de 2007, lo llevará a compenetrarse más a fondo con la misión de la Iglesia en América Latina y el destino de sus pueblos.

Secularización y descristianización

Hay que repetirlo: más de la mitad de los bautizados en la Iglesia católica a comienzos del nuevo milenio son católicos del continente americano. Ello es signo manifiesto de la fecundidad de las corrientes de la primera evangelización, de la inculturación del Evangelio en la vida de los nuevos pueblos americanos, del arraigo del cristianismo en el corazón de sus gentes, de la confesión de tantos americanos de la fe católica como clave de su identidad, dignidad y esperanza. Hay muchas riquezas de este patrimonio cristiano sembrado y fructificado por doquier en la vida de las personas, familias y comunidades de los pueblos de América. Es una tradición que se acoge con gratitud. A la vez es fuente de graves responsabilidades. Lo que se ha recibido gratuitamente, ha de ser custodiado y comunicado. En efecto, la más grave responsabilidad es la de no dispersar ni dilapidar ese patrimonio sino custodiarlo, cultivarlo, revitalizarlo, compartirlo y transmitirlo desde la "insondable riqueza de Cristo", como sorprendente acontecimiento de novedad de vida y la más profunda inteligencia de toda la realidad. Se trata de una responsabilidad tanto más apremiante cuanto esa tradición católica está sometida a fuertes influjos de agresión externa y erosión interna.

En las últimas décadas se está verificando un proceso de descristianización muy radical y difundido. Hasta en la euforia del clima conciliar, la Constitución *Gaudium et Spes* observaba que "multitudes cada vez más numerosas se alejan prácticamente de la religión".[40] Si hacia fines del siglo XIX las elites políticas e intelectuales estaban ya lejos de la Iglesia, las décadas de 1950 y 1960 vieron la gradual liquidación de las seculares cristiandades rurales, con millones de hombres desarraigados de sus tradicionales ritmos campesinos para emigrar en masa a las ciudades (o hacia otros países, como los hispanos a los Estados Unidos) en pleno auge de urbanización e industrialización, consumo de masa, impacto de los medios de comunicación y secularización de las costumbres, bajo la ofensiva anticatólica de las culturas ideológicas neoiluministas, fueran marxistas o neoburguesas. Pablo VI indicaba la "ruptura entre Evangelio y cultura (como) el drama de nuestro tiempo".[41] Veinte años después de concluido el Concilio Vaticano II, un documento pontificio como la Exhortación apostólica *Christifideles Laici* no daba lugar a fáciles optimismos: "Enteros países y naciones en los que un tiempo la religión y la vida cristiana fueron florecientes (...) están ahora sometidos a dura prueba e incluso alguna que otra vez son radicalmente transformados por el continuo difundirse del indiferentismo, del secularismo y del ateísmo". Grandes masas de hombres "viven como si no hubiera Dios". Pero también —y parecía aludir sobre todo a nuestras tierras— "en otras regiones o naciones en que todavía se conservan muy vivas las tradiciones de piedad y de religiosidad popular cristianas", ese "patrimonio moral y espiritual corre hoy el riesgo de ser desperdigado bajo el impacto de múltiples procesos (...)".[42]

En efecto, la cultura dominante vehiculada en formas potentes, capilares y persuasivas por las grandes concentraciones financiero-tecnológicas de los medios de comunicación de masas ha ido difundiendo modelos y estilos culturales cada vez más lejanos de la tradición cristiana. Más aún, la sociedad del consumo y del espectáculo funciona globalmente como gigantesca máquina de distracción, de *divertissement* al decir de Pascal, que censura y confunde los interrogantes fundamentales sobre el origen y sentido de la vida y sobre el destino de la persona, atrofiando los deseos y exigencias constitutivas del "corazón" del hombre que anhela libertad y verdad, belleza y justicia. No hay respuestas eficaces para preguntas que ni siquiera se plantean. Una capa de banalización de la conciencia y la experiencia humanas pretende distraer de lo que es más definitorio de la humanidad. Si, no obstante ello, se pretende vivir, testimoniar y compartir una verdad que ha sido encontrada y acogida como don, como gracia inmerecida (¡no una "fórmula" sino una persona que ha llegado a afirmar "Yo soy la verdad..."!), entonces se corre el riesgo de ser tildado de "fundamentalista", factor de intolerancia y violencia potencial. En una sociedad multicultural y multirreligiosa, garantizada sólo por reglas y mecanismos de procedimiento, todo ha de quedar reducido a nivel de opiniones individuales y preferencias subjetivas en el supermercado global. Habría lugar tan sólo para un cristianismo *soft*, livianito, conforme con la cultura posmoderna, despojado de sus dogmas, sobrenaturalismos y jerarquías, sin fundadas, objetivas y razonables pretensiones de verdad, movido por gratificaciones espirituales, buenos sentimientos y acciones humanitarias.

A estos ímpetus de descristianización no es ajena América Latina. Ufanarse en la retórica complaciente sobre la gran isla católica en los océanos de la secularización es más ilusorio que nunca. No se vive de rentas de un patrimonio en plena erosión. El fracaso de confiar la salvación a las armas y a la política, de reducirla a moralismos, ayer crispados y hoy humanitarios y asistenciales de corto alcance, no hace más que favorecer la dilapidación de dicho patrimonio. Éste se va desperdigando en episodios y fragmentos de la vida de las personas y comunidades. La América Latina de tradición católica aparece cada vez más como una importante anomalía en el nuevo orden mundial, resistente a los imperativos culturales y a los modelos de desarrollo impuestos por los centros del poder mundial.

¿Un nuevo orden religioso mundial?

América Latina nace de la primera onda histórica de globalización, por medio de la expansión universal de la cristiandad europea, en tiempos de un doble jaque religioso. Por una parte, se rompía el asedio islámico sobre la cristiandad mediterránea y europea, gracias a la circunnavegación del litoral africano por los portugueses, a la culminación de siglos de reconquista española y a la centralidad que adquiría el Atlántico. Por otra parte, esa misma cristiandad veía duplicado el orbe católico con la evangelización del "Nuevo Mundo", precisamente cuando sufría en Europa su más dramática escisión con la reforma protestante. Ésta, desde su vertiente calvinista-puritana, fue sustrato religioso y cultural de los Estados Unidos. No obstante dicha dinámica de mundialización, quedaron muy tenues las relaciones entre el cristianismo y las milenarias constelaciones religiosas del hinduismo y el budismo.

En la actual fase de globalización, ya bien perceptible desde la década de los años ochenta, un cambio profundo se está dando en la religiosidad de las personas, culturas y naciones. Hoy está emergiendo un nuevo orden religioso mundial. Es "la revancha de Dios", según Samuel Huntington: "En la primera mitad del siglo XX generalmente las elites intelectuales suponían que la modernización económica y social estaba conduciendo a la extinción de la religión como elemento significativo de la existencia humana (...); la ciencia, el racionalismo y el pragmatismo estaban eliminando las supersticiones y mitos irracionales y rituales que formaban el núcleo de las religiones existentes".[43] En cambio, hacia finales del siglo XX se percibe que se trataba de previsiones equivocadas. Se constata, en efecto, que entre la religión o religiosidad y la modernidad, no existe aquella incompatibilidad que los ideólogos e "iluminados" habían postulado, al confinar las convicciones religiosas al ámbito de las preferencias subjetivas, irracionales, destinadas a desaparecer con el difundirse de las "luces". Leszek Kolakowski señala también "la venganza de lo sagrado en la sociedad secular". En un mundo privado de sentido, donde todo aparece como función y fragmento, un mundo de soledades de masa, de grandes desarraigos y desequilibrios, lo religioso emerge nuevamente con vigor, proporcionando modalidades de identificación individual y colectiva. El mismo impacto de la modernización, de la difusión de la cultura global de base tecnológica e ímpetus relativistas y nihilistas, suscita reacciones y corrientes variadas de resurgimiento religioso. Por doquier se observan demandas de "sentido", deseos de una vida más humana. Las apelaciones morales no bastan para cubrir el malestar. Se nota cada vez más una diversificada búsqueda espiritual, una sed religiosa, un deseo de algo a que aferrarse en medio de la confusión. El fenómeno emergente no es un pretendido "retorno de lo sagrado", lo que supondría que la aspiración religiosa hubiera desaparecido por un tiempo del corazón de los hombres, sino la multitud de nuevas formas en que se expresa.

En ese marco se dan fenómenos de mucha complejidad y diversidad. Figura, entre otras cosas, el resurgimiento de las religiones tradicionales que son sustrato cultural de diversos ámbitos societarios y civilizatorios. Se había escrito mucho y apresuradamente sobre el "fin de los grandes relatos" ante una tendencia a la fragmentación del poder y el saber. Sin embargo, cristianismo, hebraísmo, islamismo, hinduismo, confucionismo... sufren fuertes impactos secularizantes, pero, a la vez, son atravesados sea por tendencias y movimientos revitalizadores, sea por expresiones fundamentalistas y sectarias dentro de una "marea religiosa más amplia y fundamental, que está dando un tinte diferente a la vida humana a finales del siglo XX".[44] Crece la dimensión pública de las religiones en el acontecer mundial. Basta considerar la autoridad y proyección que tuvo Juan Pablo II. Un hecho perturbador son las fuertes y fanáticas corrientes fundamentalistas en el Islam, que están en la base de las redes actuales del terrorismo global, empeñadas en un choque de civilizaciones. Su contracara es el laicismo nihilista que ciertos poderes alimentan sobre todo a niveles europeos, en pos de la reducción imposible de lo religioso a una *privacy* irracional y superflua. Se destaca, en fin, una nueva cordialidad entre las diferentes religiones. Los encuentros mundiales de estas grandes tradiciones religiosas promovidos por el Papa Juan Pablo II destacan el gran aporte que ellas ofrecen a la paz mundial,[45] en tiempos de globalización en que cualquier conflicto militar puede tener consecuencias antes no imaginables, y cuando no faltan quienes utilizan la religión para fomentar la violencia, lo que contradice su inspiración más auténtica y profunda. El necesario "diálogo interreligioso" pasa a estar incluido y subrayado, no sólo en agendas eclesiásticas, sino también políticas y culturales.

Al mismo tiempo, junto con las perennes seducciones de los ídolos del poder, del dinero y del placer en la vida personal y colectiva, se van multiplicando los "dioses" y las ofertas espirituales. El gran vacío que se ha producido en tiempos de bancarrota de la modernidad iluminista, racionalista y de sus mesianismos utópicos secularizados, ha dejado lugar a una actual expansión de viejas y nuevas formas de paganismo panteísta, inmanentista, así como a la proliferación de supersticiones, magias y ocultismos, corrientes neognósticas y esotéricas, como la otra cara y complemento del cientismo abstracto, del tecnologismo meramente instrumental, del economicismo hegemónico, del nihilismo invivible.[46]

En la atmósfera de comienzos del nuevo milenio prevalece cierto ecumenismo espiritualista, ecléctico, bien simbolizado por el sincretismo de diversos legados religiosos que convergen en la *New Age*. Es muy indicativo que haya sido en una reunión de los obispos presidentes de las Comisiones de Doctrina de las Conferencias Episcopales de América Latina, en Guadalajara, que el por entonces cardenal Joseph Ratzinger haya desarrollado sobre todo un análisis de tales corrientes religiosas.[47] No en vano está en California el origen de las agitaciones estudiantiles y de los *hippies*, en Berkeley especialmente. Por ahí comenzaron a entrar en el continente americano desde comienzos del siglo XX, pero mucho más masivamente en su segunda mitad, el hinduismo, los gurús, la meditación trascendental y otras corrientes de orígenes orientales. Desde allí se han difundido en las librerías de todo el mundo las fantasías sobre la era de Acuario, la *New Age*. Basta recorrer los estantes llenos de este material, y en primeras filas, de las librerías de Los Ángeles, Nueva York, Buenos Aires, Río de Janeiro, Bogotá y Santiago de Chile... Modas culturales, imágenes, músicas, lo van propagando en la "aldea global". Gnosticismo y panteísmo lo caracterizan en sus contenidos; o sea, la presunción de que el hombre es una partícula de lo divino indiferenciado, de que hay un *continuum* entre el hombre y Dios y de que la salvación resulta meramente de una técnica que haga tomar conciencia de tal *continuum*. Se trata de una superación del sujeto en el retorno extático en el proceso cósmico. Dios ya no es una persona que está frente al mundo creado, sino la energía espiritual que permea el "todo". Religión es la inserción del yo en la totalidad cósmica, sumergiéndose en una plenitud irracional de vida, en la ebriedad del absoluto. De tal modo, el relativismo arreligioso y pragmático que prevalece en Occidente se conjuga bien con la teología negativa procedente de Asia, según la cual lo divino en sí mismo y directamente no puede jamás entrar en el mundo de las apariencias en que vivimos y se muestra sólo en pálidos reflejos, quedando más allá de todos los pensamientos y las palabras, en la trascendencia absoluta e inaccesible.[48] Tal es la consagración religiosa que el complejo que se sintetiza en el hinduismo puede ofrecer a la ontología débil y al nihilismo placentero de Occidente. Pero no falta otro nivel de complementación: los hedonismos absolutizados que exaltan los instintos en formas indiscriminadas e incontrolables encuentran ahora la contrapartida moderadora en el influjo creciente de las religiosidades orientales, en especial del budismo, que tiende a la anulación de los deseos a través de técnicas elaboradas en milenios para eliminar, o al menos reprimir, la sed de ser y tener, la sed de vivir, considerada fuente de todo dolor. Su ideal es la serenidad en el vacío, el Nirvana.

No es sorprendente, si bien paradójico, que en el corazón del Silicon Valley, en los lugares de más alto desarrollo tecnológico y en las escuelas más especializadas y ambientes de *business* en los Estados Unidos, se verifique un difuso revival religioso, a modo de complemento moderador del estrés, de reparo reconstituyente ante la tempestad de la vida. Los estantes de las librerías presentan en primeras filas tanto volúmenes sobre la *new economy* como sobre el esoterismo oriental. En efecto, estas formas de eclecticismo religioso tienen sobre todo como clientes a sectores de clases medias y altas, de elevados niveles universitarios, culturales y profesionales.

Son muy ilustrativas y actuales las anotaciones que se han hecho comentando el libro de Osvaldo Spengler, *La decadencia de Occidente*, escrito en los años de la *belle époque*, minisociedad de consumo augural. Spengler escribe que el mundo del materialismo fáustico reduce todo a una física que es válida sólo si logra realizaciones tecnológicas efectivas. "La verificación de la teorética físico-matemática es la tecnología eficaz, pero eso no da sentido a nada más. Genera instrumentos, pero no genera sentidos. En consecuencia, todo el campo del sentido de las cosas se hace asfixiante. Cuando el materialismo llega a su apogeo, en su victoria total necesita distenderse un poco, concederse cosas raras, extraordinarias, prodigios, sorpresas, exotismos. Esa distracción de la razón instrumental —porque el mundo se le hace un poco inhabitable— empieza a generar lo que él llama una 'segunda religiosidad', cuyo comienzo es la descomposición del vacío racionalista, la muerte del materialismo fáustico. El vacío es tal que comienzan los remedios religiosos, un budismo de salón, el espiritismo. En las elites en que se empieza a jugar a la religión, se comienza como un juego en el que en el fondo no se cree." No creen pero juegan, porque sienten la necesidad de un sentido que no surja de la mera eficiencia tecnológica. Es como una "especie de pseudorreligiosidad que está ocultando una necesidad real", dice Spengler.[49] Hoy también se expresa en el "holismo" que se propone y circula hasta en ámbitos de las Naciones Unidas para dar un toque espiritual a los programas.

El catolicismo resiste y cuestiona toda forma de irenismo y sincretismo religiosos. No acepta ser domesticado y ocupar sólo un lugar en el panteón de las divinidades y espiritualidades contemporáneas. Es congénitamente crítico de todo "espiritualismo" invertebrado y subjetivista. Está fundado nada menos que en el acontecimiento de la encarnación, en la historicidad de Jesús de Nazareth, en la sucesión ininterrumpida de testimonios de sus enseñanzas, de su pasión y resurrección, en la consiguiente historicidad de la Iglesia, en su sacramentalidad. Esta cuestión, que está en la base de la declaración de la Congregación para la Doctrina de la Fe, *Dominus Iesus* (6/VIII/2000), sobre la unicidad, universalidad y sacramentalidad de la salvación en Cristo, se plantea en forma singular en los Estados Unidos pero adquiere también urgida proyección mundial en las relaciones entre los grandes patrimonios religiosos.

En efecto, sorprende la cantidad de iglesias, templos, sinagogas, mezquitas y comunidades practicantes de los Estados Unidos. Su pueblo resulta ser el más religioso del mundo. Se ha escrito que "la base de abastecimiento de las creencias religiosas (en los Estados Unidos) es considerablemente alta, ciertamente la más alta de cualquier otra nación desarrollada del mundo".[50] Y Andrew Greeley se arriesga a afirmar que la religiosidad en los Estados Unidos "podría ser más elevada de lo que haya sido en la historia del hombre".[51] Las encuestas parecen confirmarlo: 95% de los americanos afirma creer en Dios o en algún espíritu universal, 76% imagina a Dios como un padre celeste que está muy atento a la oración de sus hijos, un alto porcentaje participa en actividades de culto y como voluntarios en actividades y obras de sus comunidades religiosas de pertenencia. Una encuesta muy reciente señala que 90% de los americanos cree en el paraíso, 73% en el demonio y el infierno; 96% de los católicos cree en la resurrección de Jesús y 91% en su nacimiento virginal.

La referencia a Dios en los discursos oficiales y gubernamentales sorprende especialmente en relación con la rigurosa separación y el laicismo de ambientes públicos europeos. Basta tener presente la reiterada invocación del presidente Bush a Dios después de los atentados a las Torres Gemelas, la invitación a participar en una jornada de oración que tuvo respuesta masiva e incluso el título que pretendió darse, en un primer momento, a la operación militar de respuesta, "justicia infinita"(!).

Es conocida la imagen hiperbólica que propone Peter Berger respecto de ese fenómeno: el pueblo americano, profunda y masivamente religioso, constituye como una especie de "sociedad de indios" (de la India, los más religiosos) dirigida por una "minoría de suecos" (los más irreligiosos) que le imponen un barniz escéptico y relativista a través de influjos intelectuales, culturales y periodísticos. Tal sería la excepcionalidad de los Estados Unidos respecto al proceso mundial de secularización. Éste se manifestaría sólo en algunas elites pero no habría socavado la enraizada y profunda religiosidad del pueblo. ¿Pero cómo desconocer que, a la vez, 37% de los norteamericanos cree en la astrología, 25% en los fantasmas y 20% —también entre los cristianos— en la reencarnación? ¿Cómo no advertir que las mismas personas que profesan creencias religiosas viven de hecho asimilados a una cultura laica, a un modo de vida mundano, sin que aquéllas tengan un influjo remodelador de las diversas dimensiones de la propia existencia personal y social? ¿Cómo no tener en cuenta que ese sentimiento religioso tiende a ser más pietista y moralista que fundado en una estructura dogmática? ¿Cómo no advertir que el quid del crecimiento en la fe se juega en una experiencia de novedad de vida y en una nueva inteligencia de la realidad? Hasta el punto de que hay quienes sostienen que religiosidad y secularismo son las dos caras inseparables de una misma moneda.

Las reacciones ante los atentados en los Estados Unidos demuestran una vez más que la visión religiosa es un elemento esencial de la cultura americana y que los americanos perciben su historia, convivencia y destino en términos religiosos. Pero el sustrato religioso original del protestantismo puritano, a través del iluminismo deísta de los padres fundadores, se convirtió en puritanismo laicizado, el *american way of life*, el credo americano, apto para la tarea de acoger, asimilar e integrar a los más diversos contingentes de inmigrantes. Tal es la conocida tesis de Will Herberg, hoy reactualizada y replanteada por David Schindler.[52] Alasdair MacIntyre es más radical cuando afirma que "nuestra dificultad consiste en la combinación del ateísmo en la práctica de la vida de la mayoría de la población con la profesión de la superstición o del teísmo por parte de la misma mayoría".[53] De todos modos, hay que tener presente que esa fuerte, variada y difundida religiosidad es muchas veces apertura y estímulo a la búsqueda y al encuentro cristiano, con una libertad más grande de la que se expresa en la "silenciosa apostasía de masa" que se vive sobre todo en ámbitos de Europa occidental y en la tranquila "posesión" del apelativo católico de ciertos ambientes latinoamericanos. Esto significa que "la tarea más importante para los católicos es la de estar convencidos de la razonabilidad de la fe, como experiencia y propuesta plenamente conforme al bien del hombre, y dar testimonio de esta certeza en todos los ambientes de trabajo, de la convivencia social y de la vida pública".[54] Es la mejor respuesta, apta para valorizar, rescatar y salvar a la vez, la difundida religiosidad expresada en el ámbito de la libertad de conciencia, tan central en el *ethos* norteamericano.

Los contenidos trinitarios, eucarísticos y marianos muy presentes en la piedad popular en América Latina actúan como antídoto contra semejante virus sincretista y espiritualizante. No es que esta tentación y desafío no se planteen también en la católica América Latina, y no sólo como reflejo de una frágil instrucción religiosa en ciertos sectores populares o como discriminación de orden subjetivo e intelectualista en la adhesión a las verdades de la fe. Se difunde, si bien periféricamente, en la valorización exaltada de fragmentos religiosos dentro de un indigenismo ideológico o de prácticas espiritistas con el pretexto de la inculturación cristiana.

La respuesta católica a aquella sed espiritual y búsqueda religiosa, y a sus expresiones reductoras e insatisfactorias, emerge con una consistencia, realismo y razonabilidad, que se manifiestan en la vitalidad de la Iglesia católica en el continente, dentro del marco propulsivo del pontificado de Juan Pablo II. Los pueblos movidos por su tradición católica ocupan la escena en los viajes apostólicos de este pontífice. Hay por doquier mayor responsabilidad por la verdad confiada y transmitida por la Iglesia. La piedad popular se reafirma no sólo como resistencia ni apegándose a un vago sentido de religiosidad, sino como percepción del Misterio desde la propia tradición y cultura. Se valorizan exigencias, tiempos y lugares de oración. Las Iglesias locales cuentan, como lo dicen todas las encuestas, con los índices de consenso y credibilidad más altos en el seno de las naciones. Numerosos y significativos sectores de la juventud se acercan a la Iglesia. Van cayendo muchos prejuicios de los intelectuales. Aumentan las vocaciones sacerdotales y se reducen mucho las deserciones. Se difunden nuevos movimientos eclesiales con fuerte vitalidad comunitaria y misionera. Nacen nuevas comunidades de vida consagrada. Hay una mayor serenidad en la comunión. La vida cristiana se repropone en su atractivo y sus comunidades como moradas de la persona, consoladoras y esperanzadoras.

Sobre todo, la Iglesia ha quedado nuevamente llamada y urgida a redescubrirse a sí misma y proponerse como misterio —el Misterio que es principio, creación y fundamento de toda la realidad, y que se ha revelado en Cristo, que es fuente de la vitalidad y fecundidad de su peregrinar histórico— y, por lo tanto, a volver a situar la experiencia de Dios en el centro de la experiencia humana. En ese sentido, le es fundamental superar las incrustaciones del legado de la Ilustración católica neo-jansenista y neogalicana, así como del enciclopedismo iluminista, que identificaban la religión con el fundamento moral de las normas de conducta socialmente aceptables y el misterio con el entendimiento mítico y la inmadurez de la razón, con un marcado menosprecio a las formas rituales, especialmente hacia las expresiones de la piedad popular. La religión adquiría así un tono moralista, con tendencia a convertirse en religión civil y pedagogía de las clases populares "atrasadas". De ello se derivan la frecuencia de juicios moralistas y farisaicos, los tonos de "indignación moral", los moralismos políticos crispados, la tendencia a reducir el cristianismo a un elenco tan abstracto como insípido de valores o a mera conciencia crítica y humanitarismo filantrópico. Es obvio que la experiencia religiosa tiene una dimensión y consecuencias morales; y que el cristianismo se verifica en la caridad en cuanto potencia del amor de Dios que cambia ontológicamente la persona, cambia sus actitudes y comportamientos, cambia su modo de vivir y convivir. Si se vive el cristianismo, en cambio, apenas como moralismo blando y sentimental, como vaga inspiración para la acción política o como mero voluntariado servicial, será incapaz de dar verdadera respuesta a esa sed religiosa, que tenderá a aferrarse a modalidades vagas, irracionales, de religiosidad y espiritualismo. Por eso, todo depende del arraigo cristiano en la sacramentalidad de la Iglesia, cuya fuente y vértice se expresa en la liturgia, en el misterio renovado y siempre actual de la acción salvífica de Dios en medio de su pueblo y por medio de él.

La expansión de evangélicos y pentecostales

Otro fuerte desafío es el de la expansión "evangélica" y de las "sectas". Estados Unidos ha sido tradicionalmente el paraíso de la multiplicación de las comunidades cristianas autónomas así como de sectas religiosas milenaristas de vínculos cada vez más vagos con el cristianismo. Por otra parte, eso está en la lógica del protestantismo. La historia de los Estados Unidos reconoce grandes *revivals* sectarios sobre todo desde el siglo XIX, que generalmente fueron reacción a tiempos de secularización y burocratización de las tradicionales confesiones y denominaciones del protestantismo clásico. Desde 1920 se expande la gran ola pentecostal. El *harakiri* practicado por estas Iglesias protestantes, especialmente en Estados Unidos a partir de la década de 1960, ha suscitado o favorecido también fuertes resurgimientos de comunidades evangélicas, pentecostales, bautistas, etc.

Lo que impresiona mayormente es su activa extensión y proliferación por toda América Latina desde las últimas décadas del siglo XX.[55] A fines del siglo XIX, América Latina contaba con menos de 25 mil protestantes, en su gran mayoría inmigrantes extranjeros, de colonias trasplantadas, sobre todo en el sur de Brasil. Si en el Congreso del evangelismo cristiano celebrado en Panamá en 1916, alcanzan apenas a 128 mil protestantes en un cuasi continente de 70 millones de habitantes, ya eran 9 millones en 1962 según la estadística del *World Christian Handbook* (apenas un 4% de la población); pero en 1990 se habla aproximadamente de 30 a 40 millones de latinoamericanos que han pasado a integrarse en las cálidas comunidades salvacionistas del archipiélago de los "evangélicos". Faltan estadísticas serias sobre el asunto, pues se tienden a aumentar o disminuir las cifras según el interés o la gruesa aproximación de los diversos interlocutores.

Fue ilustrativo el Congreso general de Misiones Protestantes de Edimburgo (1910) en el que los protestantes europeos no quisieron por escrúpulo declarar a América Latina tierra de misión, dada la presencia católica, mientras que los norteamericanos sí lo hicieron pues consideraban el catolicismo sólo tinieblas, oscurantismo y barniz pagano. El avance del comunismo en Asia y la expulsión de miles de misioneros protestantes en 1927, 1934 y 1949 tachados de agentes del imperialismo occidental favorecieron la concentración del interés y de los recursos sobre América Latina. El protestantismo de masas nació primero en Chile en 1920, un poco más tarde en Brasil. Llega a México por los años cincuenta y arranca entonces en las Américas negras y mulatas del Caribe. Se expande en América Central desde 1970 y en los últimos decenios del siglo XX prolifera por toda América Latina no sólo en las grandes ciudades, en sus miserables periferias urbanas, sino también en el interior rural. Llegan incluso a arraigarse en las regiones indígenas del sur de México y de Guatemala.

Su expansión en América Latina ha sido de tintes agresivamente anticatólicos, proselitistas, sostenida desde los Estados Unidos, muy vinculada al "credo americano", a la ideología político-religiosa del "destino manifiesto". En efecto, la *International Missionary Review*, en su primer editorial de la posguerra en 1946, afirma: "Ha llegado el tiempo para el avance de las fuerzas evangélicas en la América Latina... el hemisferio tiene toda clase de atractivos: gentes amables y devotas, reservas físicas incalculables, todo, excepto algo que sólo el movimiento evangélico le puede dar cono fruto maduro: el fundamento moral y espiritual de su democracia".[56] Contra los "efectos desastrosos de una forma decadente y corrompida de cristianismo", en 1942 se escribía que "la verdadera lucha opone en Latinoamérica el autoritarismo y la democracia. El primero corre como un hilo invisible desde los tiempos de la dominación española y portuguesa (...), los Estados Unidos están dedicados a la causa de la democracia y trabajan por su triunfo entre las repúblicas hermanas del Sur (...). No hay que olvidar que el progreso de la democracia en Latinoamérica ha estado siempre vitalmente ligado a la difusión del cristianismo evangélico".[57] Se asimila protestantismo y educación, democracia y prosperidad, desde la convicción de una superioridad religiosa y cultural que se propone convertir y civilizar a la vez. "Los Estados Unidos han ocupado las Antillas —se escribía a principios del siglo XX— para mostrar al mundo que la educación y el cristianismo pueden preparar a los hombres a gobernarse a sí mismos." En dicha expansión no podía dejar de resonar cuanto decía el presidente Teodoro Roosevelt en el Nahuel Huapi: "Mientras los países hispanoamericanos sean católicos, su absorción por los Estados Unidos será larga y difícil"; lo que repetirá en términos similares el "Informe" de Nelson D. Rockefeller de 1968.

De todos modos, no es explicación suficiente hacer depender la expansión de las "sectas" en América Latina de los apoyos logísticos, financieros, espirituales, misioneros y también políticos de los Estados Unidos, ni tampoco denunciar sus vinculaciones con regímenes de derecha en varios países latinoamericanos. En efecto, nunca basta una teoría conspirativa. La experiencia demuestra que su lograda proliferación está también en relación con modalidades de ausencia o de secularización de la Iglesia católica, lo que ha llevado a dar respuestas insuficientes a las necesidades de crecientes sectores de la población.

Si los eclecticismos espirituales y religiosos tipo *New Age* afectan a sectores de clases medias intelectuales y clases altas, son los sectores populares y marginados los más atraídos por las sectas (y, en algunos países latinoamericanos, sobre todo de inmigración africana, también por tradicionales formas de "espiritismo"). ¿Acaso no es paradójico que cuanto más se afirma en la Iglesia católica la "opción preferencial por los pobres", sobre todo cuando se lo hace en forma unilateral e ideológica, tanto más muchos de éstos la dejan y se integran en tales sectas?[58] ¿No es acaso también paradójico que en diócesis donde se proclama un indigenismo radical, se constate un fuerte crecimiento de sectas fundamentalistas o el surgimiento de formas de sincretismo religioso, mientras disminuye el número de católicos? El desarraigo de las muchedumbres que pasan del campo a la ciudad en condiciones muy difíciles de integración laboral, social y cultural, la marginalidad y exclusión que sufren en las megalópolis, la fragilidad de las estructuras de la presencia pastoral de la Iglesia católica en los nuevos "hábitat" de los marginados y la reducción moralizante y politizante de su propuesta de fe, están ciertamente entre los factores causales de esa migración religiosa. En su estudio sobre el desarrollo del pentecostalismo en Chile, Christian Lalive d'Epinay escribía ya en 1968 sobre *El refugio de las masas*.

En buena medida, las comunidades eclesiales de base fueron una avanzada católica en medio de esos sectores sociales; pero cuando la "concientización" prevaleció sobre la evangelización y la lucha social pareció prioritaria a la respuesta al sentido religioso, entonces fue debilitándose su arraigo popular. Está claro que el mayor auge de las comunidades eclesiales de base se verificó en tiempos de las dictaduras, cuando ofrecieron espacios de libertad, crítica y participación en marcos institucionales y sociales sometidos a la represión. En cambio, decaen cuando se abren las compuertas de la democratización y la participación popular se canaliza sea en movimientos sociales y políticos, sea en otras comunidades o movimientos religiosos. En cambio, en muchas regiones en las que las comunidades eclesiales de base están bien arraigadas en el tejido social y eclesial, continúan teniendo fuerte vitalidad.

En las comunidades cálidas del "evangelismo" se experimenta un fuerte sentido de integración y pertenencia religiosas. La "sanación espiritual" suscita una autoestima movilizadora de quienes son considerados los elegidos y predestinados de Dios. A ellos se les atiende también en sus necesidades materiales por medio de obras escolares, sanitarias y laborales, a la sombra de los templos y capillas. Además, va cambiando la disciplina de la propia vida con nuevas pautas de unidad matrimonial y familiar y de laboriosidad, de tal modo que individuos y grupos sociales logren una movilidad social ascendente.[59] Ésta es considerada signo de la benevolencia y bendición divinas. Este fuerte sentido de pertenencia se manifiesta también en la creciente participación política, como grupos, apoyos y exponentes políticos de estas comunidades. Católicos más o menos nominales y pasivos se convierten en evangélicos activos, devotos, emprendedores. En Brasil, por ejemplo, al inicio de los años noventa, 20% de la población se confesaba protestante y 73% católica, pero los domingos acudían 20 millones de personas a las Iglesias protestantes y unos 12 millones a las católicas. El más filocatólico de los calvinistas, el historiador Pierre Chaunu, prefiere pensar que ocupan un vacío: "Ese protestantismo radical, sin exigencia dogmática, todo dado a la inspiración, todo dado al instante de Dios, ¿no es el que está más cerca, al fin de cuentas, del catolicismo sin sacerdote de una parte de las masas?".[60]

Si en 1985 los misioneros protestantes extranjeros, en su gran mayoría norteamericanos, eran 11.196 en América Latina, ahora las comunidades del "evangelismo", entre las que se destaca la red de las "Asambleas de Dios", se han ido nacionalizando y van adquiriendo fisonomía local. Abundan ya los pastores "locales". La libertad de iniciativa con que se van creando nuevos templos, muchas veces sumamente sencillos, y se eligen y "forman" los pastores, proporciona una flexibilidad y rapidez de expansión que cubre ámbitos humanos a los que la Iglesia católica no llega suficientemente. Además, saben usar con recursos considerables los modernos medios de comunicación, desde las redes radiales hasta la televisión. En 1988 la National Religious Broadcasters Association poseía en los Estados Unidos el control de 259 estaciones de TV, 1.393 radios y 1.068 grupos especializados en la producción de programas religiosos, con un promedio de audiencia mensual de aproximadamente 61 millones de personas. Los horarios nocturnos de las radios en los distintos países latinoamericanos están saturados de programas "evangélicos", los cuales ocupan cada vez más espacios y hasta crean sus propios circuitos a nivel televisivo.

En ello está en juego también el destino de los pueblos latinoamericanos y del conjunto del continente. Parece que ha pasado ya el tiempo fuerte de la mayor expansión "sectaria" en Norteamérica y Latinoamérica. El módulo fundamentalista de los "evangélicos" no logra penetrar en ambientes de mayor nivel de escolaridad y cultura. Aparece sólo residual y reactivo, si bien masivo, en sociedades complejas de intensa modernización tecnológica. Los límites de la "emocionalidad" se hacen patentes. Hay muchas situaciones de caída en lo grotesco y en lo comercial por parte de "iglesias libres". A niveles populares, el arraigo de las tradiciones católicas respecto de las devociones eucarísticas y marianas, y el apego popular a la figura del Papa, son factores de fuerte resistencia. A través de una red de parroquias, capillas, oratorios, santuarios, escuelas y comunidades eclesiales de base, la Iglesia católica tiene una capacidad integradora que logra enfrentar ese influjo. Se mantiene alta la credibilidad de la Iglesia católica en los pueblos. Además existen muchas iniciativas catequéticas, misioneras y caritativas que buscan responder a las necesidades materiales y espirituales de los sectores marginados y distantes. Surgen comunidades y líderes carismáticos[61] en la Iglesia católica que responden a sensibilidades y necesidades religiosas. La Iglesia católica ofrece mayor garantía de consistencia, seriedad y credibilidad. En fin, un cierto mejoramiento de relaciones entre católicos y sectores del *revival* evangélico y pentecostal en Estados Unidos, por el acercamiento derivado de la crítica común a las corrientes culturales relativistas y libertinas, y del compromiso *pro life,* ha hecho disminuir en algunos casos —o, al menos, es de esperar— la agresividad de éstos contra los católicos en América Latina, mientras comienzan a explorarse algunas vías de diálogo.

No bastan ni la denuncia ni la imprescindible apologética ni la instrucción a los fieles acerca de ese proselitismo. Sólo el renovado ímpetu misionero entre vastos y diversificados sectores populares que están viviendo transformaciones complejas y aceleradas puede ayudar a asentar la tradición católica en el corazón de las gentes, reexpresando su cultura y dando respuesta a las preguntas de su sentido religioso y a los anhelos de su crecimiento humano.

La hora de la Iglesia en América

Fue grande la sorpresa cuando S. S. Juan Pablo II anunció la futura convocatoria de un sínodo "americano" con obispos de todo el continente. Se trataba de una iniciativa inédita, singular. El Papa la lanzó públicamente más de dos años antes de su propuesta, en la Carta Apostólica *Tertio Millennio Adveniente* (10/XI/1994), al anunciar una sucesión de sínodos "continentales" para tomarle el pulso a la Iglesia católica en el "camino de adviento" hacia el Gran Jubileo de 2000 y a su ingreso en el nuevo milenio.[62] Lo hizo precisamente en el discurso de inauguración de la IV Conferencia General del Episcopado Latinoamericano, en Santo Domingo, el 12 de octubre de 1992. La iniciativa papal causó tanta sorpresa que primero en las consultas "romanas" previas y luego en su presentación pública en Santo Domingo, sólo encontró adhesiones eclesiásticas más bien protocolares, algo perplejas.

Años después, el proceso de preparación del Sínodo americano no provocó vasta movilización de energías, ni circulación intensa de ideas, ni gran debate, sea a niveles nacionales y regionales, sea a nivel continental. Nada que se asemejara, ni de lejos, a la intensidad apasionada, crítica y fecunda, de la amplia participación que preparó la III Conferencia General del Episcopado Latinoamericano (Puebla de los Ángeles, 1979) y, en menor medida, la misma Conferencia General de Santo Domingo. Hubo poco más que las requeridas y habituales contribuciones de las Conferencias Episcopales nacionales y algunos aportes de instituciones católicas. El interés no superó las fronteras eclesiásticas. Escasa fue la atención prestada a niveles políticos, culturales, intelectuales y de los medios de comunicación social. El hecho de que la iniciativa de este Sínodo procediera del deseo expreso del Papa y no como maduración propia de las Iglesias del continente planteaba razonables dudas acerca de la preparación de éstas para dar ese paso cualititativo, novedoso y exigente.

Los antecedentes de relaciones entre las Iglesias de los países latinoamericanos y las Iglesias de los Estados Unidos y Canadá eran mas bien escasos, esporádicos, fragmentarios. Se limitaban a reuniones periódicas "interamericanas" con una presencia reducida de delegados del CELAM y con representantes de las Conferencias episcopales de los Estados Unidos y Canadá; a la presencia significativa de misioneros y cooperadores de origen norteamericano, estadounidenses y canadienses, en algunas Iglesias de América Latina y a la irradiación de su experiencia latinoamericana una vez vueltos a sus países de origen; a ayudas económicas de organismos eclesiásticos de las Iglesias de los Estados Unidos y Canadá; al interés de algunas fundaciones e instituciones universitarias norteamericanas por la Iglesia en América Latina; y a una cierta red de contactos en Canadá y los Estados Unidos de exponentes de punta de la "teología de la liberación". Durante la década de 1980, en ámbitos eclesiásticos de los Estados Unidos y Canadá se había manifestado ya mayor sensibilidad hacia las situaciones explosivas centroamericanas y por ayudar a la Iglesia de Cuba, estableciendo relaciones más estrechas. En todo caso, se trataba de relaciones y vínculos sin la tradición e intensidad de la comunión y colaboración entre las

Iglesias locales del ámbito de América Latina y entre éstas y las Iglesias de distintos países europeos, sobre todo latinomediterráneos (aunque también con Alemania y Bélgica).

La novedad de la Asamblea Especial del Sínodo de los obispos para América, celebrada en el Vaticano del 16 de noviembre al 12 de diciembre de 1997, asumió carácter exploratorio. Fue un valioso lugar de encuentro, diálogo y estrechamiento de vínculos de amistad entre los obispos de todo el continente, pero encontró dificultades en suscitar la aproximación "continental" y la dialéctica de intercomunicación en el modo de afrontar las realidades, anudar las relaciones y proyectar sus "recomendaciones finales". Sobre todo quedó como hito inicial en cuanto promesa y exigencia de un camino de comunión, colaboración y solidaridad a recorrer en el próximo futuro. Quizá por eso mismo, el documento postsinodal, la Exhortación Apostólica *Ecclesia in America*, más que fruto maduro fue guía recapituladora de los trabajados sinodales, orientadora e incitadora a que las Iglesias en América asumieran toda la responsabilidad que les compete en esta senda abierta.

Los nuevos escenarios mundiales planteaban ya una nueva dinámica interamericana. Caído el muro de contraposición en la dialéctica Este-Oeste, según la perspectiva del pontificado otros muros iban a caer en consecuencia. La construcción de un auténtico nuevo orden internacional más justo planteaba ahora la caída del muro entre Norte y Sur a nivel mundial. Hoy día, éste es un desafío capital, que irrumpe en la catolicidad desde la emergencia moderna de las Iglesias locales del entonces "Tercer Mundo", y que se plantea en el Magisterio pontificio desde los tiempos de las encíclicas *Mater et Magistra* (Juan XXIII, 1961) y *Populorum Progressio* (Pablo VI, 1968). Especialmente en el actual pontificado de Juan Pablo II, desde su encíclica programática de su pontificado, la *Redemptor Hominis*, se afronta la dimensión planetaria adquirida por la parábola de Epulón y Lázaro, cuestión siempre viva en sucesivas encíclicas y otros documentos sociales.

El Informe sobre el Desarrollo Humano 2001 de las Naciones Unidas ofrece al respecto cifras referidas al año 1993, de por sí dramáticamente elocuentes: mientras el 25% de la población mundial recibe el 75% de los ingresos mundiales, en los países subdesarrollados 850 millones de personas son aún analfabetas,

325 millones de niños y niñas quedan fuera de toda escolaridad, 2.400 millones de personas carecen de acceso a la atención sanitaria básica y cerca de 1.000 millones al agua potable; 1.200 millones viven con menos de un dólar por día y 2.800 millones con menos de dos dólares diarios, siendo 30 mil las muertes diarias de niños menores de cinco años que bien pudieran haber sido salvados.[63] Algunos progresos se han dado en las últimas décadas pero a ritmos insuficientes y con alcances limitados.

En la actual fase histórica y conforme a su propia tradición evangélica, la Iglesia católica ha asumido aún más decididamente en su misión la profesión de abogada de la libertad, dignidad y solidaridad humanas, de portavoz del "clamor de los pueblos" y del "grito de los pobres", para enfrentar realmente las injusticias estridentes e inicuas del actual "orden internacional" (que, al decir de Emmanuel Mounier, en su editorial inaugural de la revista *Esprit*, en 1936, es un "desorden establecido").

Pues bien, el continente americano resulta ser un lugar decisivo para ir afrontando esta grave cuestión. En él existen y conviven situaciones de desarrollo de muy diversos niveles, grandes asimetrías de poder, las más altas desigualdades sociales de todo el planeta. No es casualidad, pues, que el Papa Juan Pablo II haya querido dar a la convocación del Sínodo para América una acentuación especial con referencia a "los problemas de justicia y las relaciones económicas internacionales entre las naciones de América, teniendo en cuenta las enormes desigualdades entre Norte, Centro y Sur".[64] Ya lo había expresado claramente en su propuesta en Santo Domingo y repetido en la Exhortación apostólica postsinodal: "La Iglesia, ya a las puertas del tercer milenio cristiano y en unos tiempos en que han caído muchas barreras y fronteras ideológicas, siente como deber ineludible unir espiritualmente aún más a los pueblos que forman ese gran continente y, a la vez, desde la misión religiosa que le es propia, impulsar un espíritu solidario entre todos ellos".[65]

Hay otro factor trascendental en esta perspectiva. Más de la mitad de los católicos a nivel mundial son actualmente americanos; en el continente americano, y especialmente en América Latina, viven la mayoría de los católicos que irrumpen en el tercer milenio. De este modo, por un lado la Iglesia se hace presente en el centro del imperio global y de la cultura mundial; admira ciertamente las grandes construcciones humanas, los extraordinarios progresos de la ciencia y de la técnica, las tradiciones de libertad y democracia. Tiene muy claro, sin embargo, que el poder del dinero, las tecnologías, las comunicaciones y las armas, por sí solo será incapaz de conducir la existencia de las personas, la convivencia de los pueblos y el concierto de las naciones hacia soluciones más humanas. Es consciente de que las tecnologías de la comunicación, la energía y la biogenética, remitidas a sí mismas, sin sentido religioso, sin una ética fundada, sin discernimiento y orientación de dignificación humana, pueden desembocar en los callejones sin salida de la manipulación e incluso de la abolición de lo humano. En los Estados Unidos, la Iglesia tiene la misión —de fundamental importancia católica— de afrontar con realismo, inteligencia y audacia, desde Cristo, todos los retos históricos que, al inicio del tercer milenio, se plantean en las fronteras del progreso, en la responsabilidad del poder y en el camino de una auténtica libertad y democracia para todos. En tiempos de profundo realineamiento de la identidad cultural de la nación, la Iglesia en los Estados Unidos, de por sí un "microcosmos global" que refleja la extrema heterogeneidad de los componentes del país en cuanto democracia y centro de un imperio "global", está llamada a demostrar que la comunión en Cristo abraza y valoriza en la unidad toda esa diversidad, y es la respuesta más plena a los deseos de dignidad, libertad y felicidad que movieron a sus pioneros, fundadores e inmigrantes. No puede permitirse definir su propia "agenda" bajo la presión de sus flaquezas, replegada sobre el impacto de pecados muy deplorables y vergonzosos de un restringido y, a la vez, impresionante número de sacerdotes. Una severa "purificación" tiene como fuente verdadera la propuesta de un renovado encuentro con Cristo, manifestación del amor misericordioso de Dios para todos. Menos aún puede quedar acorralada y sometida a las presiones de una campaña de dudoso origen y finalidad, emprendida por poderes culturales y mediáticos promotores, ellos mismos, del permisivismo pansexualista. Incluso en la sociedad del *politically correct*, en la que se pretende abolir todos los preconceptos, el anti-catolicismo parece ser todavía uno de los últimos preconceptos aceptables. Es muy significativo que esto haya sido denunciado, incluso hablando de "persecución", sobre todo por parte de altos prelados de la Iglesia latinoamericana.[66]

América Latina es mediación singular entre los mundos hiperdesarrollados y la variedad de situaciones en que se se encuentran pueblos pobres, naciones periféricas y dependientes, países emergentes, en el marco de la expansión mundial de Occidente. Ocupa el lugar de una "clase media" en la comunidad internacional, con una capacidad de comunicación a 360 grados, sea con las áreas del Occidente desarrollado, sea con las regiones del Sur del mundo. La herencia de Occidente, la tradición católica y la incorporación en los dinamismos de la globalización encuentran en América Latina un terreno privilegiado y un banco de prueba decisivo. Toca sobre todo a la Iglesia latinoamericana mostrar históricamente de qué modo el catolicismo no se reduce a experiencia de minorías en diáspora sino que sigue expresándose en una realidad histórica y cultural de pueblo portador de verdad, justicia y esperanza. Le cabe también suscitar y alentar la exploración y propulsión de nuevos caminos de desarrollo económico, social y humano, más allá de los paradigmas ideológicos gastados e insatisfactorios. La Iglesia es morada y custodia de la persona, las familias y los pueblos latinoamericanos, gozando de un alto capital de confianza y credibilidad; encuestas recientes en diversos países del subcontinente destacan los altos índices de consenso y esperanza que suscita la Iglesia en relación con los índices bastante bajos que se expresan respecto a parlamentos, partidos, bancos, sindicatos, prensa, fuerzas armadas...

La Iglesia en América Latina sufrió una dura prueba respecto de su unidad y fidelidad. Pagó un duro precio, pero ha logrado rehacer una serena comunión, aunque no exenta de problemas. Después de una fase transitoria de cansancio y repliegue por efecto de la prueba, ahora se advierten por doquier señales positivas. Una nueva generación de Pastores está dejando atrás los desgastados estereotipos de "conservadores" y "progresistas". Necesita, eso sí, el más fuerte ímpetu de un gran movimiento eclesial de renovación y revitalización cristianas en medio de sus pueblos, que acoja, valorice y potencie muchas generosidades bastante dispersas y alimente su tradición católica a más profundos niveles personales de arraigo en la fe, de inculturación, comunión, creatividad intelectual y construcción solidaria. La Iglesia latinoamericana tiene la vitalidad y, a la vez, el desafío de educar, incorporar y orientar a las nuevas generaciones de un subcontinente de población por lo general muy joven. Tiene delante de sí una tarea educativa crucial. Debe afrontar más decididamente la necesidad de formar, promover y acompañar renovadas y coherentes presencias cristianas en los "areópagos" de la política, de las ciencias y la tecnología, de las escuelas y universidades, de los movimientos populares, en un proceso de cambios de clases dirigentes que sean competentes, confiables y solidarias con la vida, la cultura y el destino de sus pueblos. Se percibe que tiene grandes potencialidades, todavía no suficientemente expresadas y compartidas, para el servicio de sus propios pueblos, el enriquecimiento de la catolicidad y la misión *ad gentes*. Su mayor "deuda externa" —como le gusta indicar al cardenal Oscar Rodríguez Maradiaga— es la de fructificar y compartir con la vieja Europa y con otros continentes el gran don que ha recibido gracias a la generosidad misionera.

En este diálogo americano, pues, se concentran los grandes retos históricos, seculares y eclesiales de nuestro tiempo.

La comunión y colaboración de las Iglesias locales en todo el continente han de ser signo, camino y energía históricos para encarar esa magna tarea. En tal sentido, la referencia a la "Iglesia en América" no es ciertamente el resultado de una homogeneización abstracta, en la que el dato "continental" opera como base geográfica sin historia, sin cultura, elaborada a partir de mínimos comunes denominadores de realidades muy disímiles, al modo de un "panamericanismo eclesiástico". No es ésa la correcta traducción del gesto profético de Juan Pablo II en la visión del conjunto de su magisterio y de su acción pastoral "global". Esa mayor comunión, esa apelación a ser "Iglesia en América", se construyen sólo desde una gran diversidad de modalidades de inculturación y expresión de la misma fe católica; desde tradiciones que histórica y culturalmente se desarrollaron por caminos diversos y que se viven en contextos muy diferentes. Reconocer esto es lo que asegura un auténtico intercambio de dones y talentos que enriquecen la catolicidad, y la catolicidad americana, así como también el desarrollo de los pueblos. El Sínodo para América y la Exhortación postsinodal estimulan todo intercambio de dones y talentos entre las Iglesias y los pueblos, en aprendizaje gozoso y comprometido de comunicación, colaboración y recíproco enriquecimiento, sólo posible desde la comunión que es expresión del misterio de unidad en la pluriformidad y desde ella.

Dignidad, subsidiariedad, solidaridad

La Iglesia no tiene finalidad política. Su misión no puede confundirse con tareas y metas políticas. No pretende jamás sustituirse al poder del Estado, aunque el clericalismo político es una tentación al acecho. Sabe que el Reino de Dios no puede ser producto de la política, ni la fe puede quedar sometida a la primacía de la política. Lo que no quiere decir, por supuesto, que su misión no abrace a la totalidad de la persona, no se refiera a las más diversas dimensiones de la existencia y convivencia humanas, no esté involucrada en la vida y destino de los pueblos, no vaya abriendo caminos de humanización por doquier. Tal es el aprendizaje y el testimonio de la Iglesia en América Latina. Más aún: sufre en el continente —y es motivo para un humilde y exigente *mea culpa*— cuando advierte que la tradición católica de sus pueblos ha carecido de la radicalidad y potencia, la inteligencia y resolución, para afrontar adecuadamente situaciones de injusticia y violencia que contradicen los imperativos evangélicos que ellos mismos mayoritariamente confiesan. Por eso, la misión de la Iglesia incluye la actuación creativa de su doctrina social, que propone todos sus principios y criterios de dignidad de la persona humana, de subsidiariedad y de solidaridad.

Cierto es que pasan los Estados, pasan las más diversas formaciones económico-sociales y regímenes de gobierno... y la Iglesia no ceja en recomenzar siempre desde la persona. "El hombre es el camino de la Iglesia",[67], repetía a menudo Juan Pablo II, y precisaba que no se trata del hombre genérico sino de cada persona, una y única, en la singularidad de su condición humana, del drama de su libertad, de sus circunstancias concretas de existencia. Muchos "humanismos" enarbolados en el siglo XX desembocaron en los fenómenos más vastos y masivos de destrucción de lo humano. Así terminaron las utopías de construcción del "hombre nuevo" con los medios del poder. Hoy el hombre está amenazado por una sistemática manipulación del *bios*, de su conciencia, de sus actitudes y comportamientos. La sociedad tecnológica pretende autorregularse de acuerdo con sus criterios internos de factibilidad, indiferente al valor de la persona, a su vida y destino. Por una parte, para F. Fukuyama, "nuestro futuro poshumano" se fragua en tecnologías bioquímicas y de ingeniería genética, que llevan a la dirección del hombre clonado, el hombre del ADN modificado a la medida, el hombre cuyos confines con la máquina se van anulando cada vez más.[68] Por otra parte, la sociedad del consumo y del espectáculo opera una banalización de la conciencia y de la existencia humana, y en la proliferación caótica de imágenes, informaciones y estímulos de todo tipo tiende a reducir y confundir la razón y la afectividad, la libertad y la responsabilidad de la persona. El "yo", o sea, la conciencia de sí, queda cada vez más desamparado y reducido a un haz de reacciones y sensaciones dentro de una existencia fragmentada, privada de sentido, cada vez más confundida entre realidad y ficción, disuelta en multiplicidad de funciones, competencias y relaciones como elementos intercambiables de una "máquina social", fuera de la propia comprensión y control.

Esa fragilidad, confusión y dependencia se da inseparablemente de la presunta afirmación de autosuficiencia del individuo, desde una libertad como mera instintividad y preferencia arbitraria que no reconoce ni los presupuestos de la propia naturaleza, disociada de toda verdad y responsabilidad. Es la pretensión de crearse a sí mismo, incluso como reproducción humana programada por manipulaciones técnicas. Se trata de un individualismo tanto más paradójicamente exaltado cuanto más efectivamente el individuo resulta conformado desde su constitución genética hasta los contenidos de la conciencia, por los medios tecnológicos de que dispone el poder. Tarea crucial, pues, es "la salvaguarda de la dignidad trascendente" de toda persona, jamás reducida a "partícula de la naturaleza o elemento anónimo de la ciudad humana",[69] irreductible a sus condiciones materiales y al dominio del poder.

Hay que recomenzar, pues, desde la persona, más allá de los esquemas. Parece un objetivo ínfimo, desproporcionado, si se miran los grandes escenarios y problemas globales. En el fondo, se trata de abandonar el pensamiento, inevitablemente engañador, de que este modelo o aquel sistema, por la sola virtud de sus objetivos y mecanismos, pueda sustituir el cambio requerido en el "corazón" de la persona y en las actitudes y comportamientos que de ello derivan. Es el realismo cristiano que ante todo se propone rescatar una y otra vez, sin pausa, a la persona y sus obras, congénitamente frágiles, reformables, mejorables. Es vana y engañosa la espera del "cambio global de estructuras", donde todo será justicia y felicidad. No hay auténtica esperanza de felicidad que no se experimente ya en el propio presente, aun dentro de condiciones especialmente sufridas en la convivencia social.

Reconstruir la persona es el desafío capital que sintéticamente podría llamarse "educativo": despertar y cultivar la humanidad del hombre, hacer crecer la autoconciencia de su vocación, dignidad y destino. Se trata de educar para una actitud verdaderamente humana que se yergue con estupor y gratitud ante la grandeza y belleza del ser de la persona y mantiene vivos los deseos de verdad, de significado de la propia vida y de toda la realidad, de felicidad, justicia y belleza, de plenitud de realización de sí, que son connaturales a su humanidad, a su razón y libertad, con los que afronta todo y se parangona con todo. Es lo que monseñor Luigi Giussani llamó "sentido religioso".[70] Objetivo prioritario de cualquier proceso educativo debe ser el redescubrimiento del "yo", a partir de la afirmación de la realidad y la positividad del ser, de la pregunta sobre el "significado" en cuanto constitutiva y racional, de la verdad sobre la persona. Educar a la persona es introducirla en toda la realidad ofreciéndole una hipótesis de significado y movilizando su inteligencia y afectividad para confrontarla con toda la realidad y verificarla en la vida. Sólo así se asume la propia existencia con seriedad, con pasión por la propia humanidad y por el destino de los demás. Hay que repetirse que no hay mejor inversión, ni mayor riqueza, ni capital más productivo y rentable para la persona y la sociedad, que lo que emerge y proviene de un auténtico trabajo educativo.

Por ello, esta dignidad integral de la persona, en su subjetividad corporal y espiritual, en todos los factores que la constituyen, es clave de juicio y orientación para toda política y todo progreso, desarrollo y liberación. La auténtica riqueza de una nación son sus hombres y mujeres, la dignidad de su razón y libertad, su aptitud para el sacrificio en el don de sí, su capacidad de iniciativa, laboriosidad y empresarialidad, de construcción solidaria. Estado y mercado no deben quedar reducidos a reglas de procedimiento, sino que tienen necesidad de sujetos libres que afronten toda la realidad con anhelos de libertad, verdad y felicidad, que son los mejores recursos de humanidad. Reducir la persona a "objeto de la administración" o a "productor y consumidor" es olvidar que "la convivencia entre los hombres no tiene como fin ni el mercado ni el Estado" sino la misma persona "a cuyo servicio deben estar el Estado y el mercado".[71] Por eso, la dignidad de la persona, que no encuentra fundamento más radical y excelso que el de ser creatura e imagen de Dios, se hace clamor interpelante respecto a su reducción a cosa, instrumento, función, mercancía, fuerza anónima. Por eso también se defienden y promueven los derechos a la vida y a la libertad, de pan, casa, salud y trabajo, de educación, asociación y participación. En la misma génesis del "Nuevo Mundo" está aquella predicación profética de fray Montesinos a los primeros colonizadores españoles, en defensa de los indios: "¿No son hombres como vosotros?".

Custodiar la dignidad de la persona es abrazarla en toda su realidad. No puede renunciar a lo que la impulsa al supremo bien, a toda la verdad, a la felicidad completa. Está hecha de infinito. El misterio de la persona supera siempre su capacidad de autocomprensión y autorrealización. Su peor desamparo es vivir en la frustración o en la distracción, sin respuesta a sus preguntas y anhelos, sin sentido, sin esperanza de su plena realización. Si es imagen de Dios, la revelación de Dios mismo ayuda, potencia y salva la indagación de su razón y experiencia. No en vano el texto más citado en el magisterio de Juan Pablo II es este de la Constitución conciliar *Gaudium et Spes*: "En realidad, el misterio del hombre sólo se esclarece en el misterio del Verbo encarnado".[72] Esta es la razón de ser de la Iglesia: testimoniar y anunciar una Presencia tan actual y real, tan llena de novedad, tan sobreabundantemente correspondiente a los deseos constitutivos del "corazón" del hombre, tan razonable y conveniente para la persona y para los pueblos, como lo fue 2000 años ha para sus primeros discípulos y hace 500 años para los "juandiego" del Nuevo Mundo. La misión de la Iglesia no es otra cosa sino comunicar el don del encuentro con Cristo, que ha dado otro gusto, una auténtica libertad y felicidad, otra humanidad a la propia vida, otro "sentido" de las cosas, y que va cambiando realmente todas las dimensiones de la existencia y convivencia, no obstante las propias miserias. El mal no tiene la última palabra. Hay un destino bueno, misericordioso, que salva al hombre de sus límites, incluso de la muerte. La vida no es una "pasión inútil". Esta certeza ayuda siempre a recomenzar. Aquí está el germen potente de esperanza, de cambio real en la vida de las personas y las naciones.

Ahora bien, esta dignidad de la persona corre el riesgo de quedarse en abstracción retórica si no se tiene en cuenta la articulación real de su experiencia, en cuanto ser que se realiza en la relación, comunión y colaboración con los otros, en el matrimonio, la familia y el trabajo, y en el tejido social, político y cultural de la nación. La cohabitación y la convivencia surgen precisamente de una experiencia de encuentro, de una apertura al otro, de un interés por la vida del otro, de un reconocimiento del valor que tiene la vida compartida con el otro. En efecto, el hombre es persona en cuanto ser que estructuralmente sólo toma conciencia de sí en relación con el otro. Todo encuentro verdadero con un "tú" provoca un enriquecimiento personal del "yo", un crecimiento en humanidad. Sin ello, el otro pasa a ser enemigo o, al menos, objeto de indiferencia. Sin embargo, hoy estamos viviendo fortísimas tendencias al desfibramiento y atomización sociales, producidas por las nuevas condiciones de vida y de trabajo, pero también por una libertad concebida como autoafirmación aislada, ruptura de todo vínculo de pertenencia y responsabilidad. El resultado final es la ausencia de pasiones e ideales compartidos, en un desierto lleno de hostilidades, lugar de soledades de masa, sin memoria, cuya cohesión resulta más de la sucesión efímera de imágenes y percepciones, tal y como las ponen en escena los medios de comunicación, y no tanto de la conciencia de un destino común vivido en el tiempo. En la aldea global de la revolución de las comunicaciones lo que hace más falta son auténticas relaciones de encuentro humano y comunión, que emerjan de manera sorprendente y transformadora desde el seno de las formas dominantes de la indiferencia, el extrañamiento del otro, las soledades en compartimentos estancos o la instrumentalización y explotación del otro.

En la misión de la Iglesia, la reconstrucción de la persona es inseparable de la reconstrucción de sus vínculos de pertenencia y comunión. En la base de toda formación social está la realidad de la persona como don, que en la relación matrimonial entre hombre y mujer encuentra una modalidad de realización paradigmática de todas las relaciones sociales. Por eso, la Iglesia custodia, defiende y promueve el bien del matrimonio y la familia, célula natural del tejido social, comunidad de amor y vida, primera y fundamental morada del yo, lugar de la más íntima y cotidiana comunicación humana, escuela de crecimiento en humanidad. Es banco de trabajo y sustento solidario en un hábitat cada vez más difícil y hostil; es condición esencial para una auténtica calidad humana de vida, para una "ecología humana" de convivencia.

Patria viene de paternidad; nación, de nacer aludiendo a la maternidad; pueblo es fraternidad más allá de la estirpe. Tal es la dialéctica de la amistad que está en la génesis del hombre y de la nación, siempre indisociable y siempre amenazada por la dialéctica "del señor y el esclavo". Por eso la doctrina social de la Iglesia apunta también a la promoción de los "cuerpos intermedios" o, dicho con otras palabras, de una "comunidad organizada". Se trata de custodiar y promover la mayor libertad y densidad de la vida comunitaria y asociativa. Hay que volver a reconstruir moradas humanas para la persona, allí donde está verdaderamente presente la célula familiar, la comunidad de trabajo, los círculos de amigos, la relación de vecindad, las compañías por afinidades ideales y operativas, la convivencia municipal y las formas de organización regional más cercanas y adherentes a las concretas necesidades y solidaridades. Descentralización, participación y responsabilización se reclaman recíprocamente. Sólo así van recomponiéndose, gradual y pacientemente, experiencias renovadas de ser pueblo entre quienes se reconocen hijos y partícipes de una misma historia, en la memoria de una tradición viva, habitantes de una morada común, conscientes de convivir y trabajar juntos movidos por un ideal de vida buena. ¿Quién puede pensar que los enormes problemas y desafíos de las sociedades actuales puedan ser afrontados adecuadamente con las meras reglas institucionales y las complicadas ortopedias de las políticas estatales, o confiando simplemente en la "mano invisible" del mercado, si no se van forjando corrientes vivas, movimientos, formas muy variadas de participación, cooperación, empresarialidad y asistencia sociales, que amplíen los espacios de la subjetividad creativa de la persona y de la participación democrática de los pueblos, desencadenando energías de libertad y responsabilidad, creación, solidaridad y construcción?

En estos tiempos de comienzos del siglo XXI, el derrumbe de las experiencias totalitarias, la crisis del "Estado del bienestar", las distorsiones burocráticas, asistenciales y de corrupción de las administraciones públicas, y el resurgimiento neoliberal, han terminado con la pretensión del Estado de ser responsable primario directo y exclusivo de las demandas y expectativas de la sociedad y de su construcción. Se necesita efectivamente una reforma del Estado y de la política. Persiste especialmente en América Latina un arcaico estatismo ligado a una praxis de privilegios, a la supervivencia de corporaciones políticas y sus clientelas, a inercias burocráticas, a los refugios de empleos estables ante la difusión de la precariedad y a los desgastados prejuicios que identifican aún lo estatal con lo público, lo privado con el egoísmo y la explotación. La máquina estatal es entre nosotros costosa, de poca profesionalidad, mantenida por una frágil base tributaria. Mucho se ha hecho para reducir su peso burocrático. Sin embargo, tampoco puede reducirse el Estado a garantía notarial de las "leyes del mercado". Es necesario que el poder del Estado se concentre no sólo en las tradicionales y necesarias funciones de garantía del orden, de las libertades, de la legalidad, de los bienes colectivos esenciales a disposición de todos, sino también en la conducción estratégica del desarrollo, de la integración regional y de la inserción internacional. No puede faltar también su decidido impulso para reducir progresivamente, a través de políticas públicas y oportunas sinergias con el sector privado, *profit y non profit*, los niveles de pobreza y las estridentes desigualdades. La transnacionalización de las economías latinoamericanas, las fragilidades de las burguesías nacionales y las asimetrías de poder que se expresan en profundos desequilibrios y desigualdades, exigen gobiernos realistas, competentes, fuertes y con visión de futuro, capaces de alto nivel de consenso popular y nacional y creíbles cuando requieren los necesarios sacrificios en pos de esperanzas concretas de desarrollo, progreso y bienestar.

Es evidente, a la vez, que se requiere una mayor libertad del mercado —potente vínculo de unión entre hombres y naciones—, tan importante y necesaria en la valoración y estímulo a la iniciativa, laboriosidad y creatividad de las personas, en la expansión de las empresas y en el desarrollo económico, favoreciendo y promoviendo una mayor participación en la actividad económica, creando sobre todo condiciones para la incorporación de sectores excluidos. Existen todavía en nuestros países muchos lazos y obstáculos burocráticos superfluos, que limitan y a veces sofocan esa libertad. Por otro lado, las privatizaciones, muchas veces justificadas por razones económicas, financieras y de modernización tecnológica, han sido realizadas, en general, de forma apresurada, más por cuestiones de "caja" que en el marco de una estrategia industrial, pagando también en algunos casos fuerte tributo a la corrupción. Pasar del monopolio estatal a monopolios u oligopolios privados no favorece ciertamente la libre competencia y sus efectos benéficos. El mercado se convierte en mito destructor cuando sus mecanismos se extienden sin límites a todos los aspectos de las relaciones humanas.

Esta estrechez de la dialéctica Estado-mercado ha traído la revalorización de la "sociedad civil", el redescubrimiento de los valores de la sociedad abierta, activa, emprendedora, creadora, de sus formas libres y muy diversas de autoorganización, de sus variadas redes de solidaridades naturales, sociales, culturales, religiosas. El principio de subsidiariedad propuesto por la Iglesia suscita, pues, mayor interés que nunca, sea como subsidiariedad vertical desde el Estado nacional hacia provincias y municipios, sea como subsidiariedad horizontal hacia las personas, familias y comunidades y asociaciones de libre constitución. Quiere ser cauce de educación, promoción y movilización de las energías vivas de la persona y de la sociedad; bien diferente de la actitud de los que todo lo esperan del Estado con mentalidad rentista, asistencialista, parasitaria, de pretensión corporativa y reivindicativa, y de quienes todo lo esperan del mercado, aunque reduzca a los más a ser meros consumidores y, peor aún, desempleados, marginados y excluidos. Cuando la confianza en los aparatos burocráticos del poder estatal o en la "mano invisible" del libre juego de las leyes del mercado hace caso omiso de la dignidad y participación de los sujetos reales —personas, familias, comunidades, asociaciones, empresas, iniciativas sociales, pueblo organizado—, termina erosionando la consistencia de las democracias liberales y bloqueando las posibilidades de la economía de mercado.

Ante todo, importa poner en movimiento y sostener a las familias, las formas de amistad operativa, los voluntariados ideales y serviciales, las iniciativas caritativas y de asistencia, las redes de servicio, las modalidades de cooperación laboral y productiva, la difundida y capilar empresarialidad y particularmente la multiplicación de las empresas pequeñas y medianas, *profit* y *non profit*, que afronten necesidades sociales notorias, aumenten el empleo y actúen en función del bien común. Los pueblos latinoamericanos tienen que estar movidos por un nuevo dinamismo de vocaciones, capacitaciones e iniciativas empresariales. Hacen falta miles y miles de empresas en el tejido económico-social. Hay que valorizar y modernizar las vastas redes de la economía informal así como las iniciativas y experiencias comunitarias que existen por doquier, creando y sosteniendo nuevas empresas, incorporándolas a la economía legal sin sofocarlas, cuando no se trate de las grandes empresas rentables de la producción y comercio de drogas y de otros rubros de la criminalidad organizada que hay que combatir sin tregua. Puede afirmarse que la economía informal proviene de una tradicional y espontánea respuesta popular de los migrantes del campo a la ciudad, a veces de mera supervivencia y otras con gran creatividad, para satisfacer necesidades básicas que ni el Estado ni el mercado se muestras capaces de solventar. Es también refugio para grupos urbanos que caen en condiciones de desempleo y pobreza. Si el mundo denso de los pobres en América Latina ha sobrevivido durante mucho tiempo es porque tiene una enorme capacidad de adaptación, creatividad y solidaridad para superar las dificultades.[73] Es verdad que existen modalidades de trabajo informal en condiciones de semimendicidad, pero existe también una extensa red capilar de microempresas y pequeñas empresas, que requieren políticas públicas especiales de sustentación y desarrollo. Para todo esto hay que crear condiciones más accesibles de crédito popular, promover estimulantes reformas impositivas, mejorar infraestructuras, invertir en capacitación laboral y profesional, incorporar nuevas tecnologías y asesoramiento a todos los niveles, así como eliminar todas aquellas regulaciones legales y burocráticas que no sean absolutamente indispensables para una mayor transparencia y movilización del mercado. Las microempresas y pequeñas empresas no son, en general, factor de aumento de la productividad, de innovación tecnológica y del volumen de exportaciones. Tiene que favorecerse su integración en la cadena global de un sistema productivo en el cual son fundamentales las grandes empresas en sectores estratégicos de la realidad nacional, en los sectores clave del intercambio y cooperación regionales y en una ventajosa posición para la competencia internacional. Ha de tenerse en cuenta que en los años noventa la mayor parte de los puestos de trabajo creados en los países latinoamericanos fueron generados por el sector "informal", si bien en condiciones de precariedad.[74] Este sector constituye un capital social, una mínima pero fundamental red de protección y una inversión popular en el trabajo; son factores que no deben ser despreciados.

Es también muy importante el desarrollo del llamado "tercer sector". No se trata, por cierto, de una creación desde la nada, a modo de nueva propuesta utópica. Por el contrario, hay una tradición secular que hace de los Estados Unidos el país con mayor presencia de ese "tercer sector", sea en cuanto grandes empresas *non profit* cuyos beneficios son reinvertidos para el servicio que prestan (organizaciones sin fines de lucro que representan actualmente la mitad de los hospitales estadounidenses, la mitad de las universidades e institutos de educación superior, el 60% de los organismos dedicados a servicios sociales y la inmensa mayoría de las asociaciones cívicas), sea como "voluntariado" dedicado a los más variados fines de asistencia y promoción sociales. Estados Unidos no es sólo el país económica, tecnológica y militarmente más importante del mundo; es también el país donde está más desarrollada la sociedad civil como actor social y político. Tiene un número y volumen de organizaciones *non profit* y una tasa de participación en organizaciones voluntarias más alta que las de cualquier otro país del mundo. También en América Latina existe una secular tradición "comunitarista", manifestada en municipios, juntas vecinales y sociedades de fomento, clubes sociales y deportivos, bibliotecas populares, asociaciones de padres de alumnos y de cooperadores escolares y hospitalarios, una multitud de cooperativas, entidades mutuales, fundaciones, una gigantesca red de obras asistenciales, muy extendidas y capilares modalidades de economía informal y muchas otras organizaciones populares. Todo ello puede constituir "la base de sustentación de una estrategia como eje de profundización de la democracia, que aliente la descentralización en todos los órdenes y que genere las condiciones necesarias para encarar la solución del desafío social".[75] Ese "neocomunitarismo" resulta fundamental en nuestros días y con perspectiva de futuro.[76] Hoy está suscitando muy intensas reflexiones prospectivas.[77] Esto es fundamental en todo el proceso de reforma del Estado, de revalorización y aliento de la laboriosidad y empresarialidad y de formación de una comunidad organizada.

Cuestión fundamental es la de promover, revalorizar y alentar el trabajo nacional en una diversidad de formas, para reducir también los altos índices de exclusión y de violencia urbana creciente. La participación del pueblo en un gran banco de trabajo, que es la nación, y la educación de la laboriosidad, empresarialidad y solidaridad, constituyen un capital social, cultural y productivo decisivo para un auténtico desarrollo.

En sociedades marcadas por graves desigualdades y fragmentadas en multiplicidad de intereses y conflictos particulares, se manifiesta especialmente la importancia del testimonio de comunidades visibles de personas que siendo muy diversas viven relaciones verdaderas, caracterizadas más por el "ser" que por el "tener" y el "poder", reconciliadas, de sorprendente fraternidad, si bien siempre expuestas al pecado, raíz de toda división, extrañamiento y laceración. Éste es el signo más grande que ofrece ayer, hoy y siempre la Iglesia en cuanto *forma mundi*, comunidad de pecadores perdonados, unidos, hermanados, gracias al amor misericordioso de Dios, y, por eso, convertida en germen, signo y flujo potente de una nueva sociedad dentro del mundo. Es lo que vive y anuncia la Iglesia como sacramento de comunión. La dialéctica de la amistad se funda y alimenta así en la caridad. Sólo un amor más grande que nuestras medidas humanas puede ser fuente y energía de reconstrucción de vínculos de pertenencia y convivencia, de solidaridad y comunión. La Iglesia es, y ha de ser cada vez más en América Latina, formadora y regeneradora de pueblos. ¡Un pueblo de Dios en los pueblos! Esa capilaridad de la caridad, que es sangre de un pueblo nuevo, anima muchas obras caritativas, educativas, hospitalarias, de cooperación productiva y laboral, de asociación de familias y tantas otras, movidas desde la gratuidad y abrazando a las personas en sus necesidades y esperanzas. Ellas son expresión originaria y creativa de esa fecundidad de la amistad cristiana —no meras suplencias de provisorias carencias del Estado sino un dilatarse en formas concretas de solidaridad—, que va transformando pedazos de realidad y abriendo caminos a la reconstrucción del pueblo.

El misterio de comunión que vive la Iglesia es también factor profundo y eficaz de integración entre pueblos hermanados por la historia, la cultura y la fe. Es dinamismo de unidad hacia una comunidad de naciones. Es reto y tarea de solidaridad continental por la comunión de las Iglesias locales. Es horizonte esperanzado de transformación y crecimiento hacia formas de convivencia mundial dignas de una auténtica familia humana.

La Iglesia no ofrece recetas ni le compete elaborar modelos para la solución de los problemas macropolíticos. Su misión pasa por ese recomenzar perseverante desde el "corazón" de la persona, por la educación y temple de las energías humanas de un pueblo, por los contenidos vitales de verdad y sabiduría, de unidad y amor que sepa imprimir en su dinamismo histórico, por las luces que arroja su doctrina social sobre la inteligencia, competencia y afrontamiento de las problemas fundamentales de la convivencia nacional. Se verifica también por la formación de siempre nuevas generaciones, fuerzas vivas y liderazgos de presencia cristiana en los más diversos ambientes y actividades empresariales y sindicales, científicas, tecnológicas y artísticas, educativas y culturales, de comunicación social y de organización popular; hoy día es urgencia y necesidad especialmente sentidas. No hay pretensiones de hegemonías confesionales pero sí la exigencia y tensión hacia una viva coherencia cristiana, muy dispuesta y abierta al diálogo y a la colaboración con quienes con espíritu de sacrificio, generosidad y dedicación apasionada buscan realmente el bien común de nuestros pueblos.

NOTAS FINALES DEL AUTOR

"Le hablo de lo que hablo siempre; de este gigante desconocido, de estas tierras que balbucean, de nuestra América fabulosa (...) Para ella trabajo."[1] Así le escribía el héroe cubano José Martí a un interlocutor lejano, desde el sentimiento arraigado de pertenecer a una tierra, a una historia, a un pueblo.

Otro gran latinoamericano, el mexicano Octavio Paz, describía su propio itinerario personal y trayectoria intelectual como camino iluminante de penetración en la *terra incognita*: "Al tratar de responder a la pregunta sobre México me di cuenta, en el camino, de que ser mexicano era ser latinoamericano y vecino de los Estados Unidos. En mi reflexión sobre la historia de México la vi como un fragmento de la historia de América Latina, que a su vez es ininteligible sin la historia de España y Portugal, por una parte, y por la otra sin la de los Estados Unidos. Así, la pregunta sobre México me abrió las puertas de la historia universal".[2] ¡Esto vale no sólo para mexicanos sino para todos los latinoamericanos! Vale también para el itinerario de este libro. En efecto, la historia de América Latina nos lleva a redescubrir la historia de España y Portugal, como avanzadas ibéricas y católicas de la expansión de la cristiandad occidental. Nuestro destino nos pone, igualmente, en íntima relación con la historia y el poder mundial y hemisférico de los Estados Unidos. Así nos asomamos a la historia mundial, al dinamismo de la globalización, a los megamercados, a las grandes áreas de "civilización" y al despliegue actual de la catolicidad.

Un tercer latinoamericano, Simón Bolívar, caraqueño reconocido como el "Libertador" americano, ya intuía en su famosa carta de Jamaica, en 1815, la modalidad indispensable para la inserción y protagonismo de América Latina en la historia universal. "Es una idea grandiosa —escribía— pretender formar de todo el Nuevo Mundo una sola nación con un solo vínculo que ligue sus partes entre sí y con el todo. Ya que tiene un origen, una lengua, unas costumbres y una religión debería, por consiguiente, tener un solo gobierno que confederase los diferentes Estados que hayan de formarse (...)."[3] Lo que entonces parecía utopía, en la actualidad es urgencia, esperanza y desafío históricos para América Latina. "Las 'patrias chicas' se salvan —sintetiza el uruguayo Alberto Methol Ferré, maestro y amigo— en la Patria Grande latinoamericana de la Unión Sudamericana, por la difícil y necesaria avenida principal del Mercosur."[4] Es el camino más realista para el bien de los latinoamericanos en las primeras décadas del siglo XXI, si bien también es factible la perspectiva de la derrota, disgregación y marginalización, una creciente dependencia política y económica y la asimilación cultural. El destino del continente exige, ante todo, evitar el encierro impotente y suicida dentro de los marcos de los "estados parroquiales", para reconocer y reconstruir la historia común, discernir las mediaciones a través de los cuales se está configurando la integración y unidad de la "Patria Grande", ordenarlo todo en esa magnitud de escala y proyectarse por caminos comunes de lucha y esperanza. Quien no junta, desparrama. Desparramados, separados, todos los países de América Latina, aun los más grandes, signan su derrota, prolongan todos sus males, se condenan a vegetar, agitarse, convulsionarse y "modernizarse" sin perspectivas. Es "grave responsabilidad", pues, "el favorecer el ya iniciado proceso de integración de unos pueblos a quienes la misma geografía, la fe cristiana, la lengua y la cultura han unido definitivamente en el camino de la historia".[5]

Hay que conferirle cuerpo y esperanza, pues, a ese orgullo de sentirse latinoamericanos, o sea, hermanados en una solidaridad que deja atrás los localismos estrechos, rompe los encierros tribales y las barreras étnicas, supera las fronteras de los Estados, no reconoce obstáculos geográficos y resiste a una "balcanización" dispersa, fragmentaria, dependiente, endémicamente violenta. Hay un ímpetu de catolicidad en el origen de América Latina, en esa fraternidad ampliada según círculos concéntricos, abierta a lo americano y a lo universal. La irrupción en el siglo XXI de más de la mitad de los católicos del mundo, que proceden de América Latina, nos sitúa ante una responsabilidad trascendental no sólo con el destino continental sino también con el universal. En la Capilla Sixtina, con ocasión de la celebración del 150 aniversario de la muerte de Simón Bolívar, el 17 de diciembre de 1980, Juan Pablo II retomaba lo expresado por los obispos latinoamericanos en su Tercera Conferencia General de Puebla, y expresaba lo siguiente: "(...) 'La Iglesia (...) mira con satisfacción los impulsos de la humanidad hacia la integración y la comunión universal. En virtud de esa misión específica, se siente enviada, no para destruir, sino para ayudar a las culturas a consolidarse en su propio ser e identidad, convocando a todas las razas y pueblos a reunirse, por la fe, bajo Cristo, en el mismo y único pueblo de Dios' (Puebla, n. 425). Es una unión que no se detiene, pues, en el solo aspecto religioso, sin pretender la simple uniformidad, sin absorber las diversas culturas ni mucho menos favorecer el dominio de un pueblo o de un sector social sobre los otros. Pero sin renunciar tampoco a esa integración justa, en los cuadros 'de una gran patria latinoamericana y de una integración universal' (Puebla, n. 428)".[6]

Una "apuesta por América Latina" no es un juego de azar, ni el optimismo de la voluntad, menos que menos una utopía. Es razonable esperanza, con fuertes dosis de incertidumbre y riesgo. *¡Spes contra Spem!* Es bueno confiarla al corazón materno de Nuestra Señora de Guadalupe, madre de los pueblos latinoamericanos, patrona de América, para que en la conciencia de su gente, en la compañía de sus luchas, en el consuelo de sus sufrimientos, en la comunión de sus ideales, en la solidaridad con los más necesitados, en el horizonte de todos sus desvelos esté la presencia de Aquel que convierte en verdadera toda esperanza.

NOTAS

PERSPECTIVA Y ACTUALIDAD HISTÓRICA

[1] Cfr. Eduardo GALEANO, *Las venas abiertas de América Latina*, Universidad de la República, Departamento de Publicaciones, Montevideo, 1971.

[2] Cfr. Carlos A. MONTANER, *Las raíces torcidas de América Latina*, Plaza y Janés, Barcelona, 2001.

[3] Cfr. Aldo FERRER, "América Latina y la globalización", *Revista de la CEPAL*, Santiago de Chile, número extraordinario *CEPAL CINCUENTA AÑOS*, octubre de 1988, pp. 155-168.

[4] LEÓN XIII, Carta del 15 de julio de 1892, citado en *Juan Pablo II a la Iglesia de América Latina*, CELAM, Bogotá, 1992, p. 35.

[5] Pierre CHAUNU, *Memoria de eternidad*, Rialp, Madrid, 1979, p. 142.

[6] Cfr. Lewis HANKE, *La lucha por la justicia en la conquista de América*, Sudamericana, Buenos Aires, 1949; Indalecio LIÉVANO AGUIRRE, *Los grandes conflictos sociales de nuestra historia*, Tercer Mundo, Bogotá, 1958, pp. 9-31.

[7] Bartolomé DE LAS CASAS, *Historia de las Indias*, III, BAE 96, Madrid, p. 176.

[8] Cfr. Ricaurte SOLER, *Idea y cuestión nacional latinoamericanas*, Siglo XXI, México, 1980, pp. 55-96. Manuel UGARTE, en *El destino de un continente*, Patria Grande, Buenos Aires, 1962, p. 192, escribe: "Mientras los fundadores de los Estados Unidos se extinguen entre la admiración y la apoteosis, los fundadores de nuestras patrias mueren invariablemente en el ostracismo o en la expatriación".

[9] "Si América del Norte, después de 1775, hubiera sancionado la dispersión de sus fragmentos para formar repúblicas independientes; si Georgia, Maryland, Rhode Island, Nueva York, Nueva Jersey, Connecticut, Nueva Hampshire, Maine, Carolina del Norte, Carolina del Sur y Pensilvania se hubieran erigido en naciones autónomas, ¿acaso comprobaríamos el progreso inverosímil que distingue a los yanquis? Lo que lo ha facilitado es la unión de las trece jurisdicciones coloniales que estaban lejos de presentar la homogeneidad que advertimos entre las que se separaron de España. Éste es el punto de arranque de la superioridad anglosajona en el Nuevo Mundo." Así escribía Manuel UGARTE en la tercera década del siglo XX; citado por Jorge A. RAMOS, *Historia de la Nación Latinoamericana*, Peña Lillo, Buenos Aires, 1968, p.

355. Ramón TAMAMES, *Una idea de España. Ayer, hoy y mañana*, Plaza y Janés, Madrid, 1985, p. 45, concluye así: "No se logró hacer definitivo el gran Imperio de Iturbide en el Norte (Centroamérica se escindió de México en 1823, dos años después de la común independencia de España, para luego fraccionarse en cinco repúblicas en 1838); como tampoco Bolívar consiguió que vivieran unidos los hoy llamados países bolivarianos (fraccionados en Venezuela, Colombia, Ecuador, Perú y Bolivia). Y otro tanto sucedió con José de San Martín en el Sur (Argentina, Chile, Paraguay y Uruguay). Por el contrario, las 13 colonias que se emanciparon en 1776 eran un pequeño territorio; apenas un sexto de México y menos del total del 3% de la América española. Juntos podían crecer; y lo hicieron (...)". Cfr. C. BOSCH GARCÍA, *Latinoamérica, una interpretación global de la dispersión en el siglo XIX*, Unión de Universidades de América Latina, Instituto de Investigaciones Históricas, México, 1978.

[10] Cfr. Tulio HALPERIN DONGHI, *Historia de América Latina*, Alianza, México, pp. 207-279, 280-355; Celso FURTADO, *La economía latinoamericàna desde la conquista ibérica hasta la revolución cubana*, Universitaria, Santiago de Chile, 1969, cap. IV, pp. 44-54; Gustavo BEYHAUT, *Raíces contemporáneas de América Latina*, EUDEBA, Buenos Aires, 1964.

[11] Cfr. Kevin O'ROURKE y John WILLIAMSON, *Globalization and History: The evolution of the Nineteenth Century Atlantic Community*, MIT Press, Massachusetts, 1999.

[12] Cfr. Pedro MORANDÉ, *Claves para una comprensión cristiana de la modernidad*, Vertebración, Santiago de Chile, pp. 29-38.

[13] Cfr. Alvin TOFFLER, *Powershift* (traducción esp. *El cambio del poder: conocimientos, bienestar y violencia en el umbral del siglo XXI*, Plaza y Janés, Barcelona, 1990, parte segunda: "La vida en la economía supersimbólica").

[14] JUAN PABLO II, "Alocución a la Academia Pontificia de Ciencias Sociales", *L'Osservatore Romano*, Vaticano, 11 de abril de 2002.

[15] UNITED NATIONS DEVELOPMENT PROGRAM, *Human Development Report 2001*, UNDP, Nueva York, Oxford University Press, 2001, pp. 9-21.

[16] Manuel CASTELLS, *The information Age. Economy, Society and Culture*, vol. 1: *The rise of the Network Society*, Blackwell, Massachusetts, 1996, p. 108 (traducción al español del autor).

[17] JUAN PABLO II, Encíclica *Centesimus Annus*, Vaticano, 1/V/1991, nn. 19, 34, 40, 42.

[18] Cfr. Paul KRUGMAN, *The return of Depression Economics*, W.W. Norton and Company, Nueva York, 1999; *Pop Internationalism*, MIT Press, Massachusetts, 1996.

[19] Paul KRUGMAN, *Los americanos recetan planes que no osarían aplicar en Estados Unidos*, Cuadernos de Marcha, n. 173, Montevideo, julio-agosto 2001, p. 51. Joseph STIGLITZ, *Globalization and Its Discontents*, Norton & Company, Nueva York, 2002.

[20] Cfr. CEPAL, *Estudio económico de América Latina y el Caribe 2003-2004*, Santiago de Chile, 2004.

[21] En el marco de las sesiones plenarias de la Asamblea ordinaria del Sínodo mundial de Obispos que tuvo lugar en el Vaticano durante el mes de octubre de 2001, precisamente el 10 de ese mes, Nazario VIVERO destacó "la característica

central de inhumanidad" de los atentados terroristas, que "no debe ser ni edulcorada ni soslayada", sino provocar una tajante condena. Se trata, a la vez, de un acontecimiento "que da que pensar". En ese sentido, se puede inscribir como "fractura de una autosuficiencia ínsita a cierta globalización o mundialización, con base en una pretensión del 'fin de la historia' constituido por un mercado sin ataduras, una forma de organización democrática liberal y un 'pensamiento único' presuntamente tolerante en su indiferencia valorativa". Expresa también "la potenciación del mal como destrucción, perversión, aniquilación". Ante hechos de tal magnitud no puede sino replantearse a fondo el misterio del mal. Así escribía Octavio PAZ, en *Itinerarios,* Seix Barral, Barcelona, 1993, pp. 78-79: "Nuestro siglo —y con el nuestro todos los siglos: nuestra historia entera— nos ha enfrentado a una cuestión que la razón moderna, desde el siglo XVIII, ha tratado inútilmente de esquivar. Esta cuestión es central y esencial: la presencia del mal entre los hombres. Una presencia ubicua, continua desde el principio y que no depende de las circunstancias externas sino de la intimidad humana. Salvo las religiones, ¿quién ha dicho algo que valga la pena sobre el mal? (...). El mal no es únicamente una noción metafísica o religiosa; es una realidad sensible, biológica, psicológica e histórica. El mal se toca, el mal duele". Los cristianos lo llaman "pecado original", carga destructiva de lo humano. "El corazón del hombre —dijo el Papa Juan Pablo II el 17 de octubre de 2001— es un abismo del que brotan a veces planes de inaudita ferocidad", pero los cristianos saben que "el mal y la muerte no tienen la última palabra".

[22] JUAN PABLO II, Discurso al presidente George W. Bush en ocasión de su visita al Vaticano, el 23 de julio de 2001, *L'Osservatore Romano,* edición semanal en lengua española, Vaticano, 27 de julio de 2001, p. 3, cuyos contenidos fueron reiterados en la audiencia papal al nuevo embajador de los Estados Unidos, el 13 de setiembre de 2001, cfr. *L'Osservatore Romano,* edición semanal en lengua española, Vaticano, 21 de setiembre de 2001, p. 9.

[23] Cfr. Louise FAWCETT y Andrew HURRELL, *The New Regionalism and the International Order,* Oxford University Press, Nueva York, 1993; Albert FISHLOW y S. HAGGARD, *The United States and the Regionalisation of the World Economy,* OCDE, Nueva York, 1992; Kenichi OHMAE, *The rise of Region State,* Foreign Affairs, Nueva York, otoño 1993, pp. 77-87; AA.VV., dossier *Mondialisation et Régionalisation,* Institut Français des Relations Internationales, París, 1997; Robert DEVLIN y Antoni ESTEVADEORDAL, *Entre globalización y regionalismo* en *América Latina* en AA.VV., *América Latina: de la crisis a un Nuevo paradigma de desarrollo,* Política Internacional, IPALMO, Milán, nn. 1-2, enero-abril de 2003, pp. 143-157.

[24] Cfr. Henry KISSINGER, *Diplomacy* (traducción esp. *La diplomacia,* Ediciones B, Barcelona, 1996, p. 869).

[25] Citado en Jorge CASTRO, *La tercera revolución,* Catálogos, Buenos Aires, 1998, p. 18.

[26] Cfr. Alberto METHOL FERRÉ, *América Latina en la era de los Estados continentales,* El Estante, Montevideo, agosto-setiembre 1999, pp. 9-10; *América del Sur: de los estados-ciudad al Estado Continental Industrial,* Cuadernos del Foro San Martín para la integración de nuestra América, Buenos Aires-Montevideo, 2002.

[27] Zbigniew BRZEZINSKI, *The Grand Chessboard*, Basic Books, Harper Collins, Nueva York, 1997, p. 17.

[28] Andrew HURRELL, *Regionalismo en las Américas*, citado en Abraham LOWENTHAL y Gregory TREVERTON, *América Latina en un mundo nuevo*, FCE, México, 1996, p. 200.

[29] Alberto METHOL FERRÉ, *Nueva dialéctica histórica en América Latina*, IMDOSOC, México, 1995, p. 23.

UNA DIALÉCTICA BIPOLAR EN EL HEMISFERIO AMERICANO

[1] Cfr. José VASCONCELOS, *Antología*, Secretaría de la Educación Pública, México, 1942, pp. 141-163.

[2] Cfr. Arturo ARDAO, *Uruguay y el nombre de América Latina*, Cuadernos de Marcha, México, mayo-junio de 1979, p. 51; del mismo autor, *Romania y América Latina*, Biblioteca de Marcha-Universidad de la República, Montevideo, 1991. Ardao en su *Nuestra América Latina*, Banda Oriental, Montevideo, 1986, demuestra que no es cierto lo que afirma el norteamericano J. Leddy Phelan, en *Panlatinismo, intervención francesa en México (1861-1867) y la génesis de la idea de América Latina*, pues el nombre de América Latina fue acuñado antes de la mentada intervención francesa. En efecto, Ardao cita el escrito de Torres Caicedo, *Mis ideas y mis principios*, París, 1875:

"Desde 1851 empezamos a dar a la América española el calificativo de latina; y esta inocente práctica nos trajo el anatema de varios diarios de Puerto Rico y Madrid. Se nos dijo: 'En odio a España, desbautizáis la América'. No repudiamos; nunca he odiado a pueblo alguno, ni soy de los que maldigo a España en español. Hay América anglosajona, holandesa, etc.; la hay española, francesa, portuguesa, y a este grupo, ¿qué denominación científica aplicarle si no es el de latina? Claro que los americanos-españoles no hemos de ser latinos por lo indio, sino por lo español... Hoy vemos que nuestra práctica se ha generalizado; tanto mejor".

En realidad, este enfoque y denominación es hijo de una gran contraposición desde el primer impacto de la expansión americana (de la América anglosajona): la guerra y la amputación de México (1847), que después se proyecta en el episodio siguiente: el del pirata Walker en Nicaragua y otras zonas de Centroamérica.

[3] Cfr. Pedro HENRÍQUEZ UREÑA, *Historia de la cultura en América Latina*, FCE, México, 1947, pp. 118-127. El nombre de "modernismo" se refiere a la corriente literaria de esa generación, sin que tenga ningún parentesco con el "modernismo" en cuanto corriente de sectores intelectuales católicos en Europa, a comienzos del siglo XX, que fue condenada por las autoridades eclesiásticas.

[4] Henry KISSINGER, *La diplomacia*, Ediciones B, Barcelona, 1996, p. 30; véase Dexter PERKINS, *A history of the Monroe Doctrine*, Little, Brown, Boston-Toronto, 1955.

[5] Cfr. John WILLIAMSON, *What Washington Means by Policy Reform*, en WILLIAMSON, J. (ed.), *Latin America Adjustment: How Much has Happened?*, Institute for International Economics, Washington, DC, 1990.

[6] Cfr. Sebastian EDWARDS, *Crisis and reforms in Latin America: from despair to hope*, Oxford University Press/World Bank, Nueva York, 1993.

[7] Citado por Emilio MÁSPERO, "Intervención de Emilio Máspero, Secretario General CLAT", en AA.VV., *Comunidad Latinoamericana o Iniciativa para las Américas, ¿alternativa o destino?*, FLATEC, Caracas, 1992, pp. 29-30.

[8] Henry KISSINGER, "Un mundo en transformación", discurso pronunciado en la reunión de las Conferencias Lincoln-Juárez el 7 de marzo de 1990, citado en Jorge CASTAÑEDA, "América Latina y la terminación de la Guerra Fría", pp. 43-44, en Abraham F. LOWENTHAL y Gregory F. TREVERTON (comps.), *América Latina en un mundo nuevo*, FCE, México, 1996.

[9] Margaret DALY HAYES, "The US and Latin America: a lost decade?" en *Foreign Affairs, America and the world*, 1988-1989, pp. 188-199.

[10] Abraham LOWENTHAL, "Rediscovering Latin America", *Foreign Affairs*, otoño 1990, pp. 27-42 (traducción en español del autor).

[11] George BUSH (padre), *Remarks announcing the Enterprise for the American Initiative*, Comunicado de prensa de la Casa Blanca del 27 de junio de 1990.

[12] Henry KISSINGER, ob. cit., p. 896.

[13] Ídem, p. 896.

[14] Andrés CISNEROS, en *Norteamérica y nosotros*, Agenda Estratégica, Buenos Aires, 27 de setiembre de 2004, señala que "a lo largo de sus 228 años de existencia, Estados Unidos produjo al menos siete propuestas de política exterior para América Latina: 1. La doctrina Monroe (...); 2. El panamericanismo (...); 3. Los tiempos del 'New Deal' con la política del 'buen vecino' (...); 4. La Alianza para el Progreso (...); 5. La doctrina de la seguridad nacional de la Guerra Fría (...); 6. El Consenso de Washington (...); 7. Finalmente el momento actual que comenzó fuerte con el ALCA, ahora cada día más *light* y crecientemente eclipsado por la prioridad norteamericana por su seguridad nacional después de Septiembre Once. Ninguna de estas siete propuestas históricas tuvo la entidad de un proyecto verdaderamente asociativo. Nunca fuimos verdaderamente socios. Ni siquiera en los períodos de mayor buena voluntad recíproca. En todos los casos se trató claramente no de un proyecto en común sino de algo de menor envergadura, apenas de lo que propone unilateralmente un Estado hegemónico sobre una región a la que considera no como su socia sino como su zona de influencia".

[15] Jorge A. RAMOS, *Historia de la Nación Latinoamericana*, Peña Lillo, Buenos Aires, p. 355.

[16] Cfr. José de VASCONCELOS, ob. cit., pp. 87-131.

[17] Cfr. Víctor R. HAYA DE LA TORRE, *El antiimperialismo y el APRA*, Amauta, Lima, 1972.

[18] "Un examen del pensamiento nacional latinoamericano de los años 20 y 30 es una de las necesidades más urgentes. De las más apasionantes (...). En su perspectiva de reafirmación latinoamericana (hispanoamericana o indoamericana) tiene profundas divergencias, pero se caracteriza por su voluntad de ruptura con el punto de vista metropolitano, principalmente anglosajón y francés". Así lo afirma Alberto METHOL FERRÉ, "El resurgimiento católico en América Latina", en AA.VV., *Religión y cultura*, CELAM, Bogotá,

1981, p. 91; cfr. Andrés CISNEROS y Carlos PIÑEIRO, *Del ABC al MERCOSUR*, Nuevo Hacer, Buenos Aires, 2002, pp. 289-293. Los movimientos nacionales y populares del siglo XX en América Latina generaron los "únicos pensamientos políticos que valen la pena y que, además, no por azar, fueron los que más supieron movilizar a las masas latinoamericanas".

[19] Juan Domingo PERÓN, *América Latina en el año 2000: UNIDOS O DOMINADOS* (antología), Patria Grande, México, 1990, p. 75. A. METHOL FERRÉ, en *Perón y la novedad de alianza argentino-brasileña*, en Cuadernos de Marcha, Montevideo, diciembre de 1995, p. 25, prosigue afirmando que "este nacional-populismo ha sido caracterizado y denostado sistemáticamente desde los centros metropolitanos. Los profesores norteamericanos y soviéticos convirtieron el populismo en una mala palabra. Es lógico. Desvalorizan todo lo que no los 'repite'; sólo les son plenamente inteligibles sus tautologías, las academias universitarias y las legiones de tecnócratas. Los que no los repiten, ésos son necesariamente sospechosos de 'irracionalidad'. Así una vasta gama que va de liberales a marxistas han tenido la prolijidad solvente de los copistas (...). Pero nada de esto obsta para que en este siglo la mejor y la más alta tradición intelectual política de América Latina haya sido el populismo, tan múltiple y tan uno. Ahora espera herederos que sepan recrearlo a la altura del nuevo siglo que se abre. Recreación que implica ruptura y continuidad".

[20] Citado en Jorge CASTRO, *La tercera revolución*, Catálogos, Buenos Aires, 1998, pp. 22-23.

[21] Juan D. PERÓN, ob. cit., p. 89.

[22] Cfr. Ricardo BIELSCHOWSY, "Evolución de las ideas de la CEPAL", en *CEPAL 50 años. Reflexiones sobre América Latina y el Caribe*, Revista de la CEPAL/Naciones Unidas, Santiago de Chile, 1998 (número extraordinario), pp. 21-115; en *El pensamiento de la CEPAL*, Santiago de Chile, 1969, cuya autoría se atribuye a Aníbal PINTO, se encuentra una recopilación de textos clásicos de las dos primeras décadas de la institución.

[23] Sobre la constitución, desarrollo y evaluación de las diversas formas de integración regional en América Latina, véanse la colección de "Integración Latinoamericana" y otros estudios del Instituto para la Integración de América Latina y el Caribe (INTAL), con sede en Buenos Aires, que forma parte del Banco Interamericano de Desarrollo. Véase también Raúl GRIEN, *La integración económica como alternativa inédita para América Latina*, FCE, México, 1994.

[24] Cfr. Fernando H. CARDOSO y otros, *Dependencia y desarrollo en América Latina*, Siglo XXI, México, Madrid, Buenos Aires, 1969.

[25] Enrique IGLESIAS, *Una nueva América Latina*, Búsqueda, Montevideo, 26/9/1991, p. 41.

[26] Cfr. Moniz BANDEIRA, *O eixo Argentina-Brasil. O proceso de integração da América Latina*, Universidad de Brasilia, Brasilia, 1987.

[27] Cfr. Joseph STIGLITZ, *Knowledge for Development: Economic Science, Economic Policy and Economic Advice*, Banco Mundial, Annual World Bank Conference on Development Economics 1998, Washington, 1999, pp. 9-10; del mismo autor, *Globalization and Its Discontents*, Norton & Company, Nueva York, 2002.

[28] Rolando FRANCO y Pedro SAINZ, "La agenda social latinoamericana

del año 2000", *Revista de la CEPAL*, Santiago de Chile, abril de 2001, p. 55; véase José A. OCAMPO, "Más allá del Consenso de Washington: una visión desde la CEPAL", *Revista de la CEPAL*, Santiago de Chile, diciembre de 1998, pp. 7-26. El documento de la CEPAL, *Equidad, desarrollo y ciudadanía*, Santiago de Chile, 2000, es un excelente análisis de las restricciones que han existido en la estrategia de desarrollo y de los cambios que se requieren. Ver también AA.VV., *América Latina: de la crisis a un nuevo paradigma de desarrollo*, ob. cit., y especialmente, Enrique IGLESIAS, *La nueva agenda de América Latina*, pp. 7-15, y José A. GURRÍA, *¿Por qué no ha funcionado el Consenso de Washington?*, pp. 35-41.

[29] Cfr. Norman HICKS y Quentin WODON, "Protección social para los pobres en América Latina", *Revista de la CEPAL*, Santiago de Chile, abril de 2001, pp. 95-117; Fernando SOLANA (coord.), *América Latina: ¿avanzará o retrocederá la pobreza?*, Parlamento Latinoamericano/FCE, Brasil-México, 2002.

[30] JUAN PABLO II, *Mensaje para la celebración de la Jornada Mundial de la Paz*, 1° de enero de 2000.

[31] Emilio MASPERO, ob. cit., p. 29.

[32] Helio JAGUARIBE, "Latin America Is Increasing Its Marginal Condition and Becoming a Sort of Western Replica of Africa" y "The Double Rejection: A Brief Note on the United States and Latin America in the New International Scenario", presentado en el Diálogo Interamericano sobre *The Changing Global Context for U.S.-Latin American Relations*, Warrenton, 21-22 de mayo de 1980.

[33] Jorge CASTAÑEDA, "América Latina y la terminación de la Guerra Fría", en A. LOWENTHAL y G. TREVERTON, ob. cit., p. 69.

[34] Abraham LOWENTHAL, "América Latina y los Estados Unidos en un mundo nuevo: Perspectivas de una asociación", en A, LOWENTHAL y G. TREVERTON, ob. cit. p. 283.

[35] Cfr. Peter HAKIM, "The Uneasy Americas", *Foreign Affairs*, abril de 2001, pp. 46-61.

[36] Alberto METHOL FERRÉ, *El destino llama dos veces*, Cuadernos de Marcha, Montevideo, setiembre de 1994, pp. 27-33.

[37] Alberto METHOL FERRÉ, *Mercosur o muerte*, Cuadernos de Marcha, Montevideo, setiembre de 1994, p. 42. Hay "alianzas fundamentales" y "alianzas accesorias". No es que la alianza de Italia con Bélgica pueda fundar la Unión Europea, ni la alianza del Uruguay con el Ecuador la Unión Sudamericana. No pasa nada. Pasa si Argentina y Brasil están juntos. La alianza entre Argentina y Brasil es la única que puede fundar la unidad de América del Sur. Es una alianza constituyente.

[38] Jorge CALDEIRA, *El Mercosur más allá de la economía*, Cuadernos de Marcha, Montevideo, enero de 1977, p. 29.

[39] Félix PEÑA, *Raíces y sentido del Mercosur*, Cuadernos de Marcha, Montevideo, enero de 1997, pp. 22-23.

[40] Helio JAGUARIBE, *El Mercosur es un pasaporte para la historia*, Cuadernos de Marcha, Montevideo, setiembre de 1999, pp. 1-13.

[41] José M. QUIJANO, *Comercio entre iguales*, Cuadernos de Marcha, Montevideo, julio de 1993, p. 9.

[42] Cfr. Jorge CASTRO, ob. cit., capítulo sobre "la revolución de los alimentos", pp. 91-106. Los países que integran el Mercosur exportan anualmente más de 30.000 millones de dólares en alimentos. Además son, en conjunto, los primeros exportadores mundiales de soja, azúcar, carne bovina, pollo, tabaco, café y jugo de naranja, y sus ventas en este sector están creciendo a un ritmo mayor de 5% por año.

[43] Cfr. COMISIÓN ECONÓMICA PARA AMÉRICA LATINA, *El regionalismo abierto en América Latina y el Caribe. La integración económica al servicio de la transformación productiva con equidad*, CEPAL/Naciones Unidas, Santiago de Chile, 1994; Daniel CHUDNOVSKY y José M. FANELLI (coords.), *El desafío de integrarse para crecer. Balance y perspectivas del Mercosur en su primera década*, Red Mercosur/Siglo XXI/BID, Argentina, 2000; Jesús PUENTE L., "La experiencia del Mercosur en el libre comercio mundial", *Capítulos*, SELA, Caracas, n. 63, setiembre-diciembre de 2001, pp. 101-115.

[44] Cfr. Daniel CHUDNOVSKI (coord.), *El boom de inversión extranjera directa en el Mercosur*, Red Mercour/Siglo XXI, Argentina, 2001.

[45] INICIATIVA PARA LA INTEGRACIÓN DE LA INFRAESTRUCTURA REGIONAL SURAMERICANA, *Procesos sectoriales de integración: objetivos, avances y planes de acción propuestos* y *Hacia una visión estratégica compartida para la integración de la infraestructura de América del Sur*, IIRSA, Caracas, 2 de julio de 2003. Cfr. Rosario SANTA GADEA, *La iniciativa IIRSA: el reto de integrar el espacio físico de América del Sur*, Servicio Informativo sobre el Mercado Común del Sur, 5 de mayo de 2005.

[46] Cfr. Humberto MÁRQUEZ, *Venezuela emprende cruzada por Petroamérica*, Servicio Informativo del Mercado Común del Sur, 4 de noviembre de 2004.

[47] Cfr. Francisco SANTOS C., "La sociedad civil ante los procesos de integración de América Latina", *Revista de Fomento Social*, Sevilla, n. 233, vol. 59, enero-marzo de 2004, pp. 129-176.

[48] Alberto METHOL FERRÉ, "Juventud universitaria y Mercosur", Grupo de Reflexión, *Sobre el Mercosur*, manuscrito, Río de Janeiro, 2003. "Las juventudes —afirma el autor— fueron sujetos históricos decisivos en los procesos de integración de América Latina. Han desaparecido del protagonismo integracionista por lo menos hace 20 años. Sin juventud participante no habrá nunca entusiasmo colectivo. Sin la agitación y el fermento de las juventudes, no habrá *affectio societatis* en nuestros pueblos que sostenga la gigantesca empresa de un Mercado Común, que es siempre mucho más que un mercado: apunta a una conjugación de pueblos hermanos de un mismo círculo histórico-cultural."

[49] Cfr. Carlos GALLI, "El intercambio entre la Iglesia y los pueblos del Mercosur", en AA.VV., *Argentina: alternativas ante la globalización*, San Pablo, Buenos Aires, 1995, pp. 167-208. Cabe recordar que las Conferencias Generales del Episcopado Latinoamericano de Medellín (1968), Puebla (1979) y Santo Domingo (1992) no sólo fueron en sí mismas grandes eventos latinoamericanos, sino que también incorporaron en sus conclusiones la perspectiva de la "Patria Grande" y de la "Nación Latinoamericana". En el discurso inaugural de la IV Conferencia en Santo Domingo, S.S. Juan Pablo II, el 12 de octubre de 1992, afirmó: "Un factor que puede contribuir notablemente a superar los

apremiantes problemas que hoy afectan a este continente es la integración latinoamericana. Es grave responsabilidad de los gobernantes el favorecer el ya iniciado proceso de integración de unos pueblos a quienes la misma geografía, la fe cristiana, la lengua y la cultura han unido definitivamente en el camino de la historia".

[50] Cfr. Eleonora GOSMAN, "Argentina más próxima a Brasil", diario *Clarín*, Buenos Aires, 7/I/2002, p. 15. Reflexionando sobre las "lecciones macroeconómicas" de la crisis argentina, el ministro de Economía, Roberto Lavagna, ha destacado que "resulta altamente inconveniente —en realidad un error capital— llevar adelante políticas cambiarias y monetarias muy diferentes de las de sus mayores socios comerciales o de las políticas predominantes en los mercados centrales".

[51] Cfr. Fabio GIAMBIAGI, "¿Por qué la unificación monetaria tiene sentido a largo plazo?", Integración y Comercio, INTAL, Buenos Aires, n. 9, setiembre-diciembre de 1999, pp. 63-89; José BOTAFOGO, "MERCOSUR después de 2002. Propuestas a partir de un testimonio personal", Grupo de Reflexión y Prospectiva sobre el MERCOSUR, Río de Janeiro (en proceso de impresión).

[52] Cfr. Julio BERLINSKI (coord.), *Sobre el beneficio de la integración plena en el Mercosur*, Red Mercosur/Siglo XXI, Argentina, 2001.

[53] Existen numerosos escritos de Lavagna y Giambiagi (2000), Fanelli (2001), Fanelli y Heymann (2002), Redrado (2002), etc. que proponen la fijación de metas macroeconómicas conjuntas.

[54] Cfr. Jorge M. BERGOGLIO, *Hambre y sed de justicia*, Claretiana, Buenos Aires, 2001; AICA, *La crisis de Argentina en la voz de los Obispos*, Buenos Aires, 17 de enero de 2002 (www.aica.org/aicadoc).

[55] Abel POSSE, *El eclipse argentino. De la enfermedad colectiva al renacimiento*, Emecé, Buenos Aires, 2003.

[56] Cfr. AA.VV., *Reportage. Il Brasile del nuovo Presidente Lula*, 30 Giorni, Roma, n. 1, 2003, pp. 24-53; Simona BERETTA, *Il Sudamerica di Lula: lo sviluppo possibile*, Vita e Pensiero, Milán, n. 5, 2003, pp. 8-15.

[57] El crecimiento de las exportaciones brasileñas más que se triplicó desde 1997, y podría acelerarse mucho más con una retirada al menos parcial de las barreras aduaneras en las regiones más ricas del planeta. En los nueve primeros meses de 2004, su progreso fue de 78% en relación con el mismo período de 2003. Entre enero y setiembre de 2004 se registraron progresos espectaculares en países que se abrieron recientemente a los productos brasileños, como Japón (329%), Rusia (200%), Hong Kong (129%), Egipto (121%), Irán (113%) y Cuba (113%). El progreso más consistente y acelerado es el del comercio con China. Brasil se está aproximando rápidamente a los 100.000 millones de dólares de exportaciones, acercándose a un grado de apertura de su economía del 30%.

[58] Ignacio RAMONET, *Geopolitique du chaos*, Gallimard, París, 1999, p. 266.

[59] Helio JAGUARIBE, *El Mercosur es un pasaporte para la historia*, ob. cit., p. 13.

[60] COMUNICA MERCOSUR, página WEB: www.comunica.es/mercosur/cumbre 26/IX/2001.

[61] Alberto METHOL FERRÉ, "Mercosur; una nueva lógica histórica", en el Seminario COMISEC-Unión Europea sobre "Aportes para la inserción de Uruguay en el Mercosur y en el mundo", Montevideo, 2004. "Uruguay ha entrado en el Mercosur —afirma el autor—, pero camina hacia adelante mirando hacia atrás. Tiene como pánico de su nueva inserción en tierra americana, de los inmensos espacios de sus vecinos argentinos y brasileros. Sudamérica le desborda y sobrecoge. Se sintió antes 'excepción' europea en América del Sur. El apogeo del Uruguay en la primera mitad del siglo XX fue ser como un balcón al océano, mirando hacia Londres y París. En su regreso a tierra americana camina más recordando lo que fue, que proyectándose animoso y creador a un nuevo futuro."

[62] ÁREA DE LIBRE COMERCIO DE LAS AMÉRICAS, *Documentos oficiales en Internet, www.ftaa-alca.org* ; cfr. Paulo S. WROBEL, "A Free Trade Area for the Americas", en *International Affairs*, The Royal Institute of International Affairs, Londres, julio 1998, pp 547-561; Victor BULMER T., "El Área de libre comercio de las Américas", *Revista de la CEPAL*, número extraordinario, Santiago de Chile, 1998, pp. 250-258.

[63] Cfr. Ernesto SWEENEY, *El NAFTA, neoliberalismo mexicano en acción, 1994-2004*, CIAS, Buenos Aires, n. 535, agosto de 2004.

[64] Cfr. Pablo RODAS M., "Tras la búsqueda de El Dorado: el CAFTA con EE.UU.", *Foreign Affairs* (edición en lengua española), octubre-diciembre de 2004; Ángel PÉREZ G., *Desarrollo y comercio en Centroamérica*, Razón y fe, Madrid, febrero de 2004, pp. 169-177.

[65] Zbigniew BRZEZINSKI, *The Grand Chessboard*, Basic Books, Harper Collins, Nueva York, 1997, pp. 45 y ss. (traducción española del autor).

[66] Cfr. Madeleine ALBRIGHT, *The testing of American Foreign Policy*, Foreign Affairs, noviembre-diciembre 1998. pp. 50-65.

[67] Condoleezza RICE, en *Promoting the National Interest*, Foreign Affairs, Nueva York, febrero 2000, p. 46, señala entre las prioridades clave de la Administración Republicana "la promoción del crecimiento económico y de la apertura política por la extensión del libre comercio y de un sistema monetario estable (...), incluso en el hemisferio occidental, el cual ha sido a menudo descuidado como un área vital del interés nacional de Estados Unidos" (traducción al español del autor). En el mismo número de la revista, Robert E. ZOELLICK, "A Republican Foreign Policy", p. 76, critica el descuido y las vacilaciones de la anterior administración Clinton respecto a América Latina y advierte el riesgo de un "eclipse" de los progresos en democracia y libre mercado que han sido realizados en la última década. En ese mismo sentido, Peter HAKIM escribe sobre "The Uneasy Americas", ob. cit., para destacar las crecientes dificultades y tensiones que emergen actualmente en las relaciones entre los Estados Unidos y América Latina.

[68] Joseph CONTRERAS, "¿Adiós, amigos?", *Newsweek*, Nueva York, n. 25, 17/XII/2001, pp. 40 y ss.

[69] Citado por Jorge CASTAÑEDA, op. cit. p. 63.

[70] Alberto METHOL FERRÉ, *La zanahoria del ALCA, Sí* , Lima, abril de 2001, pp. 24-25. "Para mí el ALCA es un expediente de socavamiento del Mercosur, porque no le vi nunca sentido a que el mayor poder mundial gene-

rara en las Américas una fortaleza exclusiva, cuando sus intereses y su destino como 'poder mundial' se juega en Eurasia (...). La única política de Estados Unidos con nosotros es sólo de acuerdos bilaterales". Véase AA.VV., "Mercosur and the creation of the Free Trade Area of the Americas", Woodrow Wilson International Center y Red Mercosur, Washington, 2003, que ofrece una consideración analítica de sus relaciones. Para un juicio sintético, Rubens BARBOSA, "El ALCA en la hora de la verdad", Servicio Informativo del Mercado Común del Sur", 3 de marzo de 2005.

[71] Cfr. Alberto METHOL FERRÉ, *Newsweek: El ALCA y los regionalismos son una mala idea*, Cuadernos de Marcha, Montevideo, mayo de 2001, pp. 18-24.

[72] El primer signo de la fiebre de la "dolarización" lo dio la Argentina en 1991 cuando fijó por ley la paridad entre el peso y el dólar. Fue en su momento un remedio necesario y positivo para frenar la "hiperinflación", bajar las tasas de interés y poder controlar la gobernabilidad sobre todo mediante la gestión económico-financiera. Entre 1999 y 2000, Ecuador sustituyó el "sucre" por el dólar y El Salvador renunció al "colón". Guatemala siguió después el mismo ejemplo. Se señala, en general, que dolarizando la economía se cortan de raíz las presiones especulativas. Pero es una medida que no soluciona los problemas de fondo de las economías concernidas. Quedan atadas, muy dependientes, sin posibilidades de contar con una propia política monetaria y financiera. Además, perjudica la integración subregional. Véanse Alfredo E. CALCAGNO y Eric CALCAGNO, "La dolarización como problema político", *Capítulos*, SELA, enero-abril de 2001, pp. 77-87; Rodrigo BORJA, *Los enigmas de la dolarización*, Servicio Informativo del Mercado Común del Sur, 13 de abril de 2000.

[73] Cfr. Gert ROSENTHAL, "Centroamérica ante la globalización e integración", *Revista de Fomento Social*, Sevilla, julio-setiembre de 2001, pp. 46 y ss.; Thomas BULNER, *Integración regional en Centroamérica*, FLACSO, San José de Costa Rica, 1998; Oscar UGARTECHE, *América Latina en la economía global*, Nueva Sociedad, Caracas, 1997, véase especialmente "Centroamérica en la economía global", pp. 149-177.

[74] Citado en Andrew J. BACEVICH, "The irony of American Power", *First Things*, Nueva York, marzo de 1998, pp. 24-25.

[75] Ibíd., p. 26. Reinhold NIEBUHR, en *The irony of America History*, citado en *Il destino e la storia* (antología), Rizzoli, Milán, 1999, transcribe un comentario de un estadista europeo, que señala lo siguiente: "(...) la fuerza de América puesta al servicio de su idealismo podría crear una situación en la que nosotros podríamos ser demasiado débiles para corregirlos cuando se equivocan y en la que ustedes serían demasiado idealistas para corregirse por sí solos". Niebuhr añade a continuación lo siguiente: "Nuestros peligros a nivel moral no son los de una deliberada maldad o una declarada ansia de poder; son peligros que pueden comprenderse sólo si nos damos cuenta de la tendencia irónica de las virtudes, cuando se confía demasiado en ellas, a transformarse en vicios (...). En suma, el elemento irónico de la historia americana puede superarse sólo si el idealismo americano se conjuga y traduce con los límites de los esfuerzos humanos, con la fragmentariedad de la sabiduría humana, la precariedad de las formas históricas del poder y la mezcla de bien y mal que caracteriza la virtud humana como tal" (traducción al español del autor).

[76] Octavio PAZ, *Pequeñas crónicas de grandes días*, FCE, México, 1990, p. 52.

[77] Importante y significativo fue posteriormente el discurso de Juan Pablo II a los obispos cubanos en su "visita ad limina", en el Vaticano, el 7 de julio de 2001, animando a la Iglesia cubana a ser signo de libertad, de promoción de los derechos humanos, de aliento de nuevas formas de presencia de los cristianos en la sociedad civil y de "diálogo perseverante" y "reconciliación sincera" de todos los cubanos.

[78] Cfr. Janette HAI, "Cuba, entre pressions externes et blocages internes", *Le Monde Diplomatique*, París, junio de 2004, n. 603, pp. 20-21.

[79] Cfr. Alfredo E. CALCAGNO, "La reciente evolución de las inversiones extranjeras en América Latina y el Caribe", *Capítulos*, INTAL, Buenos Aires, enero-abril de 2000, pp. 81-101; Gunther HELD y Raquel SZALACHMAN, "Flujos de capital externo en América Latina y el Caribe en los años 90", *Revista de la CEPAL*, Santiago de Chile, abril de 1998, pp. 29-46; Daniel CHUDNOVSKI, ob. cit.

[80] Michel CAMDESSUS, en *El mercado y el Reino*, USEM, México, agosto de 1993, dice: "No hay más que ver la forma en que los países ricos se parapetan detrás de sus barreras proteccionistas o se ponen en guardia sobre los derechos adquiridos, en el momento mismo en que predican, e imponen, la apertura comercial". Véase también Alfredo ARAHUETES, *Globalización y comercio internacional: una perspectiva desde los países en desarrollo*, Razón y fe, Madrid, abril de 2003, pp. 347-362.

[81] Cfr. diario *Clarín*, "LCA: Brasil se pone duro", Buenos Aires, 23/XII/2001, p. 11.

[82] Cfr. Paul BAIROCH, *Economics and World History* (traducción it. *Economia e storia mondiale*, Garzanti, Milano, 1996, p. 217; Joseph STIGLITZ, *Globalization and Its Discontents*, ob. cit., p. 15.

[83] Helio JAGUARIBE, *Mercosur y las alternativas de ordenamiento mundial*, Cuadernos de Marcha, Montevideo, mayo de 1999, pp. 12-15.

[84] Ibíd., pp. 12-13.

[85] Véase Alfredo E. CALCAGNO, ob. cit., pp. 93 y ss.

[86] Michel CAMDESSUS, en *Crise asiatique et réforme du système international*, Projet, París, primavera de 1999, pp. 91-100, plantea las exigencias de adopción de normas de buena conducta y de la regla de oro de la transparencia, el reforzamiento de los sistemas bancarios y financieros con sólidas estructuras de reglamentación y vigilancia a niveles nacionales e internacional, la participación de los sectores privados en la prevención de las crisis y la reforma del Fondo Monetario Internacional, para promover "una liberalización ordenada de los movimientos de capital", sin recurrir a los viejos métodos de control de cambios y de los flujos de capital. Se trata de condiciones necesarias pero que no parecen suficientes para enfrentar la cuestión. El mismo autor desarrolló esta reflexión en "The impact of International Finance and Trade of Inequalities", en AA.VV., *Globalisation and Inequalities*, Academia Pontificia de Ciencias Sociales, Vaticano, 2002, pp. 85-98.

[87] José A. OCAMPO y Andrai UTHOFF, "Retomar la agenda del desarrollo", en Fernando SOLANA (coord.), *America Latina: ¿avanzará o...*, ob. cit., p. 78. El ministro argentino R. Lavagna subraya a la luz de la crisis argentina "la

necesidad sistémica de establecer nuevos criterios y una vigilancia mucho mayor sobre la sustentabilidad de los programas económicos en los períodos de alta liquidez". Ello implica "dar menos importancia a flujos financieros externos, dar mayor importancia al financiamiento local, dar mayor importancia a la inversión extranjera directa, rechazar políticas de endeudamiento constante y, sobre todo, dar un papel absolutamente central al equilibrio fiscal permanente y al efecto que sobre el mismo tiene el endeudamiento permanente". Véase también Gabriela MOGUILLANSKY, "Inversión y volatilidad financiera en América Latina", *Revista de la CEPAL*, Santiago de Chile, n. 77, agosto de 2002, pp. 47-65.

[88] JUAN PABLO II, Encíclica *Centesimus Annus*, n. 35.

[89] Alvin TOFFLER, *El cambio del poder: conocimientos, bienestar y violencia en el umbral del siglo XXI*, Plaza y Janés, Barcelona, 1990, parte tercera: "La guerra de la información".

[90] Fernando H. CARDOSO, *United States-Latin America After the Cold War*, citado por Jorge CASTAÑEDA, op. cit, p. 41.

[91] Paulo R. de ALMEIDA, "Brasil y el futuro del MERCOSUR", *Revista de la CEPAL*, Naciones Unidas, Santiago de Chile, diciembre 1998, pp. 65-81.

[92] Fernando H. CARDOSO, Discurso del Presidente del Brasil en la apertura de la III Reunión Cumbre de las Américas, citado en Carlos RAIMUNDI y Felipe FRYDMAN, *Mercosur-LCA: Argentina necesita definir su inserción regional y hemisférica*, Pensar/Hacer, Buenos Aires, junio de 2001, p. 660.

[93] Cfr. Ángel CASAS, "La Comunidad Andina: 30 años en búsqueda de desarrollo", *Revista de Fomento Social*, Sevilla, enero-marzo de 2001, pp. 65 y ss.

[94] Juan M. VACCHINO, "La Cumbre Sudamericana y el desarrollo de una utopía", *Capítulos*, INTAL, Buenos Aires, enero-abril de 2001, pp. 37-53.

AMÉRICA LATINA EN LA ESCENA MUNDIAL

[1] Cfr. COMISIÓN ECONÓMICA PARA AMÉRICA LATINA, *Las relaciones económicas entre América Latina y la Unión Europea*, CEPAL/Naciones Unidas, Santiago de Chile, agosto de 1961 (LC/G.1915-P.); Alfredo PICERNO y Pablo GUTIÉRREZ, *Notas sobre la convergencia entre el Mercosur y la Unión Europea*, CLAEH, Montevideo, 1996/77.

[2] Alfredo E. CALCAGNO, ob. cit., p. 86.

[3] Citado en *Búsqueda*, Montevideo, 25 de febrero de 1999, p. 18.

[4] Zbigniew BRZEZINSKI, *The Grand Chessboard*, Basic Books, Harper Collins, Nueva York, 1997, pp. 83-84.

[5] Lucio CARACCIOLO, "Tre modi di essere Europa. E un nuovo scenario", en *Nuntium*, Pontificia Universidad de Letrán, Vaticano, marzo de 2000, p. 74 (traducción al español del autor).

[6] Cfr. François de LA SERRE, *Une Europe ou plusieurs?* y Gilles ANDREANI, "Le rebond européen", en *Politique étrangère*, París, 1/99.

[7] Joseph RATZINGER, "Se l'Europa odia sé stesso", diario *L'Avvenire*, Milán, 14 de mayo de 2004, p. 27. En un documento público de la "Compagnia delle Opere" y de la "Fondazione per la Sussidiarietà", en Italia,

para las elecciones europeas de junio de 2004, se lee lo siguiente: "Después de la moneda única, el vacío. Cuando se trata de llevar al último nivel de unidad política un proceso de reconstrucción que los estudiosos definen inédito en el panorama mundial, Europa entra en crisis. Renace el estatismo. Los actores populares que habían contribuido a una riqueza extraordinaria de iniciativas resultan comprimidos. No más el camino de una libre expresión y colaboración entre público y privado, sino el surgimiento de una superburocracia europea. No más una política unitaria de desarrollo internacional, sino los intentos de los diversos Estados por afirmar sus propias áreas de influencia. Crisis del *welfare* e incapacidad de quedar enganchados a Estados Unidos a nivel del crecimiento económico (...). Europa se divide entre americanismo y antiamericanismo, se ahoga en la confusión ante el problema del terrorismo, está ausente de propuestas de solución en los Balcanes, está dividida en Irak, abandona la política de cooperación con los países del Mediterráneo, abandona la cooperación hacia el Tercer Mundo. No logra ser prácticamente un sujeto político protagonista. Se llega a negar toda referencia a la tradición judeocristiana en la Constitución europea, prefiriendo ecos y sugestiones jacobino-masónicas y tecnicismos de representación (...)".

[8] Alain TOURAINE, "Il continente perde potenza", en *L'Avvenire*, Milán, 2 de setiembre de 2001, p. 21 (traducción al español del autor).

[9] Cfr. C. Fred BERGSTEN, "American and Europe: Clash of the Titans?", *Foreign Affairs*, Nueva York, marzo-abril de 1999, pp. 20-34.

[10] Peter NUNNENKAMP, en "Efectos para América Latina de la expansión de la Unión Europea", *revista de la CEPAL*/Naciones Unidas, Santiago de Chile, 64, pp. 111-127, señala que es difícil que dicha expansión perjudique las relaciones de comercio e inversión de la Unión Europea con América Latina y, en particular, que las exportaciones de América Latina a la Unión Europea serán complementarias a las de los países de Europa central y oriental.

[11] Cfr. Jorge REMES LENICOV, *Ventajas de profundizar la relación UE-Mercosur*, y Mario de QUEIROZ, *UE-Mercosur: la montaña parió un ratón*, Servicio Informativo del Mercado Común del Sur, 4 de noviembre de 2004.

[12] Alberto METHOL FERRÉ, *Conciencia histórica e integración*, Archivos del Presente, Buenos Aires, 1996/3, pp. 109-116. Al hablar de los orígenes, Methol afirma que "la lengua latina popular llegó a nuestros días, diferenciándose en varias lenguas nacionales: portugués, castellano, catalán, francés, italiano y rumano. Por eso nos llamamos América Latina" (p. 112).

[13] Cfr. Antonio LAGO CARBALLO, "Gli intellettuali spagnoli e l'America", *Il Nuovo Areopago*, Forlì, otoño de 1989, pp. 105-115. Sea las celebraciones del "cuarto centenario" del descubrimiento en 1892, sea el trauma agónico provocado por el derrumbe definitivo del Imperio español con la guerra de Cuba, sea la irrupción del "destino manifiesto" de los Estados Unidos en Centroamérica y el Caribe, provocaron un mutuo redescubrimiento de los vínculos hispanoamericanos, después de décadas de incomunicación.

[14] Marcelino OREJA, "España en el mundo", en AA.VV., *España: un presente para un futuro* (T. 2), Instituto de Estudios Económicos, Madrid, 1984, p. 150.

[15] Alfredo E. CALCAGNO, ob. cit., pp. 87-89; Ángel CASAS, *España en la economía latinoamericana*, Razón y fe, Madrid, junio de 2003, pp. 579-586; R.

Casilda BEJAR, *Una década de inversiones españolas en Hispanoamérica, 1990-2000*, Anuario del Instituto Cervantes, Madrid, 2001, pp. 107-169.

[16] Cfr. José L. RUBIO, *España ante la comunidad iberoamericana: una ambigüedad a superar*, Cuadernos Americanos, nueva época, Madrid, n. 74, marzo-abril 1999, pp. 17-34.

[17] Ver página WEB: www.oei.es/cumbres2.htm; Manuel MONTOBBIO, "El camino de la bicicleta. Reflexiones sobre el sentido, logros y retos de las Cumbres Iberoamericanas", en *Revista CIDOB d'Affers Internacionals*, Barcelona, diciembre 2000-enero 2001; A. PÉREZ GONZÁLEZ, *Las Cumbres Iberoamericanas ante el nuevo milenio*, Razón y Fe, Madrid, abril de 2001, pp. 415-425.

[18] Alberto METHOL FERRÉ, *Conciencia histórica e integración*, ob. cit., pp. 115-116. "La alianza argentino-brasilera, unidad de origen luso-castellano, implica ya a América Latina y nos remite a las raíces que potencian el futuro común. De la Hispania provienen España y Portugal. Incluso Portugal proviene de Castilla. La historia de Portugal y Castilla fue una continua oscilación entre la alianza y el conflicto separador. Así, una América Latina desintegrada puso énfasis en los momentos de separación. Una América Latina integrada pondrá énfasis en los momentos de unificación."

[19] Guzmán CARRIQUIRY, "África desde aquí", *Víspera*, Montevideo, año 2, n. 8, enero de 1969, pp. 61 y ss.

[20] Véase Bárbara STALLINGS y Kotaro HORISAKA, *Japón y América Latina: nuevos esquemas en los años noventa*, en Abraham F. LOWENTHAL y Gregory F. TREVERTON (comps.), *América Latina en un mundo nuevo*, FCE, México, 1996, pp. 153-189.

[21] Cfr. Gustavo GONZÁLEZ, *Chile hacia la conquista del Oriente*, Servicio Informativo del Mercado Común del Sur, 5 de marzo de 2004.

[22] Cfr. Feng XU, *China y América Latina después del final de la Guerra Fría*, en Abraham F. LOWENTHAL y Gregory F. TREVERTON (comps.), ob. cit., pp. 181-196.

[23] Cfr. Gustavo GONZÁLEZ, *Explosivo crecimiento del comercio con China*, Servicio Informativo del Mercado Común del Sur, 3 de junio de 2004.

[24] Cfr. Diana CARIBONI, *América del Sur se cocina a la china*, Servicio Informativo del Mercado Común del Sur, 10 de enero de 2005.

[25] Citado en Federico RAMPINI, "Da Castro ai mercati sudamericani: la nuova sfida del capitalismo cinese", diario *La Repubblica*, 26 de noviembre de 2004, p. 21.

[26] Charles KRAUTHAMMER, "The unipolar moment", en *Foreign Affairs*, Nueva York, enero de 1991, pág. 24.

[27] Véase Richard HAASS, *The Reluctant Sheriff. The United States after the Cold War*, Council on Foreign Relations, Nueva York, 1997.

[28] Véase Richard HAASS, "What to do with American Power", en *Foreign Affairs*, Nueva York, setiembre-octubre de 1999, pp. 37-49.

[29] Irving KRISTOL, "The emerging American Imperium", *The Wall Street Journal*, Nueva York, 18/VIII/1997 (traducción española del autor).

[30] Henry KISSINGER, *La diplomacia*, Ediciones B, Barcelona, 1996, p. 866.

[31] Cfr. CENTER FOR INTERNATIONAL AND SECURITY STUDIES, *An*

Emerging Consensus-A Study of American Political Attitudes on America's Role in the World, University of Maryland, julio de 1996.

[32] Ver Samuel HUNTINGTON y Garry WILLS, "The lonely superpower", *Foreign Affairs*, Nueva York, marzo-abril de 1999, pp. 35-49.

[33] Henry KISSINGER, ob. cit., pp. 870-875.

[34] Henry KISSINGER, ob. cit., p. 19.

[35] Henry KISSINGER, ob. cit., pp. 869 y ss.

[36] Cfr. Robert CHASE, Emily HILL, Paul KENNEDY, *The Pivotal States. A new Framework for US Policy in the Developing World*, Norton, Nueva York, 1999.

[37] Helio JAGUARIBE, *El Mercosur es un pasaporte para la historia*, Cuadernos de Marcha, Montevideo, julio de 1993, p. 7.

[38] Michael WALZER, "De l'anarchie à l'ordre mondial: sept modèles pour penser les relations internationales", *Esprit*, París, mayo de 2000, pp. 142-157, señala los dos extremos de un "Estado mundial" y de la "anarquía internacional" y, entre ellos, una "sociedad internacional débil", un "pluralismo mundial de baja densidad", "un pluralismo mundial de alta densidad", una "federación de Estados nacionales" y un "imperio multinacional". Sobre la gobernabilidad mundial, véanse Rapport de la Commission de Gouvernance Globale, *Appel à l'action*, Ginebra, 1995; Kofi A. ANNAN, *We the peoples. The role of the United Nations in the 21st Century*, Secretaría General de las Naciones Unidas, Nueva York, 2000.

[39] Cfr. Joseph NYE, "US Power and Strategy after Irak", *Foreign Affairs*, Nueva York, julio-agosto de 2000.

[40] JUAN PABLO II, *Mensaje para la Jornada Mundial de la Paz*, Vaticano, 1 de enero de 2004.

[41] Cfr. Helio JAGUARIBE, "América del Sur en el siglo XXI", *Integración y Comercio*, INTAL, Buenos Aires, 2001, pp. 143-150; del mismo autor, "América Latina y la formación de un orden mundial multipolar", *Capítulos*, SELA, Caracas, n. 62, mayo-agosto de 2001, pp. 118-130.

IMPLICACIONES Y RETOS CULTURALES

[1] La lucha política y militar a nivel mundial se resolvería actualmente como lucha "geoeconómica".Véase al respecto Edward LUTTWAK, "The coming Global War for Economic Power", "From Geopolitics to Geoeconomics", Nueva York, The International Economy, setiembre-octubre de 1993, pp. 19-20 y 64-67, y *The National Interest*, Nueva York, verano de 1990, pp. 17-23.

[2] Cfr. Augusto DEL NOCE, *Il suicidio della Rivoluzione*, Rusconi, Milán, 1978, pp. 310-337.

[3] Michel CAMDESSUS, *Habiter la cité globale. Stratégies et institutions économiques*, Notas y documentos, Instituto Internacional J. Maritain, Roma, 9/XI/1995, p. 20.

[4] JUAN PABLO II, Encíclica *Centesimus Annus*, 1/V/1991, n. 39.

[5] Cfr. Samuel HUNTINGTON, *The clash of civilizations and the remaking of the world order* (traducción esp. *El choque de civilizaciones y la reconfiguración del orden mundial*, Paidós, Barcelona, 1997, pp. 19-43).

[6] Ibíd. pp. 50-52.

[7] Cfr. Alberto METHOL FERRÉ; "El marco histórico de la religiosidad popular" en AA.VV., "La religiosidad popular", CELAM, Bogotá, 1977, pp. 63-68, y "Pueblo nuevo en la Ecumene", *Nexo*, Montevideo, primer semestre de 1985, pp. 74-80; Octavio PAZ, *Tiempo nublado*, Seix Barral, Barcelona, 1983, pp. 161-188.

[8] Mariano PICÓN SALAS, en *De la conquista a la independencia*, FCE, México, 1944, p. 123, afirma que el "período barroco (...) es el más desconocido e incomprendido en todo nuestro proceso cultural-histórico. Sin embargo, fue uno de los elementos más prolongadamente arraigados en la tradición de nuestra cultura. A pesar de casi dos siglos de enciclopedismo y de crítica moderna, los hispanoamericanos no nos evadimos enteramente aún del laberinto barroco. Pesa en nuestra sensibilidad estética y en muchas formas de psicología colectiva".

[9] III CONFERENCIA GENERAL DEL EPISCOPADO LATINOAMERICANO, *Puebla*, BAC, Madrid, nn. 409-469, pp. 178-194.

[10] Citado por A. METHOL FERRÉ, en "Pueblo nuevo...", ob. cit., p. 78.

[11] Citado en Augusto TAMAYO VARGAS, "Interpretaciones de América Latina", en *América Latina en su Literatura*, UNESCO/Siglo XXI, París/México, 1972, p. 459.

[12] Pedro MORANDÉ, *El encuentro salvífico del Evangelio con las culturas latinoamericanas*, inédito, Roma, 2002.

[13] III CONFERENCIA GENERAL DEL EPISCOPADO LATINOAMERICANO, ob. cit., n. 448, p. 188.

[14] Cfr. Peter L. BERGER, *Facing up to modernity* (*Affrontés a la modernité*, Le Centurion, París, 1980, pp. 187-189).

[15] Will HERBERG, *Protestant, Catholic, Jew*, University of Chicago Press, Chicago, 1983.

[16] Leopoldo ZEA, *Los niños y nosotros*, Cuadernos de Marcha, Montevideo, noviembre de 1994, pp. 9-10.

[17] Citado en Dominique MOISI, "L'Amérique, l'ère de la maturité", en AA.VV., *Rapport Annuel Mondiale sur le Système Économique et les Stratégies*, IFRI, París, 2000, p. 233 (traducción al español del autor).

[18] Zbigniew BRZEZINSKI, *The Grand Chessboard*, Basic Books, Harper Collins, Nueva York, 1997, p. 36 (traducción al español del autor).

[19] Cfr. Joseph NYE, *The Paradox of American Power. Why the World's Only Superpower Can't Go It Alone*, Oxford University Press, 2002.

[20] Ver Armand MATTELART, "Les nouveaux scénarios de la communication mondiale", en *Le Monde Diplomatique*, agosto de 1995, pp. 24-25.

[21] Zbigniew BRZEZINSKI, ob. cit., p. 38 (traducción al español del autor).

[22] Citado en Lilli GRUBER, "Il lato oscuro dell'informazione totale", en *Nuntium*, Pontificia Universidad de Letrán, Vaticano, marzo de 2000, p. 39.

[23] DAVID ROTHKOPF, "In praise of cultural imperialism?", *Foreign Policy*, Washington, verano 1997 (traducción al español del autor). No asombra, pues, que JUAN PABLO II, en un discurso a la Pontificia Academia de Ciencias Sociales (*L'Osservatore Romano*, Vaticano, 28/4/2001, p. 5), haya señalado como riesgo de la globalización el de cierto "colonialismo" a nivel cultural.

[24] Joseph NYE y William OWENS, "American's Information Edge", *Foreign Affairs*, Nueva York, marzo-abril de 1996 (traducción al español del autor).

[25] Alberto METHOL FERRÉ, "El fracaso del Quinto Centenario", en *Revista del CLAEH*, Montevideo, 1992-93-94, p. 13.

[26] Mariano PICÓN SALAS, ob. cit., pp. 27-28.

[27] Indalecio LIÉVANO AGUIRRE, *Los grandes conflictos de nuestra historia*, Tercer Mundo, Bogotá, 1958, pp. 23-24.

[28] Pierre CHAUNU, *L'Amérique et les Amériques*, Armand Colin, París, 1964, p. 226.

[29] Salvador de MADARIAGA, *Cuadro histórico de las Indias*, Sudamericana, Buenos Aires, 1945, p. 423.

[30] Augusto SALAZAR BONDY, en *¿Existe una filosofía de nuestra América?*, Siglo XXI, México, 1968, p. 122, afirma que, por lo general, "los países subdesarrollados carecen de fuerza y dinamismo por la condición deprimida de su economía y por la falta de integración y organicidad de su sociedad, de donde se sigue que no hay base para un sello propio del pensamiento capaz de neutralizar el impacto foráneo y la tentación imitativa".

[31] Véase Philip W. POWELL, *Árbol de Odio*, Iris de la Paz, Madrid, 1991. El autor indica y analiza todos los prejuicios y estereotipos que cierta historiografía tradicional de los Estados Unidos ha difundido a niveles escolásticos, universitarios y políticos. Véanse también W. MALTBY, *La leyenda negra en Inglaterra*, FCE, México, 1982; J. A. VACA de OSMA, *El imperio y la leyenda negra*, Rialp, Madrid, 2004.

[32] Samuel HUNTINGTON, *El choque de civilizaciones...*, ob. cit., pp. 177-178.

[33] Leopoldo ZEA, ob. cit., p. 12.

[34] JUAN PABLO II, Encíclica *Fides et Ratio*, Vaticano, 14/IX/1998, n. 83.

[35] Cfr. Massimo BORGHESE, "L'ironia e il mondo como favola. Riflessioni sull'ideologia post-moderna", *Il Nuovo Areopago*, Forlì, primavera de 1996, pp. 19-30.

[36] Cfr. Francis FUKUYAMA, *The End of History and the Last Man* (traducción it. *La fine della storia e l'ultimo uomo*, Rizzoli, Milán, 1992, pp. 314 y ss.

[37] Cfr. Alberto METHOL FERRÉ, *Después del 92*, AA.VV., *Ética y capitalismo*, CIAS, Buenos Aires, 1994, pp. 129-130.

[38] Pedro MORANDÉ, "La actualidad de la *Gaudium et Spes* y la misión de la Iglesia, entre cambios epocales y nuevos desafíos", *Laicos Hoy*, Pontificio Consejo para los Laicos, Vaticano, 1996, pp. 59-61.

[39] Gianni VATTIMO, *Al di là del soggetto, Nietzsche, Heidegger e l'ermeneutica*, 1981, citado en Massimo BORGHESE, ob. cit., p. 25 (traducción al español del autor).

[40] Cfr. Augusto DEL NOCE, "Come vinse e come muore l'ateismo", *Il Sabato*, Roma, 26/IX/1986, p. 20. En esta perspectiva, escribía Octavio PAZ, en *Tiempo nublado*, ob. cit., pp., 16-17: "El verdadero mal de las sociedades capitalistas liberales está (...) en el nihilismo predominante. Es un nihilismo de signo opuesto al de Nietzsche: no estamos ante una negación crítica de los valores establecidos sino ante su disolución en una indiferencia pasiva. Más que de

nihilismo habría que hablar de hedonismo. El temple del nihilista es trágico; el del hedonista, resignado. Es un hedonismo también muy lejos del de Epicuro: no se atreve a ver de frente la muerte, no es una sabiduría sino una dimisión. En uno de sus extremos es una suerte de glotonería, un insaciable pedir más y más; en el otro, es abandono, abdicación, cobardía frente al sufrimiento y a la muerte. A pesar del culto al deporte y a la salud, la actitud de las masas occidentales implica una disminución de la tensión vital. Se vive ahora más años pero son años huecos, vacíos. Nuestro hedonismo es un hedonismo para 'robots' y 'espectros' (...) A la actividad sonámbula de la sociedad, girando maquinalmente en torno a la producción incesante de objetos y cosas, el terrorismo opone un frenesí no menos sonámbulo aunque más destructivo".

[41] Si se tienen en cuenta los atributos que caracterizan la democracia —autoridades públicas electas, elecciones libres y limpias, sufragio universal, derecho a competir por los cargos públicos, libertad de expresión, información alternativa y libertad de asociación—, según Robert DAHL, *Democracy and its Critics*, New Haven, Yale University Press, 1989, existen muy diversas "zonas grises" de "democracias incompletas".

[42] Cfr. John RAWLS, *A Theory of Justice*, The Belknap Press of Harvard University, Cambridge, Massachusetts, 1971.

[43] Norbert LECHNER, *Los patios interiores de la democracia. Subjetividad y política*, FCE, México, 1995, pp. 121-122.

[44] JUAN PABLO II, en la Encíclica *Veritatis Splendor*, Vaticano, 6/VIII/1993, n. 101, afirma que "en numerosos países, después de la caída de las ideologías que ligaban la política a una concepción del mundo —la primera entre ellas, el marxismo—, un riesgo no menos grave aparece hoy (...): el riesgo de la alianza entre la democracia y el relativismo ético". Al riesgo de una "democracia sin valores" se había ya referido en la encíclica *Centesimus Annus*, n. 46.

[45] Cfr. Deal D. HUDSON, "I diritti umani in crisi?", en *Prospettiva persona*, Centro Ricerche Personaliste, Teramo, julio-diciembre de 1994, pp. 8 y ss.; Alberto METHOL FERRÉ, "Derechos humanos e inactualidad de la filosofía", en AA.VV., *Los derechos humanos*, CELAM, Bogotá, 1982, pp. 58-59.

[46] Cfr. Mary-Ann GLENDOM, "Reflection on the Universal Declaration of Human Rights", en *First Things*, Nueva York, abril 1998, pp. 23-27.

[47] Cfr. E. W. BOCKENFORDE, *Staat-Gesellschaft*, Friburgo, pág. 67, citado en Joseph RATZINGER, J., *Chiesa, ecumenismo e politica*, Paoline, Milán, 1987, pág. 191.

[48] Cfr. Samuel HUNTINGTON, ob. cit., pp. 362-366.

[49] Cfr. Francis FUKUJAMA, *The Great Disruption* (traducción italiana *La Grande Distruzione*, Baldini y Castoldi, Milán, 1999, pp. 17-38).

[50] Cfr. Joseph NYE, ob. cit., pp. 161 y ss. Véase también Robert PUTNAM, *Capitale sociale e individualismo. Crisi e rinascita della cultura civica in America*, Il Mulino, Bolonia, 2004.

[51] Cfr. Massimo BORGHESE, "L'Occidente e l'altro. Tra estraneità e integrazione", *Il Nuovo Areopago*, Forlì, verano de 2001, pp. 88 y ss.

[52] La extrema confusión moral de nuestro tiempo está ejemplificada por la "torre de Babel". Así lo afirma Alasdair MACINTYRE, en *After Virtue. A Study in Moral Theory* (traducción it. *Dopo la Virtù*, Feltrinelli, 1988), demos-

trando el fracaso del proyecto iluminista de justificación de la moral y el influjo profundo del "irracionalismo profético" de Nietzsche en la cultura contemporánea.

[53] Michael WALZER, *Che cosa significa essere americano?*, Marsilio, Venecia, 1992, p. 17.

[54] Citado en Dominique MOISI, ob. cit., pp. 233-234.

[55] Alvin TOFFLER, *El cambio del poder: conocimientos, bienestar y violencia en el umbral del siglo XX*, Plaza & Janés, Barcelona, 1990.

[56] Cfr. Michael A. CASEY, "Tramonta la religione dell'individualismo", en *Nuntium*, Pontificia Universidad de Letrán, Vaticano, marzo de 2000, pp. 62-63.

[57] Lorenzo ALBACETE, "Oltre il mito puritano", *Il Nuovo Areopago*, Forlì, junio de 1996, pp. 5-14.

[58] Véase David ARIAS, *La Hispanidad Católica en los Estados Unidos de América"*, en PONTIFICIA COMISIÓN PARA AMÉRICA LATINA, *Los últimos cien años de la evangelización en América Latina*, Librería Ed. Vaticana, Vaticano, 2000, pp. 451 y ss.

[59] Ibíd., p. 455.

[60] Véase Tomás CALVO BUEZAS, "La comunidad hispana en los Estados Unidos de América", en AA.VV., *Iberoamérica, una comunidad*, Cultura Hispánica, Madrid, pp. 799-806.

[61] Lázaro CARRETER, "Acabarán siendo bilingües", *ABC*, Madrid, 4/6/1998, p. 71. Cfr. Gregori T.Y. VALDÉS, *La lengua española en los Estados Unidos de América*, *www.comunica.es* (portal: "Unidad en la diversidad"), 10 de enero de 2001; F. MORENO, *El español de y en los Estados Unidos*, Cuadernos Cervantes de la Lengua Española, Madrid, n. 10, setiembre-octubre de 1996; A. MORALES, *El español en Estados Unidos. Medios de comunicación y publicaciones*, Anuario del Instituto Cervantes, Madrid, 2004, pp. 243-282. El entusiasmo por la lengua española se advierte también en Canadá. El número de personas en Quebec que se consideran aptas para mantener una conversación en español dio un salto de más de 31%, pasando de 146.000 personas a casi 191.000 en cinco años. Tanto en las universidades del Canadá francés como en las del Canadá inglés aumentan significativamente los estudiantes de español.

[62] Cfr. Juan M. GARCÍA PASSALACQUA, "The Puerto Rico Question Revisited", en *Current History*, Filadelfia, febrero de 1998, pp. 82-86; I. FERNÁNDEZ APONTE, *El cambio de soberanía en Puerto Rico*, Mapfre, Madrid, 1992.

[63] Cfr. Andrew GREELEY, "Defection among Hispanic (Updated)", *America*, Nueva York, 27/IX/1997, pp. 33-35.

[64] Samuel HUNTINGTON, *¿Quiénes somos? Reflexiones sobre la identidad nacional estadounidense*, Paidós, Madrid, 2004.

[65] Octavio PAZ, diario *ABC*, Madrid, 9/4/1987.

[66] Octavio PAZ, "El castellano en Estados Unidos", *Cuadernos Hispanoamericanos*, Madrid, junio de 1998, p. 133.

[67] Lorenzo ALBACETE, ob. cit., p. 12.

[68] Citado en Jaime ANTÚNEZ ALDUNATE, "Globalización, Economía y

Familia", en *Famiglia et Vita* VI/1-2, Pontificio Consejo para la Familia, Vaticano, 2001, p. 134.

[69] Íd.

[70] Octavio PAZ, *Itinerario*, Seix Barral, Barcelona, 1996, p. 108.

[71] Cfr. Pedro MORANDÉ, "América Latina: identidad cultural y trayectoria contemporánea", en PONTIFICIA COMISIÓN PARA AMÉRICA LATINA, *Los últimos cien años...*, ob. cit., pp. 57-58.

[72] Darcy RIBEIRO, en *Las Américas y la civilización*, CEDAL, Buenos Aires, 1969, t. 1, p. 112, distingue en su "tipología étnico-nacional" a los "pueblos testimonio", "pueblos nuevos", "pueblos trasplantados" y "pueblos emergentes".

[73] Cfr. Roberto GÓMEZ, "The Hall of Mirrors: The Internet in Latin America", en *Current History*, Filadelfia, febrero de 2000, pp. 72-78. Sherry STEPHENSON y Daniela IVASCANU, en "El comercio electrónico en las Américas", *Integración y Comercio*, INTAL, Buenos Aires, setiembre-diciembre de 1999, señalan que "el reciente crecimiento del uso de Internet y el comercio electrónico en América Latina ha sido uno de los más rápidos del mundo. La cantidad total de hosts (servidores) de Internet registrados en América Latina y el Caribe alcanzó, en enero de 1999, la cifra de 502.526, lo que representa un incremento del 102% con respecto al año anterior". Entre 1993 y 1997, en las once economías más grandes de América Latina aumentó a una tasa anual de 144%. América Latina representa en la actualidad alrededor del 5% de la población conectada *on line* de todo el mundo. Sin embargo, J. SOLER, en *Sistemas de información y telecomunicaciones*, Instituto Cervantes, *www.rediris.es/rediris/boletin/39/enfoque4.html*, observa que sólo el 2,5% de los materiales existentes en la red están en español, más del 85% de los principales "servidores" de ámbito hispano están en los Estados Unidos y el mundo hispano participa sólo marginalmente en las grandes innovaciones e infraestructuras tecnológicas de la comunicación.

[74] Cfr. Adriana PUIGGRÓS, *Problemas y perspectivas de la investigación y el desarrollo*, en *Pensar/Hacer*, Buenos Aires, junio de 2001, pp. 107-125.

[75] UNITED NATIONS DEVELOPMENT PROGRAM, *Human Development Report 2001*, UNDP, Nueva York, Oxford University Press, 2001, p. 48.

[76] Alejandro LLANO, "Claves filosóficas del actual debate cultural", *Humanitas*, Santiago de Chile, primavera de 1996, pp. 538 y ss.

[77] Cfr. Lídice GÓMEZ MANGO, *Perspectivas de un reencuentro de las lenguas españolas y portuguesas*, en imprenta.

[78] Véanse *Mercosur Educativo*, página WEB: www.ses.me.gov.ar/procal/html/mercosur_dimension_educativa; AA.VV., *La dimensión social del Mercosur*, CICCUS, Buenos Aires, 1997; Francisco PIÑÓN, "La dimensión educativa en el contexto del Mercado Común del Sur", *Actualización Política*, Buenos Aires, n. 4, marzo de 1992, pp. 41-56; Jorge CALDEIRA, *El MERCOSUR más allá de la economía*, Cuadernos de Marcha, Montevideo, enero de 1997, pp. 27-32.

[1] Diarmuid MARTIN, "Globalisation and the Social Teaching of the Church", en *Famiglia et Vita*, 1-2, Vaticano, 2001. Véase Avery DULLES, "The Papacy for a global Church", America, julio 15-22, 2000, pp. 6-11.

[2] Carlos M. GALLI, "Catolicidad y Mundialización" en *Criterio*, Buenos Aires, octubre de 1997, pp. 70-73; CELAM, *Globalización y Nueva evangelización en América Latina y el Caribe, Reflexiones del CELAM 1999-2003*, Documentos CELAM, Bogotá, 2003.

[3] JUAN PABLO II, Exhortación apostólica *Ecclesia in America*, Vaticano, 22/I/1999, n. 20.

[4] SECRETARÍA DE ESTADO, *Annuarium Statisticum Ecclesiae 2005*, Vaticano, 2005; Philip JENKINS, *La Terza Chiesa. Il cristianesimo nel XXI secolo*, Fazi, 2005.

[5] Citado en CONSEJO EPISCOPAL LATINOAMERICANO, *Elementos para una historia*, CELAM, Bogotá, 1982, p. 15.

[6] Cfr. Mark NOLL, *A History of Christianity in the United States and Canada*, Eerdmans, Michigan, 1992; Maldwyn JONES, *The limits of Liberty: American History*, Oxford University Press, Nueva York, 1982.

[7] Cfr. James MARTIN, "Anti-Catholicism in the United States. The Last Acceptable Prejudice", America, vol. 182, n. 10, 25 de marzo de 2000, pp. 8-13.

[8] Cfr. Charles MORRIS, *American Catholic*, Random House, Nueva York, 1986; Mary Ann GLENDOM, *The Hour of the Laity*, First Things, Nueva York, octubre de 2002.

[9] Tal es el reconocimiento y, a la vez, la crítica que se expresa en David SCHINDLER, *At the heart of the World from the Center of the Church*, Eerdmans, Michigan, 1996, respecto de los intentos de mediación del pensamiento católico en las instituciones liberales estadounidenses por parte de John Courtney Murray (en el orden político), de Richard Nehaus, Michael Novak y George Weigel (en el orden económico) y de Theodore Hesburgh (en el orden académico).

[10] John T. ELLIS, "Les États Unis depuis 1850", en *Nouvelle histoire de l'Église*, Seuil, París, 1977, pp. 277-298.

[11] Citado en A. METHOL FERRÉ, *Etapas históricas de la Iglesia en América Latina* (1945-1980), CELAM, Bogotá, 1980, p. 9.

[12] Ibíd., p. 30.

[13] Hernán ALESSANDRI, *El futuro de Puebla*, Paulinas, Santiago de Chile, 1980, p. 20.

[14] JUAN XXIII, Constitución Apostólica *Humanae Salutis*, Vaticano, 1961.

[15] Cfr. Alberto METHOL FERRÉ, "Karol Wojtyla en la comprensión de nuestro tiempo", en AA.VV., *Karol Wojtyla, filósofo, teólogo, poeta*, Librería Ed. Vaticana, 1984, pp. 345-353.

[16] CONCILIO VATICANO II, Constitución pastoral sobre la Iglesia en el mundo de hoy, 1965, *Gaudium et Spes*, n. 22.

[17] A. METHOL FERRÉ, Karol Wojtyla..., ob. cit., p. 348.

[18] JUAN PABLO II, Alocución al VI Simposio de Obispos europeos, 11 de octubre de 1985, *L'Osservatore Romano*, edición semanal en lengua española, Vaticano, 20 de octubre de 1985, p. 9.

[19] Cfr. Peter BERGER, *Affrontés a la modernité*, Le Centurion, París, 2004, pp. 200-220 y *Rumor de ángeles*, Herder, Barcelona, 1975, pp. 27-56.

[20] Samuel HUNTINGTON, en su reciente libro *¿Quiénes somos? Reflexiones sobre la identidad nacional estadounidense*, Paidós, Madrid, 2004, ob. cit., señala que la Iglesia católica tuvo que pagar el precio de su "americanización", reconociéndose de hecho como una "denominación" más. " Sin embargo, por razones comprensibles —escribe Huntington—, no les gusta a los católicos referirse a la 'protestantización' de su religión", pero este fenómeno ha sido el precio necesario de su asimilación.

[21] Cfr. John T. ELLIS, ob. cit., pp. 329-330 y 332-342.

[22] George WEIGEL, en *The Courage to be Catholic*, considera este fenómeno como el resultado de una "crisis espiritual de fidelidad". Lorenzo ALBACETE, sacerdote portorriqueño americano, articulista de *The New York Times*, pone en evidencia las ondas de desconcierto y desasosiego sufridas en el período postconciliar por parte de muchos sacerdotes norteamericanos, desconectados de los tradicionales ambientes parroquiales, de las prácticas del catolicismo popular y de las obras católicas, sometidos a fuertes dosis de incertidumbre y confusión, y sobre todo necesitados de una compañía y amistad cristianas que los ayuden a redescubrir el verdadero sentido de la comunión eclesial y de su ministerio sacerdotal.

[23] Cfr. Guzmán CARRIQUIRY, *El Concilio en América Latina*, Nexo, Montevideo, setiembre de 1983, pp. 28-34.

[24] JUAN PABLO II, Homilía en la Basílica de Nuestra Señora de Guadalupe, 27/1/1979, en III Conferencia General del Episcopado Latinoamericano, ob. cit., p. 37.

[25] La encíclica *Humanae Vitae* recibió la adhesión del Episcopado latinoamericano reunido en la Conferencia de Medellín, que destacó la relación de los dos niveles, el de la procreación responsable y el de las políticas demográficas. En 1974, el entonces secretario de Estado de los Estados Unidos había elaborado un documento titulado "Memorandum de estudio para la Seguridad Nacional", que sólo fue dado a conocer públicamente en el año 1989. En él se afirmaba que "las necesidades poblacionales de los países del Tercer Mundo con respecto a los recursos naturales mundiales causarán problemas que pueden afectar a los Estados Unidos", y sugería que era "más efectivo" usar los recursos "para fines de control poblacional que (para) elevar la producción a través de inversiones directas en riesgo, proyectos de energía e industrias". Recomendaba, pues, que la asistencia de los Estados Unidos y de los organismos internacionales a los países en desarrollo se concentrara en campañas de reducción de la natalidad. "Existe el peligro —advertía, en fin— de que se vea la planificación familiar como una forma de imperialismo económico y racial (...)". Esas campañas, sostenidas por un aparato de propaganda a nivel mundial que usaba imágenes algo terroristas, como la de la "bomba demográfica", estaban ya en pleno curso desde la década de 1960. Actualmente, la justificación ideológica ha cambiado: se prefiere insistir sobre la libertad y el *empowerment* de la mujer. En ámbitos de las Naciones Unidas, se han radicalizado con la propuesta de liberalizar lo más posible la práctica abortiva y, a la vez, reducir y reformular la institución del matrimonio y marginalizar la educación familiar.

[26] Cfr. II CONFERENCIA GENERAL DEL EPISCOPADO LATINOAMERICANO, *La Iglesia en la actual transformación de América Latina a la luz del Concilio II, Conclusiones*, CELAM 1968, documento *Paz*, pp. 65-69.

[27] Cfr. AA.VV., *Fe cristiana y cambio social en América Latina*, Sígueme, Salamanca, 1972, que es el fruto de una de las más importantes reuniones internacionales de los teólogos de la liberación en su momento de auge; CONSEJO EPISCOPAL LATINOAMERICANO, *Liberación: diálogos en el CELAM*, CELAM, Bogotá, 1974, es el primer debate a fondo sobre las nacientes teologías de la liberación.

[28] Cfr. Joseph RATZINGER, "Situación actual de la fe y de la teología", *Ecclesia*, Roma, diciembre de 1996, pp. 485-486.

[29] Véase Gustavo GUTIÉRREZ, "Un nuovo tempo della teologia della liberazione", *Il Regno*, Bolonia, 15/5/1977, pp. 298-315 (presentado en el encuentro que tuvo lugar en Alemania, del 23 al 25 de setiembre 1996, entre la Presidencia del CELAM, la Congregación para la Doctrina de la Fe y algunos exponentes de la teología latinoamericana); AA.VV., *El mar se abrió*, Sal Terrae, Santander, 2001.

[30] JUAN PABLO II, Encíclica *Centesimus Annus*, n. 35.

[31] Joseph RATZINGER, *Rapporto sulla Fede*, Paoline, Roma, 1985, p. 28 (traducción española del autor).

[32] A. METHOL FERRÉ, "El marco histórico de la religiosidad popular", en AA.VV., *La religiosidad popular*, CELAM, Bogotá, 1977, p. 46

[33] Cfr. Guzmán CARRIQUIRY, *L'Esortazione apostolica 'Evangelii Nuntiandi'. Storia, contenuti, recezione*, Istituto Paolo VI, Brescia, 1998, pp. 259-277.

[34] JUAN PABLO II, Encíclica *Redemptor Hominis*, Vaticano, 4/III/1979, n. 10.

[35] JUAN PABLO II, Carta Apostólica *Novo Millennio Ineunte*, Vaticano, 6/I/2001, nn. 23 y ss.

[36] Cfr. Bernard LAW, "What it means to be pro-life", *Origins*, Washington, 3 de mayo de 2001, pp. 733-738.

[37] JUAN PABLO II, Discurso al Presidente de Estados Unidos de América, George Bush (hijo), en visita al Vaticano, el 23 de julio de 2001, *L'Osservatore Romano*, edición semanal en lengua española, Vaticano, 27 de julio de 2001, p. 3.

[38] JUAN PABLO II, Discurso a los Obispos del CELAM en la inauguración de la XIX Asamblea Ordinaria, 9 de marzo de 1983, en CONSEJO EPISCOPAL LATINOAMERICANO, *Juan Pablo II a la Iglesia de América Latina*, CELAM, Bogotá, 1992, p. 12.

[39] JUAN PABLO II, Homilía en la Misa conclusiva de la Asamblea especial para América del Sínodo de los Obispos, en la Basílica de Nuestra Señora de Guadalupe, México, 23/I/1999, en COMISIÓN PONTIFICIA PARA AMÉRICA LATINA, *Documentos del Santo Padre Juan Pablo II*, Vaticano, 1999, p. 329. George WEIGEL, en *First Things*, Nueva York, febrero de 2001, pp. 18-25, señala que "el poder de este pontificado reside, sobre todo, en el carisma de persuasión moral, que se traduce en eficacia política. Esta eficacia política paradójica, lograda sin los normales instrumentos del poder político, es de por sí muy interesante (...). La paradoja relativa al impacto público de Juan Pablo II (...) hace recordar también otras cinco verdades: que el poder del

espíritu humano puede desencadenar un cambio histórico mundial; que la tradición puede constituir tanto una fuerza potente para la transformación social cuanto una radical y consciente ruptura con el pasado; que la convicción moral puede representar la palanca de Arquímedes apta para poner al mundo en movimiento; que la vida pública y la política no son sinónimos; y que una política auténticamente humanista depende siempre de una más fundamental estructura satelital de libres asociaciones, en el interior de las cuales se aprende la verdad que nos concierne en cuanto individuos y miembros de la comunidad" (traducción al español del autor).

[40] CONCILIO VATICANO II, *Gaudium et Spes*, ob. cit., n. 7.

[41] PABLO VI, Carta apostólica *Evangelii Nuntiandi*, Vaticano, 8/XII/1975, n. 20.

[42] JUAN PABLO II, Exhortación apostólica *Christifidelis laici*, Vaticano, 30/XII/1988, n. 34.

[43] Samuel HUNTINGTON, *El choque de civilizaciones y la reconfiguración del orden mundial*, Paidós, Barcelona, 1997, pp. 112-113.

[44] Ibíd., p. 113.

[45] Cfr. Pontificio Consiglio per il Dialogo Interreligioso, "Il dialogo interreligioso nel Magistero Pontificio", Librería Ediciones Vaticano, 1994.

[46] Cfr. AA.VV., "Les temps des religions sans Dieu", *Esprit*, París, junio de 1997.

[47] Cfr. Joseph RATZINGER, *Situación actual de la fe...*, ob. cit., pp. 494-496.

[48] Ibíd., pp. 494 y ss.

[49] Alberto METHOL FERRÉ, "Estamos en vísperas de la batalla por la religión universal", *Postdata*, Montevideo, 29/9/1995, pp. 50-53.

[50] George GALLUP y Jim CASTELLI, *The people's Religion: American Faith in the 90s*, Garden City, Nueva York, 1989, p. 20.

[51] Citado en David SCHINDLER, "Cultura americana e religiosità", *Il Nuovo Areopago*, Forlì, junio de 1996, p. 16.

[52] Cfr. Will HERBERG, *Protestant, Catholic, Jew*, University of Chicago Press, Chicago, 1983; David SCHINDLER, ob. cit., pp. 15-26 y *At the heart of the World from the Center of the Church*, ob. cit., pp. 68-75. En realidad, ya lo decía Reinhold NIEBUHR: Estados Unidos es, entre las naciones occidentales, "la más religiosa y la más secularizada". "Somos 'religiosos' en el sentido de que las confesiones religiosas gozan de la devoción y comprometen la fidelidad participativa de más laicos que de cualquier otra nación del mundo occidental. Somos 'secularizados' en el sentido de que buscamos los objetivos inmediatos de la vida, sin plantearnos demasiadas preguntas últimas sobre el significado de la vida y sin que nos preocupemos mucho por sus tragedias y contradicciones." Esa peculiar religiosidad americana ha sido alimentada histórica y culturalmente, según Niebuhr, por dos tipos de Iglesia: la "Iglesia-secta" y la "Iglesia de inmigrantes", las cuales, de distintos modos, han sido a la vez refugio fraterno ante el anonimato de una cultura urbana y tecnológica y apoyo para integrarse en ella (véase Reinhold NIEBUHR, citado en *Il destino e la Storia* (antología), Rizzoli, Milán, 1999, pp. 326 y ss., traducción al español del autor).

[53] Citado en D. SCHINDLER, *Cultura...*, ob. cit., p. 15.

[54] Lorenzo ALBACETE, "Oltre il mito puritano", *Il Nuovo Areopago*, Forlì, junio de 1996, p. 12.

[55] Cfr. Juan C. URREA VIERA, *El fenómeno de las sectas*, CELAM, Bogotá, 1998, pp. 56-57; Manuel GUERRA G., *Las sectas y su invasión del mundo hispano; una guía*, Universidad de Navarra, Pamplona, 2004.

[56] Citado por Jean MEYER, *Historia de los cristianos en América Latina, siglos XIX y XX*, Vuelta, México, 1989, p. 280.

[57] Ibíd., p. 279.

[58] Cfr., David MARTIN, *Tongues of fire: The explosion of Pentecostalism in Latin America*, Oxford, Blackwell, 1990. Joseph RATZINGER, en *Il sale della Terra*, S. Paolo, Turín, p. 167, afirma: "Muchos dicen que la teología de la liberación no ha logrado ganar a los sectores sociales (...) más pobres. Precisamente los más pobres se escaparon de ella porque no se sentían para nada interpelados por promesas muy fuertemente intelectuales, sino que sintieron una disminución del consuelo y calor de la religión" (traducción al español del autor).

[59] Cfr. David STOLL, *Is Latin America turning Protestant? The politics of Evangelical Growth*, Berkeley, California, 1990.

[60] Citado en Jean MEYER, ob. cit., p. 297.

[61] Cfr. Peter B. CLARK, "'Pop Stars' priests and the Catholic Response to the 'explosion' of Evangelical Protestantism in Brazil: The Beginning of the End of the 'Walkout'", *Journal of Contemporary Religion*, Carfax, febrero 1999.

[62] JUAN PABLO II, Carta apostólica *Tertio Millennio Adveniente*, Vaticano, 10/XI/1994, n. 21.

[63] UNITED NATIONS DEVELOPMENT PROGRAM, *Human Development Report*, UNDP, Nueva York, Oxford University Press, 2001, p. 9.

[64] JUAN PABLO II, Discurso inaugural de la IV Conferencia General del Episcopado Latinoamericano, 12 de octubre de 1992, en *Documentos del Santo Padre...*, ob. cit., pp. 137-138.

[65] JUAN PABLO II, *Ecclesia in America*, ob. cit., n. 5.

[66] En cuatro números sucesivos de la revista *30 Giorni* (Roma, año XX, nn. 5, 6, 7 y 8 de 2000) fueron publicadas entrevistas a los cardenales latinoamericanos O. Rodríguez Madariaga (Tegucigalpa), N. Rivera Carrera (México), J. Sandoval (Guadalajara) y M. Obando (Managua) que incluso hablan de persecución contra la Iglesia católica.

[67] JUAN PABLO II, Encíclica *Redemptor Hominis*, ob. cit., n. 14.

[68] Cfr. Francis FUKUYAMA, *Our posthuman future: consequences of the Biotechnology Revolution*, Profile Books, Londres, 2002; Luis Fernando FIGARI, *Un mundo en cambio*, VE, Lima, 2004; Germán DOIG, *El diálogo de la tecnología. Más allá de Ícaro y Dédalo*, VE, Lima, 2000.

[69] CONCILIO VATICANO II, *Gaudium et Spes*, ob. cit., n. 14.

[70] Cfr. Luigi GIUSSANI, *El sentido religioso*, Encuentro, Madrid, 1987.

[71] JUAN PABLO II, Encíclica *Centesimus Annus*, n. 49.

[72] CONCILIO VATICANO II, *Gaudium et Spes*, ob. cit., n. 22.

[73] Hernando de SOTO, en *El otro sendero. La revolución informal*, Barranco, Lima, 1988, puso en evidencia el enorme potencial de los pobres que han creado una sociedad paralela, fuera de cualquier regulación jurídico-estatal,

en diversos ámbitos como el comercio, la industria, la construcción, el transporte, etc. Soto ha calculado que sus activos en Perú eran de 90.000 millones de dólares, once veces más que todos los títulos de valores de la Bolsa de Lima y cuarenta veces más que el total de la ayuda extranjera recibida por el país desde la Segunda Guerra Mundial hasta nuestros días. En México, el valor estimado es de 315.000 millones de dólares, siete veces más que el valor de PEMEX, la empresa petrolífera nacional. Cfr. Manuel GÓMEZ GRANADOS, La economía de los pobres, *La Cuestión Social*, año 12, n. 2, abril-junio de 2004, pp. 169-184.

[74] Samuel MORLEY, en *La distribución del ingreso en América Latina y el Caribe*, CEPAL-FCE, Santiago de Chile, 2000, pp. 182 y ss, calcula que el 47% de la fuerza de trabajo ocupada en los centros urbanos se encuentra en condiciones de extrema precariedad, sin ninguna protección.

[75] Jorge CASTRO, *La tercera revolución*, Catálogos, Buenos Aires, 1998, p. 210.

[76] Cfr. Juan C. SCANNONE, "Sociedad civil y neocomunitarismo en América Latina", *Razón y Fe*, Madrid, junio de 1999, pp. 613-625.

[77] Cfr. Jeremy RIFKIN, *El fin del trabajo*, Paidós, Barcelona, Buenos Aires, México, 1996, pp. 277-338; Peter F. DRUCKER, *Management Challenges for the 21st Century*, Harper Collins, Nueva York, 1999; Pier Paolo DONATI y otros, *Lo Stato sociale in Italia. Bilancio e prospettive*, Mondadori, Milán, 1999; Giorgio VITTADINI y otros, *Il non profit dimezzato*, Etaslibri, Milán, 1977.

NOTAS FINALES DEL AUTOR

[1] José MARTÍ, *Política de nuestra América*, Siglo XXI, México, 1977, p. 40.

[2] Octavio PAZ, *Pequeña Crónica de Grandes Días*, FCE, México, 1990, p. 110.

[3] Simón BOLÍVAR, *Escritos políticos* (antología), Alianza, Madrid, 1982, p. 81.

[4] Alberto METHOL FERRÉ, *Mercosur o muerte*, Cuadernos de Marcha, Montevideo, setiembre de 1994, p. 42.

[5] JUAN PABLO II, Discurso inaugural de la IV Conferencia General del Episcopado Latinoamericano, en Santo Domingo, 12 de Octubre de 1992, en *Documentos del Santo Padre..., Juan Pablo II*, 1999, p. 136, n. 15.

[6] JUAN PABLO II, Homilía en la Misa con ocasión del 150° aniversario de la muerte de Simón Bolívar, 17 de diciembre de 1980, en Santa Sede, *Insegnamenti di Giovanni Paolo II*, III, 2, Vaticano, julio-diciembre de 1980, p. 1717.

ÍNDICE

Composición de originales
G&A Publicidad / División Publishing

Esta edición de 3.000 ejemplares
se terminó de imprimir en
Grafinor S.A.,
Lamadrid 1576, Villa Ballester, Bs. As.,
en el mes de agosto de 2005.